CW00865380

Der Steg na

Diana Dörr

Buchbeschreibung:

Von den masurischen Weiten durch die Hölle des Zweiten Weltkrieges in die Verbannung nach Sibirien:

Eine Frau erfährt mehr Schicksal, als sie ertragen kann. Doch das Ende ist nicht das Ende: Ein neues Leben erinnert sich an das vergangene...

Eine mitreißende Reise durch Zeiten der Verzweiflung, der Einsamkeit, aber auch der Heilung und des Ankommens.

Über die Autorin:

Diana Dörr, geboren 1970, ist Heilpraktikerin mit eigener Praxis für Homöopathie, Rückführungstherapie und schamanische Heilweisen in Bad Homburg.

2011 veröffentlichte sie ihren ersten Roman mit dem Titel "Der Steg nach Tatarka" beim Paracelsus Verlag in Salzburg/ Österreich.

Die Autorin vereint durch ihre Bücher ihre Verbundenheit mit der Natur mit ihren beruflichen Interessen, der Heilung von Menschen und Mutter Erde.

Mehr über die Autorin erfahren Sie hier:

www.dianadoerr.de

Weitere Bücher der Autorin:

Aurora in geheimer Mission

Aurora und der Wächter des Wassers

Auroras Erdheilungsfibel

Auroras Heilwasserfibel

Der Steg nach Tatarka

Diana Dörr

Bibliografische Information der Deutschen Nationalbibliothek:
Die Deutsche Nationalbibliothek verzeichnet diese Publikation in
der Deutschen Nationalbibliografie, detaillierte bibliografische
Daten sind im Internet über http://dnb.dnb.de abrufbar.

Diana Dörr, »Der Steg nach Tatarka «
4. überarbeitete Auflage, 2019
© 2019 Diana Dörr - alle Rechte vorbehalten.
Umschlaggestaltung: Donna Dean
Herstellung und Verlag: BoD – Books on Demand,
Norderstedt.
© 1. Auflage 2011 Diana Dörr

ISBN 978-3-7528-4860-1

Inhalt

Vorwort zur 4. Auflage 2019

Während der Geschehnisse, die zu diesem Buch führten, fragte ich mich, warum ich ausgerechnet eine Geschichte aus dem Zweiten Weltkrieg in Russland erzählen musste. Wer würde sich hierfür noch interessieren? Musste ein weiteres Buch über den Krieg im Osten geschrieben werden? War hierzu nicht bereits alles gesagt und geschrieben worden?

Aber das Schicksal schubste mich mitten in die weiß-russischen Sümpfe und in ein bis heute in Deutschland kaum bekanntes Kapitel der deutsch-russischen Geschichte. Die auf den folgenden Seiten beschriebenen Fügungen ließen mir keine andere Wahl, das Buch musste geschrieben werden. Dennoch ahnte ich nicht, wie aktuell das darin enthaltene Thema noch werden würde, als mein Roman schließlich 2011 in Erstauflage beim Paracelsus Verlag in Salzburg erschien.

Wenn man heute in die Welt schaut, bestätigt sich vieles von dem, was ich vor vierzehn Jahren für dieses Buch niedergeschrieben habe:

Die Spuren des Zweiten Weltkrieges sind vielerorts nur im Äußeren beseitigt worden, aber nicht in den Seelen der betroffenen Menschen. Möge dieser auf wahren Begebenheiten beruhende Roman zum dauerhaften Frieden in Europa und der Welt beitragen. Es ist an der Zeit diese alten Narben zu heilen, statt immer wieder neue Wunden zu schlagen.

Wanderer zwischen den Welten

»Der Weg ins Licht erscheint oftmals dunkel, der Weg nach vorn scheint oft nach hinten zu führen.«

Laotse – Tao te king

Taunus
Oktober 1970

Der Tunnel ist dunkel und eng. Dana hat Angst und fühlt die Schwere, die sie umgibt. Sie kann nicht zurück, sie muss zu dem hellen Licht am Ende des Tunnels. Dieses Licht hat sich Dana erst in den letzten Tagen deutlich gezeigt, obwohl sie seine Gegenwart schon lange gespürt und daraus Hoffnung geschöpft hat. Doch nun scheint es so weit entfernt und für Dana unerreichbar zu sein. Wenn sie nur wüsste, wie sie den Lichtschein erreichen und den Tunnel verlassen könnte. Es ist so eng und dunkel um sie herum und sie kommt nicht weiter.

Da hört Dana eine warmherzige Stimme, die sie zu beruhigen versucht. Dana kennt diese Stimme, sie weiß, dass sie zu Mutter Maria gehört, wenn sie sie auch nicht sehen kann.

»Du brauchst keine Angst zu haben, Dana. Du bist nicht allein«, sagt sie ihr.

Dennoch kann sie Dana nicht beruhigen, dafür sind die Stimmen außen zu laut.

Ich will zurück, ich will wieder zu ihnen, aber es geht nicht mehr. Ich wollte hierher und muss jetzt weiter, spricht sie sich selbst Mut zu. Sie sind noch immer an meiner Seite und gehen mit mir, ich kann sie hören und spüren.

Die Stimmen außerhalb ihrer werden immer lauter und übertönen die beruhigenden Worte in Danas Innerem. Da sind so viel Lärm und Aufregung, die Dana Angst machen.

Ich will hier weg, aber komme nicht weg, denkt sie immer verzweifelter und fürchtet sich aufgrund der Geräusche von außen. Nervosität überträgt sich auf sie und sie kann ihre innere Stimme nicht mehr hören. Sie hat Angst und in ihrem Kopf ist nur der eine Gedanke: Ich muss hier raus. Ich muss hier raus und weiter zu dem Licht.

Dann geht es plötzlich ganz schnell. Dana wird nach vorne gerissen. Sie rast auf das Licht zu und spürt, wie sie aus der Dunkelheit gezogen wird. Danas Angst nimmt immer mehr zu, während es immer Kälter um sie wird.

Warum ist das Licht so kalt, fragt sie sich. Das Licht kann nicht so kalt sein.

Die äußere Unruhe verstärkt Danas Angst und ihr ganzer Körper verkrampft sich.

Sie kriegt keine Luft und kann kaum atmen. Es ist so kalt. Warum ist das Licht so kalt? Sie will in das Licht, das wärmer ist. Sie versteht nicht, wo sie ist. Warum ist es hier so kalt?

Vergeblich wartet Dana auf eine beruhigende Stimme, auf ein Zeichen, doch nur Kälte, Unruhe und Entsetzen umgeben sie und sie bekommt keine Luft.

Ich will hier weg, denkt sie ohne Unterlass, während es dunkel um sie wird und sie das Bewusstsein verliert.

»Sie atmet nicht«, hört Dana eine weit entfernte Stimme. »Sie hat nicht einmal geschrien und atmet nicht.«

Es ist wieder warm und hell und Danas Angst hat nachgelassen. Sie betrachtet den winzigen Körper, der auf einem Behandlungstisch liegt und die weiß gekleideten Menschen, die sich über ihn beugen.

Da sind noch immer so viel Unruhe und Lärm, doch sie bleibt davon unberührt. Sie fühlt keine Schwere und Kälte mehr und beobachtet fast unbeteiligt die umhereilenden Menschen.

»Die Geburt ging zu schnell. Es liegt wahrscheinlich an der Infusion, die wir der Mutter gegeben haben und die das Kind narkotisiert hat. Wir müssen ihre Lungen absaugen und hoffen, dass sie dadurch schneller das Bewusstsein wiedererlangt. Gut, dass Sie mich gleich gerufen haben.«

Danas Aufmerksamkeit wird wieder abgelenkt und richtet sich auf das warme Licht und die beruhigenden Stimmen ihrer Engel und Geistführer. Sie fühlt sich frei und leicht und spürt die Gegenwart von Mutter Maria, die zu ihr spricht: »Du musst zurück, Dana. Es wird Zeit!«

In diesem Moment spürt Dana erneut die Schwere, die sie nach unten zieht. Während sie von dem kleinen Körper auf der Liege angezogen wird und ihre Seele mit ihm verschmilzt, begrüßt sie diese Welt mit einem Schrei.

Die geheimnisvollen Wälder

»Einsamkeit und das Gefühl, unerwünscht zu sein, ist die schlimmste Armut.«

Mutter Teresa

Masuren
Sommer 1932

Marie-Luises zierliche Gestalt wirft kaum Schatten, als sie die dicht bewachsene Birkenallee im Schein der untergehenden Sonne nach Hause hastet. Die Gedanken nehmen immer mehr von ihr Besitz und lassen sie den nicht enden wollenden Heimweg vorübergehend vergessen.

Sie fragt sich, warum sie Rose nicht besser angebunden hatte. Nun muss sie den ganzen Weg allein nach Hause laufen. Sie hofft, dass niemand ihren heimlichen Ausflug bemerkt und Rose vermisst hat, und biegt hastig in die eng bewachsene Ahornchaussee ein. In der Ferne erkennt sie die ersten schattenhaften Umrisse des mächtigen Herrenhauses, dessen schwarze Silhouette vom silbernen Licht des Mondes angestrahlt wird. Sie drängt die beängstigenden Vorahnungen aus ihrem Kopf, indem sie erneut über das gerade im Wald Vorgefallene nachdenkt und eine Erklärung dafür sucht. Während der Mond hinter einer Wolke verschwindet, taucht sie in die Eichenallee ein, die zu ihrem Elternhaus führt. Die Allee liegt nun in völliger Dunkelheit vor ihr, doch sie nimmt kaum davon Notiz, sondern läuft atemlos weiter. Endlich erreicht sie den elterlichen Hof und ist doch in Gedanken noch weit entfernt. Ich bilde mir das alles nicht ein, versichert sie sich. Rose hat es auch bemerkt.

Sie hastet die steinerne Eingangstreppe hinauf, öffnet die mächtige Eichentür und betritt erleichtert das düstere Gutshaus, während sie in Gedanken noch immer im Wald und bei dem gerade Erlebten ist. Rose bekam Angst. Darum scheute sie und stürmte verstört davon. Aber ich bin mir sicher, dass mir das wieder niemand glauben ...

»Wo kommst du her?« Mit der Kraft eines sich entladenden Gewittersturms reißt ihr Vater Marie-Luise in die Gegenwart zurück.

»Ich war spazieren.«

»Um diese Zeit?« Seine Stimme scheint die gesamte Empfangshalle auszufüllen, in der er auf Marie-Luise gewartet hat.

»Rose hat sich losgerissen. Ich wollte ...«

»Habe ich dir nicht gesagt, dass du nicht reiten sollst?«

»Es tut mir leid, aber ich ... «

»Keine Ausflüchte, ich sage es dir zum letzten Mal, für ein 12-jähriges Mädchen gehört es sich nicht zu reiten.«

»Aber ...«

»Kein Aber! Ich habe es dir oft genug gesagt. Und nun geh auf dein Zimmer.«

Marie-Luise steigt niedergeschlagen die Treppe hinauf und beschließt, alles für sich zu behalten, was sie gerade im Wald erlebt hat. Ihr Vater würde sie doch nicht verstehen.

Die abendliche Stille erfüllt das masurische Gutshaus, während Marie-Luise vorsichtig die Tür des kleinen Mansardenzimmers öffnet. Das flackernde Kerzenlicht in ihrer Hand kämpft tapfer gegen die Dunkelheit an, die vom Korridor Besitz ergriffen hat. Lautlos hastet sie den Gang entlang und gelangt über die knarrende Eichentreppe ins Erdgeschoss. Sie löscht die Kerze und läuft auf Zehenspitzen am Gartensalon vorbei, in dem ihre Mutter in ihre Stickarbeit vertieft ist, eilt weiter in den Westflügel und blickt vorsichtig in die Bibliothek ihres Vaters. Sie hat Glück.

Ihr Vater ist nicht zu sehen, vermutlich ist er in seinem Arbeitszimmer. Sie betritt die Bibliothek, in der das Kaminfeuer einladend flackert, und bleibt vor dem gewaltigen Bücherregal stehen. Ehrfurchtsvoll nimmt sie ein Buch über Heilpflanzen aus dem Regal und streicht behutsam über das weiche Leder. Freudig lässt sie sich in einen Sessel fallen und genießt die behagliche Wärme des Kamins. Die interessanten Pflanzen- und Naturbeschreibungen und das knisternde Feuer lassen sie den Zorn ihres Vaters vergessen.

Sie hat jegliches Zeitgefühl verloren. Erst ein Blick zum Kamin und dem erlöschenden Feuer zeigt ihr, dass es Zeit wird zu gehen. Marie-Luise klappt ihr Buch zu und erhebt sich aus dem Sessel.

Sie würde so gerne Medizin studieren, doch sie weiß, dass ihr Vater es nie erlauben würde.

Warum beharrt er immer darauf, dass Mädchen nicht lesen sollen, fragt sie sich. Nur meine Schulbücher und die Familienbibel darf ich studieren. Nicht das, was mich wirklich interessiert.

Müde stellt sie das Buch ins Regal zurück. Er erlaubt mir einfach nichts. Und Mutter? Immer bekomme ich die gleiche Antwort: »Das tut man eben nicht.«

Doch auch heute regt sich ihr Widerstand gegen diese Konventionen, denen sie sich nicht unterordnen will. Trotzig nimmt sie ein kleines unscheinbares Buch aus dem Regal und verlässt die Bibliothek. Unbemerkt erreicht sie ihr Zimmer im Obergeschoss und versteckt ihre Lektüre hinter einem Wäschestapel in ihrem Wandschrank.

Die ersten Strahlen der Morgensonne wecken Marie-Luise sanft aus ihren Träumen. Das Sonnenlicht breitet sich immer mehr im Ostflügel aus und vertreibt die Schatten der Nacht. Schweigend betrachtet sie das wunderschöne Schattenspiel an ihrer Zimmerwand. Das Zimmer ist klein und mit einem Holzbett, schmalem Schrank und Waschtisch spärlich möbliert.

Verschlafen öffnet sie das Fenster, blickt in den Park hinaus und saugt den kräftigen Duft von frisch gemähtem Gras in sich auf.

Nachdem sie sich an der Waschschüssel erfrischt hat, zieht sie sich ein leichtes Sommerkleid über, bändigt ihre dunklen, langen Haare zu zwei Zöpfen und läuft hungrig zum Speisezimmer hinunter, in dem ihre Eltern bereits am Frühstückstisch sitzen.

»Guten Morgen, Marie-Luise. So früh auf?«, wird sie von ihrer Mutter Katharina von Suttner begrüßt. Albert von Suttner murmelt etwas Unverständliches und versinkt in eisiges Schweigen. Marie-Luise setzt sich schweigend auf ihren Platz und schenkt sich eine Tasse Tee ein. Sie wundert sich, wie gewissenhaft auch heute die grauen Haare ihrer Mutter zu einem Knoten im Nacken festgesteckt sind. Jedes Haar verharrt fügsam an seinem Platz.

»Hast du gut geschlafen?«, fragt ihre Mutter.

»Danke, ja. Aber ich hatte wieder diesen eigenartigen Traum. Ich sehe mich auf einem großen, grünen Platz mit sonderbaren länglichen Gebäuden ...«

»Marie-Luise! Kannst du denn nicht aufhören, diesen Träumen so viel Bedeutung zu geben«, fährt Albert von Suttner dazwischen. Er schaut seine Tochter voller Unverständnis an. »Es reicht jetzt. Ich habe wirklich keinen Sinn für deine albernen Fantasiegeschichten.« Wütend erhebt er sich und verlässt schimpfend das Zimmer. Marie-Luise ist der Appetit vergangen und sie stellt scheppernd ihre Teetasse auf den Tisch zurück. Ihre Mutter zuckt zusammen, noch bevor sie etwas sagen kann, springt Marie-Luise auf und läuft aus dem Speisezimmer. Sie beschließt, Rose in ihrem Stall zu besuchen und zu sehen, wie es ihr geht.

Als sie aus der Haustür tritt, fällt ihr Blick auf die Kutsche ihres Vaters, die gerade in den Schatten der Eichenallee eintaucht und das Gutsgelände verlässt.

Vergnügt läuft Marie-Luise die alte Eichenallee entlang, biegt in die Ahornchaussee Richtung Ährenfeld ein und erreicht nach ein paar Minuten die Abzweigung zu den Stallungen des Gutshofes. Auf dem Fischteich tummeln sich ausgelassen ein halbes Dutzend Enten und aus der Ferne ertönt das Klappern des Storchenpaars, das auf einem der wuchtigen, rot bedachten Wirtschaftsgebäude nistet und stolz den Nachwuchs bewacht.

Marie-Luise betritt den lang gestreckten Stall, in dem die Reitpferde und Ponys untergebracht sind. Ein angenehmer Geruch von Heu und Leder schlägt ihr entgegen. Zielstrebig läuft sie zu Rose, die in ihrer geräumigen Box steht und freudig wiehert.

»Wie schön, dass es dir gut geht«, begrüßt Marie-Luise Rose und streicht sanft über ihr frisch gestriegeltes, hellbraunes Fell. »Es tut mir leid, dass du dich gestern so erschreckt hast. Aber es bestand wirklich kein Grund dazu. Gleich kommt Franz und bringt dich auf die Sommerweide.«

Beim Verlassen des Reitstalles kommt ihr der Stallbursche Franz entgegen. Er erwidert ihren Gruß und zwinkert ihr zu.

Gedankenversunken schlendert Marie-Luise zum Herrenhaus zurück. Natürlich weiß Franz, dass ich mich nicht in den Ställen aufhalten soll, aber er würde mich niemals verraten.

Die Ahornchaussee spendet angenehmen Schatten gegen die zunehmende Sommerhitze. Auch die Gänse haben sich inzwischen auf den Fischteich geflüchtet und kämpfen mit den Enten um die Vorherrschaft in dem kühlen Nass.

Nein, ich kann Rose nicht wieder auf die Lichtung mitnehmen. Sie ist zu sensibel und schreckhaft. Während Marie-Luise die breite Freitreppe des Herrenhauses erreicht, streift ihr Blick den Spruch, der drohend über dem Haupteingang unterhalb des Giebels mit dem Familienwappen zu lesen ist:

»Wer seinen Acker bauet, der wird Brod in Fülle haben; wer aber unnötigen Sachen nachgehet, der ist ein Narr.«
Sprüche 12, 11

Marie-Luise fröstelt, als sie das Haus betritt. Sie wundert sich, warum die Hitze des Sommertages auch heute nicht durch die Wände dringt, und beschließt, schwimmen zu gehen, um dieser Kälte zu entfliehen. Während sie ihre Badesachen zusammenpackt, fällt ihr Blick auf das Buch, das sie aus der Bibliothek mitgenommen hat, sie lässt es jedoch in seinem Versteck. Mit ihrer Badetasche bepackt saust sie die Treppe hinunter und stürmt aus dem Haus. Die Mahnung ihrer Mutter, nicht wieder zu spät zum Abendessen heimzukommen, erreicht gerade noch ihr Ohr, bevor ihr im Freien die heiße Sommerluft entgegenschlägt. Beschwingt läuft Marie-Luise über den Sommerweg der Schattenwälder-Chaussee Richtung Sonnenberg, biegt in die alte Birkenallee ein und erreicht endlich ihren Lieblingsbadesee. Dort legt sie ihre Decke unter eine einzeln stehende Birke, deren Krone sich sanft im Wind wiegt, und stürzt sich in den kühlen See. Sie genießt den freien Tag ohne Hauslehrer und Zwänge und verliert wieder einmal jegliches Zeitgefühl.

Ihr Hunger erinnert sie daran, dass es Zeit ist aufzubrechen, und während sie ans Ufer watet, versinken ihre Füße immer wieder in dem schwarzen Moorboden.

Auf dem Heimweg entdeckt sie ein schwarzes Kätzchen, das unter einer Bank kauert.

»Wo kommst du denn her? Hast du dich verlaufen?« Ängstlich blickt das Tier zu Marie-Luise auf. »Ich nehme dich erst einmal mit nach Hause. Du hast bestimmt auch Hunger.«

Marie-Luise versteckt das Kätzchen unter ihrem noch feuchten Badetuch und läuft weiter nach Hause. Leise betritt sie das Gutshaus und schleicht die Treppe zu ihrem Zimmer hinauf. Sie setzt das Kätzchen auf ihr Bett und beobachtet, wie es neugierig mit seinen kleinen Äuglein das Zimmer erkundet.

Der Ruf zum Essen ertönt und sie erhebt sich widerwillig.

Eilig verlässt sie das Zimmer, um sich nicht schon wieder zu verspäten.

Licht in der Dunkelheit

»Der Himmel ist genauso unter unseren Füßen wie über unserem Kopf.«

Henry David Thoreau

Taunus
Juni 1973

Dana sitzt barfuß im Gras und beobachtet ihren vier Jahre älteren Bruder Mike, der mit zwei Freunden Fußball spielt. Sie durfte eine Weile als Torwart mitspielen, bis er dagegen protestierte, da sie wieder einmal fast jeden Ball gehalten hatte. So hat sie sich nun zu ihren Puppen gesetzt, die im Schatten einer Fichte auf sie gewartet haben, und freut sich darauf, mit ihrer Mutter schwimmen zu gehen.

»Ich ziehe mich noch schnell um«, hört Dana ihre Mutter durch das weit geöffnete Wohnzimmerfenster rufen.

Dana läuft voller Vorfreude zum Schwimmbecken, das im vorderen Teil des Grundstücks liegt, um dort auf ihre Mutter zu warten. Sie klettert auf den Hang, in den das runde Becken an der Westseite eingelassen ist, und blickt von dort aus gebannt auf das ruhige Wasser.

»Meine Ente«, ruft sie erschrocken und starrt auf die gelbe Schwimmente, die in der Mitte des Schwimmbeckens treibt. »Meine Ente!«

Dana wundert sich, warum ihr Schwimmreif nicht wie gewohnt neben der Treppe auf sie wartet. Sie weiß, dass sie ohne die Ente nicht schwimmen kann. Zielstrebig betritt sie die Leiter, die ins Schwimmbecken führt, um ihre Ente aus dem Wasser zu holen.

Vergessen sind die Mahnungen der Eltern, sich dem Wasser fernzuhalten und nicht allein ins Schwimmbad zu steigen.

Dana springt von der Leiter ins Becken und bemerkt augenblicklich, dass sie keinen Boden unter den Füßen hat. Während es sie unaufhaltsam nach unten zieht, wird es immer dunkler um sie. Dana bekommt keine Luft und versucht voller Panik, an die Oberfläche zu gelangen. Vergeblich. Sie sinkt weiter nach unten und es wird immer düsterer und kälter um sie. Plötzlich sieht Dana rechts unter sich ein helles, strahlendes Licht, das ihre Aufmerksamkeit gefangen nimmt. Warum ist es hier so hell, fragt sie sich. Das Licht war doch bis eben noch über ihr. Während es sie unaufhaltsam zu dem warmen Licht zieht, spürt Dana, wie sie immer leichter und ruhiger wird und Kälte und Angst sie verlassen.

Kurz bevor sie das Licht erreicht, wird sie von ihm weggezogen und alles um sie herum versinkt in tiefer Dunkelheit.

»Dana!«

Langsam wird es hell um Dana und sie hört die Stimme ihrer Mutter, die weit entfernt zu sein scheint.

»Dana! Hörst du mich?«

Dana starrt ihre Mutter mit weit aufgerissenen Augen an und versucht, sich daran zu erinnern, was gerade geschehen ist. Ihre Unterschenkel kribbeln und es ist nass und kalt.

»Was ist mit dir?«

Dana antwortet noch immer nicht.

»Geht es dir gut? Ist alles in Ordnung?«

»Ja«, stammelt Dana.

»Wir fahren jetzt zum Arzt, er soll dich genauer untersuchen.«

Kurz entschlossen nimmt Danas Mutter sie auf den Arm und bringt sie ins Haus, um ihr etwas Trockenes anzuziehen. Dabei redet sie besorgt auf ihre Tochter ein.

»Warum warst du denn im Wasser? Wir haben dir doch gesagt, dass du nicht alleine in die Nähe des Schwimmbads gehen sollst. Du hast doch sonst immer darauf gehört.«

»Ich wollte meine Ente holen«, antwortet Dana.

»Deine Ente? Aber du hattest deine Ente doch gar nicht an. Du kannst ohne sie nicht ins Wasser gehen. Das ist viel zu tief für dich, da schaut dein Kopf nicht raus.«

»Sonst schaut mein Kopf doch auch raus.«

Danas Mutter schaut sie entsetzt an und sucht verzweifelt nach Worten. »Aber doch nur, wenn du deinen Schwimmreif angezogen hast, Dana. Du brauchst noch deine Ente zum Schwimmen, du darfst nicht ohne sie ins Wasser gehen.«

Danas große Augen füllen sich mit Tränen. Sie hatte doch nur ihre Ente holen wollen und versteht nicht, was geschehen ist.

»Sie haben Glück gehabt«, beruhigt der Kinderarzt Danas Mutter, nachdem er Dana gründlich untersucht hat. »Sie haben sie rechtzeitig aus dem Wasser gezogen. Es waren sicher keine drei Minuten.«

Danas Mutter zuckt zusammen. Drei Minuten, das hatte sie doch schon einmal gehört. Auch bei Danas Geburt hatte man sie mit diesen Worten beruhigt. Danas Bewusstlosigkeit nach der Geburt hatte auch keine drei Minuten gedauert und Dana nicht geschadet. Der Arzt hatte sie damals auch mit diesen Worten beruhigt. Zitternd setzt sie sich auf einen Stuhl und versucht, Ordnung in ihre Gedanken zu bringen.

»Gut, dass Sie einen Erste-Hilfe-Kurs gemacht haben, und wussten, was zu tun ist«, versucht der Arzt Danas Mutter, zu beruhigen. »Dana muss mit Wasser sehr vertraut sein. Kleinkinder haben einen Reflex, durch den sie unter Wasser nicht atmen. Dieser Reflex verliert sich normalerweise mit zwei Jahren, doch Dana hat ihn offensichtlich noch und dadurch unter Wasser nicht zu atmen versucht«, redet er weiter, während er Dana sorgsam abhört. »Das ist wirklich erstaunlich.«

»Dana liebt Wasser und wir gehen häufig mit ihr schwimmen. Nur hat sie es nicht verstanden, dass sie ohne ihre Schwimmente nicht schwimmen kann.«

Dana versucht, dem Gespräch zu folgen, doch versteht sie die Aufregung der Erwachsenen nicht.

»Ich war gerade dabei, mich im Haus umzuziehen, als ich plötzlich spürte, dass etwas nicht stimmte. Es war, als würde mich etwas nach draußen ziehen und warnen. Im Garten empfing mich eine Totenstille und ich wusste, dass etwas Geschehen war. Als ich zum Schwimmbad kam, sah ich Dana in der Mitte des Beckens wie leblos treiben. Nur ihre Haare waren zu sehen.«

Der Arzt hört dem Bericht schweigend zu, während er Danas Lunge abhört.

»Ich weiß auch nicht, wie ich so schnell in die Mitte des Schwimmbeckens gelangen konnte, um sie herauszuziehen. Ich bin bestimmt vier bis fünf Meter gesprungen, es war, als hätte mich jemand über die Brüstung des Beckens gehoben.«

Der Arzt schüttelt ungläubig den Kopf und legt schließlich das Stethoskop auf seinen Schreibtisch.

»Ich kann kein Wasser in der Lunge feststellen. Dana hat wirklich Glück gehabt. Das ist nicht vielen Kindern in dieser Situation vergönnt. Dennoch sollten Sie das Schwimmbad besser absperren, damit so etwas nicht mehr passiert.«

Magische Freundschaft

»Die besten Entdeckungsreisen macht man nicht in fremden Ländern, sondern indem man die Welt mit anderen Augen sieht.«

Marcel Proust

Masuren
Sommer 1935

Zielstrebig verlässt Marie-Luise die dicht bewachsene Hausmannallee und eilt über die angrenzende Wiese zu dem nah gelegenen Fichtenwald. Während sie weiterläuft, scheint es, als verschlinge der düstere Wald ihre Gestalt. Sie hat Rose wie geplant im Stall zurückgelassen. Ihr Schritt verlangsamt sich, als sie die kleine Lichtung betritt, die von jungen Birkenbäumen umgeben ist. Müde lässt sie sich auf das weiche Gras nieder und holt aus ihrer Tasche eine weiße Kerze hervor, die sie neben sich legt für den Fall, dass sie wieder von der Dunkelheit überrascht wird.

Sie genießt den Duft des Schatten spendenden Waldes und die Stille, die sie umgibt.

Dann holt sie das Buch mit den Geistergeschichten hervor, das sie heimlich in der Bibliothek mitgenommen hatte. Von jedem größeren masurischen Gut oder Schloss sind Spukgeschichten bekannt, doch durch ihre Eltern erfährt sie nichts davon. Sie würde zu gerne wissen, ob sich die früheren Bewohner Finsterwaldes solche Geschichten am Kamin erzählt haben oder was sich so alles Mystische in den alten Gemäuern ereignet hat.

Während sie in ihre Lektüre über Moorgestalten, Dünenhexen und Waldmenschen vertieft ist, hört sie plötzlich etwas neben sich rascheln. Sie versucht, es zu ignorieren, doch ihre Aufmerksamkeit wandert immer wieder zu der kleinen Birke, von der aus die Geräusche an ihr Ohr dringen. Doch sie kann nichts entdecken, und vertieft sich wieder in die fesselnde Sage über Wassergeister. Marie-Luises Gedanken entfernen sich immer weiter von ihrer Lektüre, aus den realen Gegebenheiten in eine andere Dimension. Sie spürt, dass der Wald etwas anderes, etwas Besonderes ist. Und auch heute verliert sie jedes Zeitgefühl und bemerkt plötzlich, dass die Dämmerung bereits eingesetzt hat. Sie packt das Buch und die Kerze in die Tasche, springt auf und läuft atemlos den langen Weg zum Gutshaus zurück. Erleichtert stellt sie fest, dass niemand ihre lange Abwesenheit bemerkt hat, und gelangt ungesehen in ihr Zimmer.

Kalt streicht der Fahrtwind durch Marie-Luises Haar, als die Familie an diesem Sonntagmorgen in aller Frühe das Gutsgelände mit der Kutsche verlässt. Sie fahren die Ahornchaussee Richtung Sonnenberg und biegen nach kurzer Zeit in die Hausmannallee Richtung Finsterwalde ein. Marie-Luise betrachtet verträumt die Insthäuser, in denen die Gutsangestellten wohnen, während der Zweispänner über das holprige Kopfsteinpflaster klappert und schließlich vor der roten Backsteinkirche zum Stehen kommt.
Die herbeiströmenden Einwohner mustern auf ihrem Weg in die Kirche verstohlen die Herrschaften aus dem Gutshaus. So, wie das im 18. Jahrhundert neu errichtete Herrenhaus abgelegen auf einer Anhöhe steht, betrachten sie auch die Familie von Suttner, als seien sie außerhalb ihrer Welt. Marie-Luise würde so gerne zu ihnen gehören, auch die Dorfschule besuchen, doch ihr Vater lässt dies nicht zu und hat angeordnet, dass sie von einem Hauslehrer auf dem Gut unterrichtet wird, wie es schon immer Tradition war. Er erlaubt ihr noch nicht einmal, mit den Kindern aus dem Dorf zu spielen.

Vater sagt nur immer, es seien nicht die richtigen Spielgefährten für mich. Aber andere habe ich doch nicht, denkt Marie-Luise.

»Marie-Luise! Trödel nicht so«, ertönt die Stimme ihres Vaters und reißt sie wieder einmal aus ihren Gedanken. »Der Gottesdienst beginnt gleich.«

Die Predigt ist auch heute wieder düster und drohend. Wie sehr sehnt sich Marie-Luise in den Wald, in dem sie sich so viel wohler fühlt als in dieser kalten Kirche unter den strengen Augen des Pfarrers.

Nachdem sie ins Gutshaus zurückgekehrt sind, läuft sie sofort zu ihrem neuen vierbeinigen Freund. Das Kätzchen hat schon auf sie gewartet und springt ihr freudig entgegen.

»Schau mal, was ich dir mitgebracht habe. Etwas Milch aus der Küche. Elsa wird sie bestimmt nicht vermissen.«

Die Katze stürzt sich ausgehungert darauf und schnurrt.

»Du kannst unmöglich hierbleiben. Man wird dich entdecken. Wir finden ein Versteck für dich auf dem Dachboden. Und tagsüber kannst du mit mir in den Wald kommen.«

Sie setzt das Tier vorsichtig in einen Wäschekorb und schleicht hinauf auf den Dachboden. Der Staub und die Spinnweben lassen erahnen, dass hier schon lange niemand war. Es sieht alles so aus wie bei ihrem letzten Besuch. Am Eingang steht noch immer die Kiste mit Briefen und Dokumenten von ihrem Großvater Georg. Daneben steht eine weitere Kiste, gefüllt mit Tagebüchern und Frontbriefen von ihrem Vater. Sie würde zu gerne die Briefe aus Russland lesen, doch ihr Vater hat sie mit einem Schloss gesichert. Er möchte nicht, dass jemand die Feldpost liest. Sie lenkt ihren Blick von den Briefen ab und schaut sich weiter auf dem Speicher um. In einer Ecke stapeln sich Kisten mit Geschirr, daneben steht ein altes, blaues Sofa von ihren Großeltern, auf dem sie häufig gesessen hat, als sie kleiner war. Sie hat sich oft auf den Speicher geschlichen, dort heimlich gespielt und neugierig herumgestöbert.

Nun fühlt sie sich im Wald wohler, dort kann sie am besten alle Sorgen und allen Kummer vergessen.

Sie stellt den Korb mit der Katze und das Milchschälchen auf die Erde und versucht, dem kleinen Tier zu erklären, dass es hier in Sicherheit sei und ungestört herumtollen könne.

Die Katze springt aus dem Korb und schaut sich neugierig um.

»Du brauchst noch einen Namen. Wie wäre es mit Minka?« Das Kätzchen dreht sich um und spitzt interessiert die Ohren. »Ja, der Name ist schön. Ich muss nun wirklich gehen, Minka. Komme aber bald wieder.«

Mit einem lauten Schlag fällt das Portrait von Marie-Luises Großmutter von der Wand und das Glas des Rahmens zerspringt auf dem Parkettfußboden des Gartensalons.

»Oh nein! Das Bild«, ruft Katharina von Suttner. »Es wird doch hoffentlich niemand gestorben ...«

»Katharina, bitte! Wie soll man sich da bei Marie-Luise noch wundern. Mit deinen abergläubischen Geschichten bestärkst du sie in ihren Fantastereien.«

»Das ist kein Aberglaube. Du weißt, wenn ein Bild von der Wand fällt, kann das ein Zeichen dafür sein, dass gerade jemand in der Familie oder im Freundeskreis verstorben ist. Genauso wie beim Tod deines Vaters, als die Uhr im Jagdzimmer plötzlich stehen blieb.«

»Du glaubst doch nicht immer noch an so einen Hokuspokus, Katharina?« Albert von Suttner schüttelt verständnislos den Kopf. »Das Bild ist nur heruntergefallen, da sich der Haken über die Jahre gelöst hat, mehr nicht. Und dass die Uhr damals stehen geblieben ist, war nicht mehr als ein Zufall.« Brummend verlässt er das Zimmer.

»Erzähle mir noch mehr von den masurischen Bräuchen«, bittet Marie-Luise ihre Mutter. »Stimmt es, dass auch jemand im Hause stirbt, wenn ein Maulwurf den Boden in oder vor dem Haus aufwühlt?«

»Ja. Das stimmt. Man sagt, wenn er die Waschküche aufwühlt, dann stirbt die Hausfrau, und wenn er einen Weg aufwühlt, wird bald ein Toter darüber getragen«, antwortet Katharina von Suttner. »Wenn ein Baum vor dem Hause verdorrt oder eine Uhr ohne Grund stehen bleibt, wird ebenso jemand im Haus sterben.«

»Und wie war das mit dem Klappern der Störche ...«
»Marie-Luise, lass es für heute genug sein.«
»Aber ...«
»Nein! Verstehe das bitte. Ich soll dich dies alles nicht lehren. Vater meint, das sei nur Aberglaube. Außerdem muss ich jetzt nach dem Personal schauen.« Katharina von Suttner erhebt sich müde und verlässt den Salon, ohne sich nochmals zu ihrer Tochter umzudrehen.

Marie-Luise starrt ihr enttäuscht nach.

Dann gehe ich eben wieder in den Wald auf meine Lichtung! Dort ist es geheimnisvoller und aufregender als in diesem Haus. Ich habe meinem Vater einmal erzählt, was ich dort erlebt habe, und werde nie vergessen, wie böse er wurde. Ich solle nicht solche Märchen erzählen. Für ihn existiert nichts, was er nicht sehen und anfassen kann. Entschlossen steht sie auf und verlässt voller Vorfreude den Salon.

Die Schwüle des Tages will nicht weichen, während Marie-Luise aus dem dichten Fichtenwald auf die kleine Lichtung tritt. Sie setzt sich auf einen kleinen Baumstumpf und genießt die friedliche Atmosphäre. Nach kurzer Zeit spürt sie, dass sie nicht allein ist.

Sie erblickt kleine, zwergenhafte Wesen, die hellblaue Glockenblumen umschwirren. Was für wunderschöne Geschöpfe. Sie erinnern sie an Schmetterlinge auf einer bunten Blumenwiese, nur leuchten sie heller. Geschäftig fliegen die Wesen von einer Blume zur anderen und beachten Marie-Luises Anwesenheit auch heute nicht.

Am Rande der Lichtung schwebt ein größeres Lichtwesen, das einen Holunderbusch umsorgt. Das muss eine Elfe sein. Wie groß sie ist.

Das Rascheln neben ihrem Baumstumpf lenkt Marie-Luise von dem wunderschönen Pflanzenwesen ab. Sie dreht sich um und sieht, wie drei Gestalten unter einer Wurzel hervorkriechen und sie neugierig mustern. Sie haben winzige, runde Gesichter und ihr Körper erinnert an bunte Blumen und Blätter, die auf zarten Füßchen stehen. Sie fuchteln mit ihren dünnen Ärmchen aufgeregt in der Luft herum, als wollten sie Marie-Luise etwas Wichtiges mitteilen.

»Oh, euch kenne ich noch nicht«, ruft sie. »Vielleicht habt ihr beim letzten Besuch schon so geraschelt. Was seid ihr denn für süße Gnome?«

Die Gnome kommen neugierig näher und setzen sich auf einen großen Stein neben sie. Sie lachen vergnügt und ziehen Grimassen.

»Lagluf«, ruft ihr eines dieser zutraulichen Naturwesen zu, das einen kleinen Kieselstein in seiner Hand hält.

»Ufla«, ertönt es von einem anderen Gnom, dessen Gestalt an ein Buchenblatt erinnert. Auch er zeigt Marie-Luise stolz einen glitzernden Stein. »Bilobik?«

»Wenn ich doch eure Gnomensprache verstehen könnte.«

Die kleinen Gestalten kichern laut und beginnen zu tanzen. Sie umschwirren dabei Marie-Luise frech und mustern sie neugierig.

»Iglap, iglap!«

Sie zuckt zusammen und starrt einen kleinen, runzeligen Wichtel mit blauer Mütze an, der sie immer wieder anstupst.

»Hast du mich erschreckt. Was willst du mir nur sagen? Ich kann dich doch leider nicht verstehen.«

Bald verlieren die Gnome das Interesse an dem Menschenwesen und spielen ausgelassen unter einer weit ausladenden Fichte am Rande der Lichtung.

Marie-Luise wartet ungeduldig darauf, dass Gnom Felsling auftaucht, der ihr oft auf ihren Wanderungen durch den Wald folgt und ihr einmal gezeigt hat, wie er für die Felsen und Steine sorgt.

Plötzlich ertönt ein Donnergrollen aus der Ferne. Marie-Luise schaut erschrocken in den dunklen Himmel. Sie hatte nicht bemerkt, dass ein Gewitter aufgezogen war, und springt auf. Eilig verlässt sie die Lichtung und durchquert den finsteren Fichtenwald. Als sie den steilen Hügel hinabläuft, beobachtet sie die Wolken, die sich bedrohlich auftürmen, und gerade als sie die schützende Hausmannallee erreicht, prasseln bereits die ersten Regentropfen auf die alten Alleebäume nieder. Endlich trifft sie auf dem elterlichen Gutshof ein, stürzt die Freitreppe hinauf und betritt erleichtert das Haus.

Im Schutze ihres Zimmers betrachtet Marie-Luise das Schauspiel über Schattenwalde und beobachtet, wie ein Blitz in Richtung der Stallungen auf die Erde fährt. Da erinnert sie sich plötzlich an Minka. Die Katze wird bestimmt Angst haben. Marie-Luise läuft aus ihrem Zimmer, den Ostflügel entlang und die Treppe zum Speicher hinauf. Besorgt betritt sie den Dachboden und späht in die Dunkelheit, die immer wieder für kurze Zeit durch helle Blitze erleuchtet wird. Das Kätzchen sitzt unter einem alten Sessel und schaut Marie-Luise verängstigt an.

»Minka, du brauchst keine Angst zu haben«, redet Marie-Luise auf das Tier ein. »Du bleibst heute Nacht in meinem Zimmer.«

Sie nimmt das verschreckte Kätzchen, verlässt den Dachboden und schleicht sich leise zurück in ihr Zimmer. Während sie sich mit Minka auf ihr Bett setzt, stürmt ihr Vater ins Zimmer.

»Marie-Luise! Was hast du diesmal angestellt? Warum schleichst du dich im Dunklen ...« Er verstummt und starrt auf Minka, die ihn ängstlich ansieht. »Wo kommt die Katze her?«

»Ich, ich habe sie gefunden«, stammelt Marie-Luise. »Sie war ganz verlassen und einsam, und jemand musste sich um sie kümmern.«

»Aber nicht du ... und nicht in diesem Haus. Und du weißt das!«

»Aber sie hat ...«

»Ruhe! Warum kannst du nicht einmal auf das hören, was man dir sagt. Du gehst heute ohne Abendbrot zu Bett.« Rasend vor Wut unterstreicht er seine Worte mit einer Ohrfeige, entreißt ihr das Kätzchen und verlässt mit dem verängstigten Tier das Zimmer. Marie-Luise bleibt weinend zurück.

Schluchzend zieht sie sich ihren Mantel an und schleicht lautlos die Treppe hinunter. Das Gewitter tobt noch über dem Gutswald östlich des Herrenhauses und riesige Regentropfen schlagen ihr entgegen, als sie die Haustür öffnet. Während sie die nasse Allee entlangläuft, fühlt sie sich einsamer und verlassener als je zuvor. Wie kann er mir meinen einzigen kleinen Freund wegnehmen, weint sie in sich hinein. Ich wollte Minka doch nur beschützen. Sie war mir so ein lieber Freund geworden. Ihr Herz schmerzt vor Kummer und Verlassenheit, sie hat nur den einen Gedanken, sich zu den Gnomen und Elfen in den Wald zu flüchten.

Wenigstens meine Freunde auf der Lichtung kann mir Vater nicht wegnehmen, da sie für ihn unsichtbar sind.

Schon biegt sie wieder in die alte Hausmannallee ein und erreicht schließlich völlig durchnässt die magische Waldlichtung.

»Felsling«, ruft Marie-Luise überrascht. »Mein Freund Felsling! Wie schön, dich hier zu sehen.«

Gnom Felsling sitzt auf einem moosbewachsenen Stein und lächelt sie liebevoll an, als hätte er dort auf sie gewartet.

Er heitert das unglückliche Menschenwesen in dieser düsteren Nacht durch seine Späße vorübergehend auf, doch die tiefe Trauer um Minka senkt sich dennoch tief in Marie-Luises Seele.

Dunkle Wolken

»Man kann das Leben nur rückwärts verstehen, aber leben muss man es vorwärts.«

Pablo Picasso

Taunus
Juli 1975

An jenem Nachmittag waren sie wieder da.

Plötzlich, unerwartet, ohne sich anzukündigen, waren sie wieder da. Sie breiteten sich unaufhaltsam mit dem schwarzen Rauch in den Räumen der Gegenwart aus, als hätten sie auf diesen Augenblick gewartet.

Dana betritt verstört das Haus und begreift die Aufregung der Erwachsenen nicht. Es umgibt sie Unruhe und Angst und sie hat einen ekelhaften Geruch in ihrer Nase, der ihr eine unerträgliche Übelkeit bereitet. Sie muss unaufhörlich husten und hat das Gefühl, keine Luft zu bekommen. Es schnürt ihr den Hals zu und immer mehr nimmt die Angst von ihrem Körper Besitz.

Plötzlich hört sie wieder die Schreie in ihrem Kopf und ihr gesamter Körper schmerzt. Sie kennt diese Schreie, sie sind nicht auszuhalten und sie will nur noch weg. Dana läuft aus dem Haus, sie will fortlaufen, irgendwohin, wo sie sicher ist. Sie hastet zu den hohen Bäumen am Zaun, der das elterliche Grundstück umgibt. Sie kauert sich unter die dichten Fichten und Tannen auf den Boden, um vor den schrecklichen Schreien und dem entsetzlichen Schmerz in ihrem Kopf Schutz zu finden. Da sind nur noch diese Schreie, der Schmerz und die Angst.

Nach einer Weile fühlt sie etwas in ihrer rechten Hand. Erleichtert spürt sie ihre Puppe Biene und drückt sie fest an sich. Dana fühlt etwas Feuchtes auf den Haaren ihrer Puppe und bemerkt, dass es sich um ihre Tränen handelt. Da ist auch ein Tropfen auf Bienes Gesicht und Dana weiß, dass sie mit ihr weint. Die Puppe versteht, dass sie nicht ins Haus zurück können, dorthin, wo dieser furchtbare Schmerz und diese Schreie wieder zu Dana gekommen sind. Nur hier, an den Wurzeln des starken Baumes, sind sie davor sicher. Seine Ruhe lässt nach und nach Danas Angst kleiner werden. Die Angst vor diesen schmerzvollen Gefühlen, die vorhin im Haus wieder Besitz von ihr ergriffen haben. Doch noch immer hat sie diesen ekelhaften Geruch in der Nase, der ihr Übelkeit bereitet.

In den Zweigen über ihr hat ein Vogel zu singen begonnen. Sein Lied bringt etwas mehr Ruhe in ihren aufgeregten Körper. Ihre Lippen sind trocken und Dana würde gerne etwas trinken, aber sie möchte ihr Versteck nicht verlassen.

Und schon wieder wüten die Bilder und Schreie in ihrem Kopf. Sie sieht den düsteren Wald, in dem so viel Angst und Lärm ist, und die vielen Mütter, die sich schützend vor ihre Kinder stellen oder sie verzweifelt in ihren Armen halten. Bei diesen Bildern dröhnen Schreie und Schüsse in Danas Kopf. Es ist kaum auszuhalten und sie kann nichts dagegen tun.

Die Schreie haben sich in ihrem Kopf festgebrannt, als wollten sie Dana nie mehr loslassen. Sie möchte auch schreien, doch ihre Tränen kullern lautlos über ihre Wangen. Traurig drückt sie ihre Puppe Biene an sich.

Plötzlich nimmt sie ein helles, weißes Licht über ihrem Kopf wahr, das von einer behaglichen Wärme begleitet wird. Es ist beruhigend und tröstend zugleich und sie spürt, wie die Schreie in ihrem Kopf und der Schmerz in ihrem Körper langsam nachlassen.

Dana verlässt ihr Versteck und wagt sich zu der hölzernen Schaukel, die im hintersten Winkel des Grundstücks unter einem Kirschbaum aufgehängt ist. Ihre kastanienbraunen Haare fallen locker auf ihre Schultern. Sie trägt noch immer das rote Sommerkleid, das sie am Morgen für die Fahrt nach Gelnhausen angezogen hatte. Sie haben dort für Danas Bruder Mike einen Schreibtisch gekauft, der in rotweißen Farben leuchtet und den er sich so lange gewünscht hatte.

»Magst du ihn dir noch einmal anschauen?« Mikes Stimme reißt Dana aus ihren Gedanken. Sie hat jedoch noch immer Angst, ins Haus zurückzukehren, und schüttelt verneinend den Kopf. Es schmerzt sie, wie enttäuscht Mike sie anschaut, doch sie kann nicht in dieses Haus zurückkehren. Sie hat Angst vor dem Geruch, durch den die Bilder wieder zu ihr zurückgekommen sind.

»Komme doch bitte endlich ins Haus!« Dana fährt erschrocken zusammen. Sie hat ihre Mutter nicht kommen hören. »Es ist nun wirklich Zeit, schlafen zu gehen.«

Dana sieht sie ängstlich an und weigert sich hartnäckig, ihr schützendes Versteck unter den Tannen zu verlassen. Nachdem die Sonne langsam untergegangen ist, hat sie sich wieder dorthin verkrochen, zu den Wurzeln der alten Bäume. So kehrt Danas Mutter ohne sie ins Haus zurück und Dana hofft, dass sie nicht so bald wiederkommen wird. Sobald sie außer Sichtweite ist, beginnt Dana damit, ihrer Puppe Biene aus Moos und Gras ein Bett zu bauen, da es auch für sie schon lange Zeit ist, schlafen zu gehen. Das silberne Licht des Vollmondes dringt bereits durch das Tannengeäst zu ihr durch und Dana versucht, die Bilder und Gefühle, die sie seit Stunden quälen, zu ignorieren, doch es gelingt ihr nicht. Sie sieht immer wieder die vielen angsterfüllten Menschen vor sich und hört erneut deren Schreie in ihrem Kopf. Sie spürt, wie sich die Schmerzen, die sie bei diesen Bildern empfindet, immer mehr in ihrem ganzen Körper ausbreiten.

Sie spürt nochmals Tränen über ihre Wangen laufen und schaut besorgt zu Biene, die in ihrem Moosbett liegt. Doch die Tränen haben Biene dieses Mal nicht getroffen, denn eine kleine, hellgrüne Elfe hat sich zu Danas Puppe an das Moosbett gesetzt und die Tränen aufgefangen. Sie schaut Dana liebevoll an und Dana spürt diese wunderschöne Wärme, die nachmittags auch das weiße Licht begleitet hat. Während sie in das zarte Gesicht der Elfe schaut, spürt sie, wie Schreie und Schmerzen erträglicher werden und sich etwas Ruhe in ihrem Inneren ausbreitet.

Da bemerkt sie, dass ihre Mutter wieder neben ihr steht und sie erneut auffordert, endlich ins Haus zu kommen. Sie erklärt Dana dabei, dass sie seit Stunden gelüftet hätten und der Geruch des verbrannten Bratenfleisches, der von einem angesengten Schnellkochtopf ihrer Großmutter ausging, so gut wie weg sei. Die Elfe blickt Dana aufmunternd an. Mit einem müden Seufzer nimmt Dana Biene in ihren Arm und folgt ihrer Mutter ins Haus.

Dana sitzt an ihrem Tisch im Kindergarten und betrachtet das Bild, das sie während der letzten halben Stunde gemalt hat.

»Was ist denn das?«, ertönt in ihrem Rücken die schrille Stimme einer Kindergärtnerin.

Dana hat nicht bemerkt, dass jemand hinter ihr steht, und zuckt erschrocken zusammen.

»Warum ist dein Bild wieder schwarz? Wieso malst du seit Tagen nur tiefschwarze Bilder?«

Dana schweigt und starrt regungslos auf das Blatt, das vor ihr liegt.

»Ist alles in Ordnung? Ist irgendetwas geschehen, was du mir sagen möchtest?«

Dana schweigt noch immer und weicht dem Blick der Kindergärtnerin aus. Wie soll sie ihr auch erklären, was in ihrem Kopf vor sich geht.

»Dann werde ich wohl mit deiner Mutter reden müssen«, sagt die Erzieherin, während sie zum nächsten Tisch weitergeht.

Dana denkt nicht weiter über die drohenden Worte der Kindergärtnerin nach, da ihre Aufmerksamkeit inzwischen von etwas anderem gefangen genommen wird. Was ist das für ein Lärm, der von der Straße ins Haus dringt? Da war doch ein Schrei, denkt Dana. Irgendjemand hat eben geschrien. Während sie auf die Geräusche lauscht, hört sie wieder die verzweifelten Schreie in ihrem Kopf, die von undefinierbaren Schmerzen begleitet werden. Ich halte es nicht aus, denkt sie. Ich halte es hier nicht aus und will hier nicht sein. Dabei nimmt sie sich ein weiteres leeres Blatt Papier, greift entschlossen nach dem schwarzen Malstift und malt sich ihren Schmerz und ihre Verzweiflung von der Seele. So schwarz wie der Rauch des vergangenen Tages und so dunkel wie ihre Erinnerungen.

Die Erzieher verstehen sie nicht. Sie wissen nichts von den düsteren Wolken, die in Danas Leben gezogen sind und von denen sie sich verzweifelt zu befreien versucht.

Abschied

»Die Natur ist ein unendlich geteilter Gott.«

Friedrich Schiller

Gut Schattenwalde
Winter 1936

Die masurischen Felder und Wälder versinken unter den großen, lockeren Flocken, die unaufhörlich vom Himmel fallen. Marie-Luise steht an ihrem Fenster und beobachtet das Flockenspiel und die friedliche Winterlandschaft. Sie ist voller Vorfreude auf die bevorstehenden gemütlichen Weihnachtstage und genießt es, dass Tante Martha und Onkel Paul aus Berlin zu Besuch kommen werden. Es ist die schönste Zeit im Gutshaus, wenn die Kaminfeuer und Kachelöfen gegen die Kälte des Hauses ankämpfen und die Zimmer vom Duft nach Gänsebraten und Weihnachtsplätzchen erfüllt sind.

Sie amüsiert sich immer über Tante Martha, die Masuren als Sibirien bezeichnet und nicht versteht, wie man in dieser rauen Landschaft leben kann.

»Marie-Luise! Es ist Zeit, den Baum zu schmücken«, reißt die Stimme ihrer Mutter sie aus ihren Gedanken.

Ich schmücke ja gerne den Baum, aber wieso muss man die Weihnachtsbäume so respektlos schlagen, denkt sie, während sie die Treppe hinunterläuft. In der Empfangshalle trifft sie auf ihren Vater Albert von Suttner.

»Ah, da bist du ja, Marie-Luise. Deine Mutter sucht nach dir. Der Weihnachtsbaum steht im Gartensalon bereit und du kannst nun deiner Mutter beim Schmücken helfen.«

»Hast du dieses Mal daran gedacht, die Baumgeister um Erlaubnis zu bitten, den Baum fällen zu dürfen?«, fragt Marie-Luise ihren Vater besorgt.

»Natürlich nicht! Was für ein Unfug. Ich habe diese Bäume gepflanzt, also werde ich sie wohl auch fällen dürfen«, erwidert Albert von Suttner verärgert. »Und höre bitte auf mit deinen Geistergeschichten.«

»Das ist kein Unsinn! Alle Bäume werden von alten Geistern überstrahlt und eingehüllt. Diese Baumwesen sind wunderschön. Es sind hellgrüne Geschöpfe mit strahlenden Augen.« Marie-Luise merkt in ihrer Begeisterung nicht das wütende Funkeln in den Augen ihres Vaters. »Sie können Menschen mit Lebenskraft versorgen, wenn sie spüren, dass man die Natur liebt. Aber es bringt Unglück, wenn man sie respektlos behandelt ...«

»Marie-Luise, vergiss diesen Irrsinn!«

»Aber erinnerst du dich denn nicht an Onkel Karl? Er hat auch nicht daran geglaubt und er wurde im Wald von einer alten Eiche erschlagen.«

»Das war ein Arbeitsunfall, mehr nicht!«

»Nein. Die Baumwesen sind mächtig und können furchterregend sein. Der Geist der Eichen hat sich damals für die gnadenlose und achtlose Abholzung gerächt.«

»Marie-Luise! Woher nimmst du nur immer diese Märchengeschichten? Hört das denn nicht irgendwann einmal auf?«

»Aber das sind keine ...«

»Ich dachte, wenn du älter wirst, legt sich das endlich. Aber ich habe das Gefühl, es wird immer schlimmer! Früher waren es kleine Zwerge und jetzt sind es riesige Baumgeister.« Albert unterstreicht seine Worte mit einer ausladenden Armbewegung. »So, wie du gewachsen bist, sind es auch deine Fantasiegestalten. Ich will davon nichts mehr hören!« Er verlässt schimpfend die Halle und seine Stimme wird kaum von der Haustür gedämpft, die hinter ihm laut ins Schloss fällt.

Marie-Luise schaut ihrem Vater schweigend nach, bevor auch sie die Halle verlässt, um ihrer Mutter im Gartensalon beim Schmücken des Baumes zu helfen.

»Marie-Luise! Bist du endlich fertig? Der Pfarrer wartet mit seiner Predigt nicht auf uns!« Die Stimme Albert von Suttners tönt durch die Halle. »Du trödelst wieder mal herum, obwohl du weißt, dass ich pünktlich in der Kirche sein möchte.«

Marie-Luise, die bereits ihren Mantel übergezogen hat, verlässt eilig ihr Zimmer und läuft hinunter in die Halle, in der ihre Eltern auf sie warten. Schweigend verlassen sie das Haus und steigen in den Pferdeschlitten, mit dem sie in den Wintermonaten meist in die Dorfkirche fahren. Marie-Luise genießt die romantische Fahrt durch die stille Winterlandschaft.

Die Kirchenglocken läuten bereits, als sie das Dorf erreichen. Marie-Luise blickt sich sehnsüchtig um, während sie die ausgetretenen Stufen zur Kirche hinaufsteigt. Kalte Luft schlägt ihr entgegen, als sie das Gotteshaus betritt. Die eingemummten Dorfbewohner warten schweigend auf die Weihnachtsmesse und grüßen die Gutsherrschaften mit einem stummen Kopfnicken.

Endlich beginnt der Festgottesdienst. Marie-Luises Gedanken schweifen immer wieder ab und sie lauscht nur halbherzig den monotonen Worten des Pfarrers. Plötzlich spürt sie einen warmen Lufthauch über ihr Gesicht streichen, der von einer wunderschönen ätherischen Musik begleitet wird. Eilig klappt sie das Gesangbuch auf und blickt sich fragend um. Warum schaut ihr Vater sie strafend an und warum hat der Pfarrer seine Weihnachtspredigt begonnen? Da bemerkt sie, dass es keine Orgelmusik ist, die sie hört. Verwirrt schaut sie sich um und betrachtet die restlichen Gottesdienstbesucher, die gebannt zur Kanzel schauen. Nur Marie-Luise hält ihr Gesangbuch in der Hand. Verlegen schlägt sie es zu und versucht, sich auf den betagten Pfarrer und seine leidenschaftslose Predigt zu konzentrieren.

Wieder spürt sie einen warmen Luftzug, der von der Kanzel zu ihr herüberweht, und denkt, dass dies unmöglich an den unheilverkündenden Worten des Pfarrers liegen könne.

Während sie sich unbemerkt umblickt, sieht sie ein helles Licht neben der Kanzel.

Warum hat sie nicht gleich daran gedacht? Das muss der Engel der Andacht sein. Sie hat davon gelesen, dass dieser Engel den Segen während des Gottesdienstes verstärkt.

Fasziniert starrt Marie-Luise auf das Lichtwesen, das dicht hinter dem ahnungslosen Geistlichen die betenden Gemeindemitglieder liebevoll betrachtet, und fragt sich, warum der Pfarrer seine Anwesenheit nicht bemerkt. Wie kann er in dessen Beisein nur solch düstere Prophezeiungen aussprechen? Er muss doch diese liebevolle und beruhigende Gegenwart spüren.

Marie-Luise richtet während des weiteren Gottesdienstes ihre Aufmerksamkeit nur noch auf den wunderschönen Engel, der die Gemeinde mit Frieden und Liebe segnet, und verlässt erstmals voller Freude das düstere Gotteshaus.

Über Nacht hat es geschneit. Das Gutsgelände ist von einer frischen Schneeschicht überzogen. Marie-Luise schaut aus ihrem Fenster in den verschneiten Park hinaus und wundert sich über dieses unerwartete Flockenspiel. Sie bemerkt nicht, wie sich hinter ihr die Zimmertür leise öffnet.

»Wie gut, du bist schon wach.«

Marie-Luise schreckt durch die Stimme ihres Vaters zusammen und dreht sich zu ihm um.

»Ich muss mit dir sprechen.«

Verwundert über den sanften Ton ihres Vaters ahnt Marie-Luise nichts Gutes.

»Ist etwas mit Rose? Oder mit ihrem Fohlen?«

»Nein. Rose geht es gut. Aber ich muss dir etwas sehr Trauriges mitteilen.«

Albert von Suttner legt eine Hand auf die Schulter seiner Tochter und blickt sie schweigend an. Er wirkt an diesem Morgen ungewöhnlich müde und blass.

»Nun sage doch endlich, was passiert ist.«

»Ich weiß nicht, wie ich es dir erklären soll.«

Eine ungreifbare, düstere Vorahnung nimmt von Marie-Luise Besitz, während sie ungeduldig auf eine Erklärung wartet.

»Deine Mutter ...«, verstohlen wischt sich Albert von Suttner eine Träne aus dem Augenwinkel und hofft, dass es seine Tochter nicht bemerken würde. »Deine Mutter ist gestorben«, bringt er endlich mühsam heraus.

»Gestorben?«, stammelt Marie-Luise.

»Es war ein Herzleiden, das man nicht kannte und auch nicht hätte heilen können. Es kommt auch für mich unerwartet. Es tut mir leid.« Albert streicht sich eine weitere Träne aus dem Gesicht und geht verlegen aus dem Zimmer.

Marie-Luise bleibt allein zurück. Sie spürt, wie ihr die Tränen in die Augen steigen. Auch wenn ihre Mutter ihr keine Wärme und Sicherheit geben konnte, hatte sie wenigstens versucht, sie zu verstehen. Sie fühlt sich noch einsamer als je zuvor in ihrem jungen Leben.

Marie-Luise betritt ängstlich das düstere Kellergewölbe, in dem ihre Mutter aufgebahrt liegt. Der Raum, in dem der leblose Körper ihrer Mutter liegt, ist von einer unheimlichen Kälte und Einsamkeit erfüllt, die sie erschaudern lässt. Schweigend betrachtet sie im Schein einer einzelnen Kerze das bleiche Gesicht ihrer Mutter.

Während sie fröstelnd vor ihrer toten Mutter steht, überkommt sie eine unheilvolle Ahnung, als spräche eine Stimme aus ihrem Inneren zu ihr, die sie vor drohendem Unheil warnen möchte.

Wie damals im Wald, als sie die Gnome sah, fragt sie sich auch jetzt, ob es Traum oder Wirklichkeit ist.

Was soll denn noch geschehen, wundert sie sich, nachdem die Stimme in ihrem Inneren wieder verstummt ist.

»Mutter, warst du das? Was willst du mir sagen? Was wird geschehen?«

Doch sie bekommt keine Antwort und nicht das geringste Zeichen, was dies zu bedeuten hat. So verharrt sie reglos in dem Gewölbe und versucht, die eisige Stille zu ignorieren, die sie umgibt. Die Kälte des Raumes dringt nicht nur in ihre Seele, sondern auch durch ihre Kleidung und lässt ihren Körper immer mehr zittern. Marie-Luise verabschiedet sich von ihrer Mutter und verlässt weinend den Kellerraum. Sie geht den Kellerflur entlang und bleibt plötzlich stehen. Ihr Blick richtet sich schaudernd in die Waschküche. Das kann doch nicht sein! Sie starrt in den Waschraum und bemerkt nicht, wie Albert von Suttner hinter sie tritt.

»Marie-Luise. Du bist doch sonst ...«

»Vater! Ich habe dich gar nicht gehört«, erschrocken dreht sie sich um. »Hast du das gesehen?« Aufgeregt zeigt sie in die Waschküche. »Ein Maulwurf hat den Boden aufgewühlt. Mutter hatte doch recht. Ob sie wusste, dass sie sterben muss?«

»Marie-Luise!« Albrecht von Suttners Stimme zittert vor Zorn. »Kannst du nicht einmal an einem solchen Tag normal bleiben? Ich bin es nun endgültig leid!« Wütend wendet sich der Hausherr von seiner Tochter ab und verlässt schimpfend das Kellergewölbe.

Hilflos und unglücklich bleibt Marie-Luise zurück.

Die Beerdigung nimmt Marie-Luise wie im Traum wahr. Es kommt ihr alles irreal vor, sie kann nicht glauben, dass sie nun mit ihrem Vater allein in dem Gutshaus leben soll. Seit dem Vorfall in der Waschküche hat er seine Bibliothek abgeschlossen und ihr den Zutritt in diese Welt verwehrt.

Er glaubt, ich lese zu viele Märchenbücher. Aber das sind keine Märchen.

Wie aus weiter Ferne nimmt sie die Totenfeier und die Beileidsbekundungen wahr. Selbst der Besuch von Tante Martha und Onkel Paul konnte sie nicht aufheitern. Nachdem sie sich wie betäubt von den letzten Verwandten, die zur Beerdigung angereist waren, verabschiedet hat, tritt ihr Vater neben sie. »Marie-Luise, ich muss mit dir reden!« Seine Augen erinnern sie an einen eisigen Wintersee, die Wärme der letzten Tage ist wieder daraus verschwunden.

»Marie-Luise, du wirst nächsten Monat zur Ausbildung nach Königsberg gehen.«

»Nach Königsberg? Wieso?« Bei dem Gedanken, Masuren zu verlassen, ergreift sie Panik.

»Ich habe dich zu einer Krankenschwesterausbildung in Königsberg angemeldet. Es ist das Beste für dich. Du kannst dich nicht dein ganzes Leben lang in deinen Traumwäldern herumtreiben.« Ohne eine weitere Antwort seiner Tochter abzuwarten, verlässt Albert von Suttner das Zimmer. Marie-Luise lässt sich in einen Sessel fallen und die Gedanken überschlagen sich in ihrem Kopf.

Nun soll sie auch noch ihr geliebtes Masuren verlassen und in die Stadt ziehen.

Sie versucht, die aufsteigenden Tränen zu vertreiben, indem sie sich ausmalt, wie sie als Krankenschwester anderen Menschen helfen könnte. Aber warum so plötzlich? Und warum Königsberg? Sie fragt sich, was sie in Königsberg erwarten wird, während ihr unaufhaltsam Tränen in die Augen steigen.

Regungslos steht Marie-Luise vor ihrem Bett, auf dem der aufgeschlagene graue Koffer liegt. Aus der Halle hört sie die ungeduldigen Rufe ihres Vaters: »Marie-Luise! Wieso musst du nur immer so trödeln? Dein Zug wartet nicht!«

Marie-Luise klappt ihren Koffer zu. Zu gerne würde sie sich einige Bücher aus der Bibliothek mitnehmen, doch ihr Vater hat es verboten.

Marie-Luise freut sich inzwischen ein wenig auf die Ausbildung, durch die sie anderen Menschen helfen und sie umsorgen kann. Aber es schmerzt sie, ihre geliebten Pferde, Wälder und Seen zu verlassen, und sie kann sich noch nicht einmal von ihren Gnomen und Elfen verabschieden.

Mühsam schleppt sie ihren schweren Koffer die lang gestreckte Freitreppe hinunter.

Während die Kutsche die Eichenallee entlangklappert und das Gutsgelände verlässt, schaut sie ein letztes Mal zu dem einsamen Herrenhaus zurück.

Dämonen der Nacht

»Schau der Furcht in die Augen und sie wird zwinkern.«

Aus Russland

Taunus
Herbst 1982

In einer düsteren Neumondnacht erwacht Dana schweißgebadet und spürt eine quälende Trockenheit im Mund. Sie setzt sich in ihrem Hochbett auf und weiß zunächst nicht, wo sie sich befindet. Was war das für ein Traum, in dem sie wieder diese unerträgliche Panik ergriff? Sie kann sich nicht an die Bilder erinnern, doch sie ist sich sicher, dass sie diesen Traum nicht zum ersten Mal hatte. Danas Herz rast und ihr ganzes Wesen ist von Angst erfüllt. Nachdem sie die Orientierung wiedererlangt hat, klettert sie aus dem Bett und verlässt ihr kleines Zimmer. Ängstlich betritt sie den schmalen Flur, der nur durch das Licht einer Straßenlaterne spärlich erleuchtet ist. Nachdem sie das Flurlicht angeschaltet hat, lässt ihr Herzrasen etwas nach. Sie läuft weiter in die Küche, um ihren starken Durst mit etwas kaltem Wasser zu stillen. In der Küche erwartet sie Kater Julius, der sich über Danas unerwartetes Erscheinen freut. Während Dana sich zu dem Kätzchen setzt und mit ihm spielt, nimmt ihre Angst langsam ab. Wie schön, dass Julius da ist und ich nicht allein bin, denkt sie. Der getigerte Kater streicht um Danas Beine und genießt schnurrend ihre Anwesenheit. Dana hatte bis vor zwei Jahren einen großen Teil ihrer Freizeit mit Pferden verbracht und träumte sogar von einem eigenen Pferd, doch eine Pferdeallergie machte dies alles plötzlich zunichte, worunter sie lange gelitten hat.

Nun ist Julius in Danas Leben gekommen und hat ihr Herz erobert. Danas Eltern haben ihr den Kater geschenkt, um sie zu trösten, doch inzwischen wird er von der gesamten Familie geliebt.

»Ich muss leider wieder schlafen gehen«, erklärt Dana dem Kater. »Es ist gleich drei Uhr früh. Aber du kannst gerne in mein Zimmer mitkommen.«

Dana läuft den mit bunten Blättern bedeckten Waldweg entlang und hält nach Pilzen Ausschau. Sie genießt ihren ersten Ferientag und das sonnige Wetter, das ihre Mutter und sie nach dem Frühstück zum Pilzesammeln in die Taunuswälder gelockt hat. Sie streicht sich ihre langen Haare aus dem Gesicht und blickt enttäuscht in ihren Korb. Nur ein paar winzige Birkenpilze und Pfifferlinge bedecken den Boden. Sie hatte sich eine größere Ausbeute erhofft.

»Magst du noch weitergehen?« Dana zuckt zusammen, sie hatte nicht bemerkt, dass ihre Mutter neben sie getreten war. »Ich kenne eine Stelle, an der ich mit deinem Vater vor vier Wochen sehr viele Steinpilze und Maronen gefunden habe. Sie müssten inzwischen nachgewachsen sein. Wenn du möchtest, können wir noch dorthin gehen.«

Dana nicht und folgt ihrer Mutter tiefer in den Wald hinein. Nur langsam nähern sie sich der Fichtenschonung, von der ihre Mutter gesprochen hat. Sie durchqueren ein Sumpfgelände und laufen einen ausgefahrenen Waldweg entlang. Plötzlich schnürt sich Danas Kehle zusammen. Vor ihr liegen leere Patronenhülsen.

»Hier finden öfters Manöver der Amerikaner statt«, versucht, ihre Mutter sie zu beruhigen. »Wir haben schon häufig solche Hülsen, verrostete Konservendosen und Plastiklöffel gefunden. Einmal lag sogar eine Gasmaske unter einem Baum.«

Dana fröstelt trotz des sonnigen Wetters und blickt sich ängstlich um.

»Wir sind schon fast da«, redet ihre Mutter unbekümmert weiter. »Lass uns weitergehen.«

Dana folgt ihr widerwillig und fragt sich, was die Soldaten in diesen Wäldern noch alles vergessen haben.

Sie verlassen den von Armeefahrzeugen ausgefahrenen Weg und tauchen in einen Fichtenwald ein. Der Wald wird dichter und die Herbstsonne dringt immer spärlicher zu ihnen vor.

Plötzlich wird Dana von einem Knacken aufgeschreckt.

Was war das? Da war doch jemand?

Danas Herz rast und sie schaut sich ängstlich um. Ihre Mutter ist zu weit entfernt, die Geräusche konnten nicht von ihr kommen.

Dana späht in die Richtung, aus der das Knacken kam, doch der Wald ist zu undurchdringlich und düster. Sie kann nichts erkennen.

Vielleicht hat sich dort jemand versteckt? Vielleicht sogar Soldaten?

Wieder hört sie das Knacken und die Angst breitet sich in ihrem Inneren immer mehr aus. Dana kann sich nicht überwinden weiterzugehen und wartet auf ihre Mutter, die sich langsam nähert.

»Hier ist jemand«, bestürmt sie sie voller Panik.

«Hier ist niemand«, antwortet ihre Mutter erstaunt. »Wir sind seit dem Manöverplatz niemandem begegnet.«

»Doch! Ich habe ganz deutlich etwas gehört, hier ist jemand.«

»Wir sind hier allein, du täuschst dich.«

»Glaube mir doch, ich habe etwas gehört. Da hinten bei der Baumgruppe ist etwas!«

»Da ist nichts! Wer sollte hier denn sein?«

»Dann waren es eben Wildschweine.«

Danas Mutter bleibt stehen und betrachtet verwundert ihre von Panik erfüllte Tochter.

»Wenn das so ist und du solche Angst hast, dann gehen wir lieber nach Hause. Die Pilze reichen uns fürs Abendessen.«

In einer fremden Welt

»Auch aus Steinen, die in den Weg gelegt werden, kann man Schönes bauen.«

Johann Wolfgang von Goethe

Königsberg
1936

Ängstlich steht Marie-Luise vor dem Rotkreuz-Krankenhaus und betrachtet den mächtigen Backsteinbau, in dem sie von nun an arbeiten soll.

Während sie die abgetretenen Stufen hinaufsteigt, fragt sie sich, warum ihr Vater sie nicht begleiten wollte. Er hat sie bis Allenstein gebracht und sich dort von ihr verabschiedet. Sie betritt die Klinik und verdrängt die Gedanken an die Zugfahrt durch Masuren und die Ankunft am Königsberger Hauptbahnhof. Zu sehr war sie von der Größe des Bahnhofes und der Stadt überwältigt.

»Du bist bestimmt Marie-Luise!« Die am Empfang sitzende Krankenschwester unterbricht ihre Schreibarbeit und geht freudig auf Marie-Luise zu. »Wir haben dich schon erwartet. Ich heiße Lotte, Schwester Lotte.« Die hochgewachsene Schwester reicht Marie-Luise zur Begrüßung die Hand und redet munter auf sie ein. »Ich zeige dir jetzt erst einmal die Klinik und dann das Wohnheim, das neben dem Krankenhaus liegt, in dem du wohnen wirst. Deinen Koffer kannst du so lange hier im Empfangszimmer abstellen.«

Marie-Luise stellt ihren grauen Koffer hinter den Empfang und folgt der Schwester schweigend durch die langen, dunklen Flure.

»Hier ist das Schwesternzimmer der chirurgischen Station. Dort lernst du vielleicht gleich ein paar Kolleginnen kennen.«

Schüchtern betritt Marie-Luise das geräumige Zimmer. Eine junge, blonde Schwester sortiert an einem Tisch vor dem Fenster Medikamente und blickt neugierig auf.

»Ich bin Schwester Bernadette und du bist sicher neu hier?«

»Ja. Ich heiße Marie-Luise. Marie-Luise Suttner. Ich bin gerade angekommen.«

»Herzlich willkommen, Marie-Luise. Woher kommst du denn?«

»Aus Masuren. Ich ...«

»Das muss warten. Wir müssen weiter«, unterbricht sie Schwester Lotte. »Ihr könnt euch später unterhalten.«

Schweigend folgt Marie-Luise der voranschreitenden Schwester durch das endlose Labyrinth der sterilen Krankenhausgänge zur Kinderstation und fragt sich, wie sie sich in dem Gebäude nur zurechtfinden soll.

»Hier wirst du die erste Zeit arbeiten«, verkündet Schwester Lotte. »Melde dich morgen früh um sechs Uhr bei der Stationsschwester. Sie heißt Schwester Gertraud.«

Neugierig schaut sich Marie-Luise auf der Station um, doch Schwester Lotte mahnt bereits wieder zur Eile.

»Wir müssen weiter. Du wirst morgen alles kennenlernen. Ich zeige dir nun noch das Wohnheim.«

Während sie die verwinkelten Gänge und Treppen zurück zur Eingangshalle laufen, versucht Marie-Luise verzweifelt, sich den Weg zu merken.

Marie-Luise öffnet das Fenster ihres Zimmers und blickt auf die grauen Häuserzeilen und Straßen. Sie betrachtet die vorbeihastenden Menschen und vermisst die behagliche Ruhe Masurens. Während sie sich vom Fenster abwendet, fällt ihr Blick auf den rahmenlosen, matten Spiegel neben der Eingangstür. Sie bewundert ihre grau-weiße Schwesterntracht und die gestärkte, weiße Haube.

Vielleicht hat Vater ja doch recht und es ist das Richtige für mich, spricht sie sich selbst Mut zu. Es ist einfach alles noch so neu und fremd.

Ihr Blick streift die Zimmeruhr. Erschrocken stellt sie fest, wie spät es ist. Und das an ihrem ersten Arbeitstag. Aufgeregt verlässt sie ihr Zimmer im Schwesternwohnheim und eilt zur Klinik. Sie irrt durch die langen Korridore und erreicht außer Atem die Kinderstation im zweiten Stock.

»Marie-Luise! Wo bleiben Sie denn! Ihr Dienst hat längst begonnen!« Stationsschwester Gertrauds massige Gestalt füllt den gesamten Türrahmen des Schwesternzimmers aus.

»Ich, ich habe mich verlaufen. Es gibt hier so viele Gänge und Treppen ...«

»Das ist keine Entschuldigung. Ich bitte Sie, in Zukunft pünktlich Ihre Arbeit zu beginnen«, schimpft die Stationsschwester. »Ich werde Ihnen nun die Station zeigen und Sie mit Ihren Kolleginnen bekannt machen.«

Eingeschüchtert folgt Marie-Luise der wortkargen Schwester durch die Kinderstation.

Marie-Luise gefällt die Arbeit auf der Kinderstation. Sie liebt die Kinder, die dort behandelt werden, und versucht, deren Heimweh zu vertreiben. Ihre Kolleginnen begreifen nicht, wie sie sogar nach Dienstschluss noch Geschichten vorlesen und sich um die traurigen Kinder sorgen kann. Doch sie kann nachempfinden, was es heißt, sich einsam und verlassen zu fühlen, und beschließt, sich nach der Grundausbildung als Kinderkrankenschwester ausbilden zu lassen.

»Marie-Luise! Müssen Sie es denn wieder übertreiben. Sie haben Dienstschluss und Kinderbetreuung ist nun wirklich nicht Ihre Aufgabe«, ertönt hinter Marie-Luise die eisige Stimme der Oberschwester. »Sie sollten sich lieber . um Ihre Anatomiekenntnisse kümmern.«

Marie-Luise zuckt zusammen. Ohne eine Antwort abzuwarten, verlässt Oberschwester Agnes den Krankensaal.

»Ich wollte doch nur noch Franziska ein wenig Gesellschaft leisten«, antwortet Marie-Luise fast lautlos. Traurig schlägt sie das Märchenbuch zu und erhebt sich von ihrem Stuhl. »Schwester, bitte nicht aufhören. Was wird denn nun aus Zwerg Kunold?«

»Das lese ich dir morgen vor, Franziska. Ich muss jetzt leider wirklich gehen. Träume heute Nacht etwas Schönes aus Kunolds Märchenwald.«

»Aber ich bin noch gar nicht müde! Und die Geschichte ist gerade so spannend«, jammert Franziska enttäuscht.

»Ich lese das Märchen morgen weiter. Ganz bestimmt.«

Betrübt geht sie zur Zimmertür, während Franziska ihr traurig nachschaut.

»Was hast du an deinem heutigen freien Tag vor?«, fragt Marie-Luises Mitbewohnerin Claire, die gerade aus dem Badezimmer kommt. »Ich würde zu gerne mit dir tauschen. Ich muss den Tag unter dem strengen Blick von Schwester Gertraud durchstehen.«

»Ich weiß es noch nicht. Ich kenne bisher nichts von Königsberg und weiß nicht, was man hier unternehmen kann.«

»Sag bloß, du warst früher noch nie in dieser Stadt?« Claire schaut Marie-Luise fassungslos an. »Das glaube ich nicht. Man muss Königsberg doch kennen.« Kopfschüttelnd bürstet sich Claire ihre langen, blonden Haare.

»Nein. Du weißt doch, ich bin in Masuren aufgewachsen. Ich kenne nur Allenstein und Sensburg. Wir sind nicht viel gereist.«

»Du warst wirklich noch nie am Königsberger Dom oder im Schloss? Du kennst das Blutgericht nicht? Und du warst noch niemals im Schauspielhaus?«

»Nein«, antwortet Marie-Luise verlegen. »Ich kenne Königsberg nur von Bildern aus dem Arbeitszimmer meines Vaters.«

»Hast du wenigstens etwas über die Kulturgeschichte dieser Stadt gelesen? Von Kant oder E. T. A. Hoffmann?«

»Nein. Ich ...«

»Und was hast du den ganzen Tag gemacht? Es gibt doch in Allenstein sicher ein Kino oder einen Tiergarten?«

»Das kann ich dir nicht sagen, ich war noch nie in einem Tiergarten, Kino oder Schauspielhaus.«

»Ja, ja. Natürlich nicht. Du hast ja in den Wäldern gelebt.« Gelangweilt verlässt Claire das Zimmer und lässt Marie-Luise einsam zurück. Dieses Mal kämpft Marie-Luise nicht gegen die Tränen an, die ihr in die Augen steigen.

Marie-Luise sitzt unentschlossen auf ihrem Bett und überlegt, was sie unternehmen soll. Sie würde gerne Klara besuchen und sehen, wie es ihr nach der Operation geht, aber dann bekäme sie womöglich wieder Ärger mit der Oberschwester. Also beschließt sie, sich die Stadt anzusehen. Voller Vorfreude zieht sie ihren Sommermantel über, nimmt ihre Handtasche und verlässt das Schwesternwohnheim.

Das warme Frühlingswetter hellt ihre Stimmung augenblicklich auf. Sie atmet tief die warme Luft ein, die ihr entgegenweht, und beschließt, mit der Straßenbahn zu fahren, mit der sie vom Hauptbahnhof gekommen ist und die am Schloss gehalten hatte.

An der Haltestelle Schönstraße erreicht sie gerade noch die Linie 8 Richtung Hauptbahnhof und steigt in den vorderen gelben Waggon ein. Sie setzt sich auf einen freien Fensterplatz und betrachtet neugierig die vorbeiziehenden alten Häuser.

Das muss der Schlossteich sein, bemerkt sie überrascht und springt von ihrem Sitz auf. Der Teich erinnert sie an eine Fotografie in der Bibliothek ihres Vaters, doch sie hätte ihn sich kleiner vorgestellt. Dann müsste das Schloss nicht mehr weit sein. An der nächsten Station, dem Münzplatz, verlässt sie die Straßenbahn und beobachtet das hektische Treiben um sich herum.

Marie-Luise läuft zum Schlossplatz und bewundert das alte Gemäuer. Es ist sehr viel größer und eindrucksvoller als auf den Bildern, die sie gesehen hat. Sie betritt den Schlosshof durch das Ostportal und bleibt erstaunt vor einem arkadengeschmückten, niedrigen Vorbau stehen. Hier ist also das Blutgericht, von dem Claire gesprochen hat. Neugierig betritt sie das mächtige Kellergewölbe. Sie gelangt in eine große Halle mit geschwärzten Gewölbewänden, in der fünf riesige geschnitzte Fässer und zahlreiche Tische stehen. Verwitterte alte Malereien zieren die Wände und alte Kähne hängen von der Decke.

»Herzlich willkommen. Möchten Sie etwas trinken?«, fragt sie ein herbeieilender Kellner.

»Ja, gerne«, antwortet Marie-Luise, während sie sich an einen freien Tisch in einer kleinen Nische setzt. »Was können Sie denn empfehlen?«

»Wein natürlich! Dies ist doch die berühmteste alte Weinstube des Ostens«, erwidert der Kellner amüsiert. »Sie waren wohl noch nicht hier?«

»Nein. Leider nicht. Aber warum heißt die Weinstube Blutgericht?«

»Nach alten Überlieferungen soll sich hier die alte Folterkammer befunden haben«, erklärt der Kellner geduldig. »Die große Halle ist das bekannteste Gewölbe, aber man sitzt auch sehr schön in der Marterkammer.«

Marie-Luise erschaudert. »Danke. Aber ich komme ein anderes Mal wieder«, murmelt sie und entflieht eilig dem düsteren Kellergemäuer.

Verstört steht sie im Freien und beschließt, weiter zum Dom zu gehen. Sie verlässt den Schlosshof durch das Hauptportal, überquert den verkehrsreichen Kaiser-Wilhelm-Platz mit dem Denkmal des alten Kaisers und läuft weiter Richtung Dominsel. Die warme Frühlingssonne vertreibt ihre innere Kälte.

Marie-Luise schlendert über die Krämerbrücke und betrachtet die Uferstraßen des Pregels. In der Ferne sieht sie das malerische Speicherviertel am Hundegatt.

Sie bummelt am Kneiphöfischen Rathaus vorbei weiter zum Domplatz. Die Größe der Kirche beeindruckt sie. Schweigend betritt sie den alten gotischen Kirchenbau und betrachtet im Inneren die zahlreichen Marmor- und Holzschnitzarbeiten, die ungewöhnlichen Fresken und das gewaltige Sterngewölbe. Die feierliche Atmosphäre lässt sie jegliches Zeitgefühl vergessen. Bewundernd steht sie vor der Taufkapelle und dem mächtigen Hochaltar und sieht plötzlich die weiße Silhouette eines Engels. Sie hat in dieser lärmreichen Stadt nicht damit gerechnet, einen Ort zu finden, der eine solche feierliche Ruhe ausstrahlt. Marie-Luise spürt eine heilende Energie, die durch die Anwesenheit des Engels verstärkt wird. Das Lichtwesen blickt Marie-Luise liebevoll an und sie spürt die beruhigende Wärme, die es verbreitet. Sie hat sich auch in Masuren oft darüber gewundert, warum die Raumtemperatur spürbar wärmer wird, wenn solche Engelswesen in der Nähe sind.

Sie würde gerne noch länger an diesem heilsamen Ort bleiben, doch die Zeit drängt, ins Schwesternwohnheim zurückzukehren. Während sie den Kirchenbau verlässt und auf den Domplatz tritt, beginnen sich die Umrisse des Engels zu verwischen und langsam in Nebel aufzulösen.

Marie-Luise überquert den Platz und läuft weiter zu Immanuel Kants letzter Ruhestätte an der Nordseite des Kirchenbaus. Schweigend betrachtet sie den Steinsarkophag und die Säulenhalle aus rotem Sandstein. In Gedanken versunken läuft sie weiter Richtung Honigbrücke, um die Dominsel zu verlassen. Da bemerkt sie am Ostgiebel des Kirchenbaus einen schlichten Gedenkstein. Neugierig nähert sie sich dem Stein und liest dessen Inschrift:

»Wer nach der Wahrheit, die er bekennt, nicht lebt, ist der gefährlichste Feind der Wahrheit selbst.«

Diese Worte von Julius Rupp, dem Großvater von Käthe Kollwitz, brennen sich tief in ihre Seele ein und sie denkt an die Konflikte mit ihrem Vater, der ihr nie glauben wollte, was sie sah und fühlte. Sie ließ sich jedoch von ihm nie in ihrem Glauben an ihre Gnome und Engel beirren und hofft, dass sie auch in dieser Stadt weiter zu ihrer Wahrheit stehen wird.

Nachdenklich geht sie durch die Königsberger Gassen zurück zu ihrem Schwesternwohnheim. Am Eingang bleibt sie an einer mächtigen Eiche stehen und spricht liebevoll zu ihr: »Ja, du wärst sicher auch lieber in einem Park oder einem Wald. Aber du hast deine Aufgabe hier. Du schenkst den Menschen so viel Frieden in dieser großen Stadt.« Liebevoll berührt Marie-Luise den knorrigen Stamm des Baumes und bemerkt nicht, wie ein paar ältere Schwestern kopfschüttelnd an ihr vorbeigehen und sich über sie lustig machen.

»Was sitzen Sie denn so verträumt herum? Haben Sie nichts zu tun?«

Erschrocken fährt Marie-Luise zusammen. Sie hat nicht gehört, wie Oberschwester Agnes das Schwesternzimmer betreten hat.

»Ich träume nicht, Oberschwester. Ich habe gerade für unsere Patienten den Beistand von Engeln herbeigerufen.«

»Das meinen Sie doch nicht ernst?«

»Doch. Es gibt Engel, die unsere Arbeit unterstützen. Haben Sie noch nie Ihren Heilengel gespürt, der Sie jeden Tag bei Ihrer Arbeit begleitet? Man spürt es noch deutlicher, wenn man nachts durch die stillen Gänge geht.«

»Schwester Marie-Luise! Ich dulde hier keine solchen Fantastereien!«

»Aber diese Engel existieren wirklich! Nur leider sind sie für die meisten Menschen unsichtbar. Jeder Mensch kann um ihren Beistand bitten, auch wenn er sie nicht sieht.«

»Ich habe nun wirklich genug von diesem Unsinn! Konzentrieren Sie sich bitte auf Ihre Arbeit und spielen Sie hier nicht Heilerin.

Außerdem, halten Sie hier keine Predigten wie in einer Kirche.«
Die Oberschwester verlässt zornig das Zimmer.

Marie-Luise fühlt sich wieder einmal unverstanden. Auch an ihrem heutigen freien Nachmittag entflieht sie nach Dienstschluss dem leidvollen Krankenhaus und der Einsamkeit des Schwesternwohnheims.

Sie machen sich lustig über mich, nur weil ich in Masuren aufgewachsen bin und die Natur liebe. Mir ist hier alles fremd, selbst die Menschen.

Gegen das Vergessen

»Wenn Gott den Schatten erschaffen hat, dann war es, um das Licht hervorzuheben.«

Johannes XXIII.

Taunus
August 1986

Dana läuft durch den tiefen Birkenwald. Die Äste der dünnen Bäume sind kahl und kein Geräusch ist zu hören. Sie fühlt sich einsam und hat das Gefühl, verfolgt zu werden. Erleichtert sieht sie, dass ihr Menschen entgegenkommen. Sie betrachtet die mageren Gestalten mit ihren ausdruckslosen Gesichtern und wundert sich, warum sie sie nicht beachten und mit starrem Blick an ihr vorbeigehen. Es begegnen ihr immer weniger Menschen, bis sie schließlich wieder allein ist. Dana hastet weiter durch den einsamen Wald, in dem es kein Leben zu geben scheint, bis sie in der Ferne eine Lichtung erkennt. Beim Näherkommen bemerkt sie, dass es sich um eine künstlich angelegte Wiese handelt. Die viereckige Grünfläche ist von kahlen Bäumen umgeben. Die Stämme der Birken, die am Rand der Lichtung stehen, sind dünn und haben eine intensive weiße Farbe, wie Dana sie noch nie gesehen hat. Sie stehen auf einer leichten Anhöhe und erscheinen ihr so leblos wie der Wald, durch den sie gerade gelaufen ist. Es ist auch hier kein Vogelgezwitscher zu hören, jegliches Leben scheint von diesem Ort gewichen zu sein. Obwohl dieses Gelände den Anschein erweckt, menschenleer zu sein, fühlt Dana die Anwesenheit von etwas Bedrohlichem und fühlt sich beobachtet.

Vielleicht liegt es daran, dass die Lichtung keinerlei Schutz bietet, beruhigt sie sich selbst. Sie versucht, die Wiese zu verlassen, um sich in dem angrenzenden Wald zu verbergen, doch gelingt es ihr nicht, die Anhöhe zu erreichen, auf der die kahlen Bäume stehen. Sie betrachtet den Wald und versteht nicht, warum sie ihn nicht betreten kann.

Verzweifelt schaut sie sich um und entdeckt am anderen Ende der Wiese fünf einstöckige, graue Gebäude, die ihr bisher nicht aufgefallen waren. Sie nähert sich den flachen Betonbauten und erkennt, dass sie durch lange Gänge miteinander verbunden sind. Die Baracken sehen verlassen aus und in Danas Innerem breitet sich immer mehr Unbehagen aus. Sie betritt einen der Gänge und wird von einem Geräusch aufgeschreckt. Sie dreht sich um und erkennt einen Soldaten in Offiziersuniform, der sie eiskalt betrachtet und fotografieren will. »Nein«, schreit Dana. »Nein!«

Danas Herz rast und sie weiß nicht, wo sie sich befindet. Langsam erkennt sie ihr Zimmer und wird sich darüber klar, dass es nur ein Traum war, aus dem sie gerade erwacht ist. Sie versucht, wieder einzuschlafen, aber es gelingt ihr nicht. Die Traumbilder erscheinen noch immer real und lebendig. Sie wollen nicht aus ihrem Bewusstsein verschwinden und begleiten sie durch die Nacht. Immer wieder sieht Dana sich durch den gespenstisch wirkenden Wald laufen und auf der Lichtung Schutz suchen. Sie spürt ihr Herz rasen und erkennt nicht, wovor sie wegzulaufen versucht. Warum kommen ihr so viele Menschen entgegen und sprechen nicht mit ihr? Dana hat das Gefühl, als würden sie sie noch nicht einmal sehen.

Warum kann sie den Platz nicht verlassen und sich zwischen den Bäumen verbergen? Was waren das für Gebäude, die, obwohl sie verlassen waren, derart bedrohlich wirkten? Über diese endlosen Fragen fällt Dana schließlich erschöpft in den Schlaf.

Am nächsten Morgen haben die Traumbilder ihre bedrohliche Wirkung verloren und erscheinen ihr nun unwirklich und fremd.

Auch ihre Angst ist verschwunden. Es ist Wochenende, denkt Dana und steht freudig auf. Nach dem Frühstück zieht sie sich in ihr Zimmer zurück, um einige Briefe zu schreiben. Sie hat früher viele Brieffreundschaften gepflegt, doch seit einiger Zeit konzentriert sich ihr Schreiben auf Eilaktionen von Amnesty International, in denen sie für akut bedrohte Menschen »Briefe gegen das Vergessen« schreibt. Sie kann es sich selbst nicht erklären, warum sie dort unbedingt helfen muss und sich für verfolgte Menschen und gegen Menschenrechtsverletzungen einsetzen möchte. Es haben nicht viele Freunde dafür Verständnis, doch stört sie das nicht. Entschlossen nimmt sie ein Blatt Papier und den Bericht über einen von Folter und Misshandlung bedrohten Studenten in Südafrika. Während sie den Brief schreibt, spielt im Hintergrund der Song »Nackt im Wind« der »Band für Afrika«, der Dana noch immer tief unter die Haut geht. Dieses Lied, das im Januar zum »Tag für Afrika« erschien, hatte sie ebenso berührt wie die Hungersnot in Äthiopien, für die im ganzen Land Spenden gesammelt wurden. Um diese Aktion zu unterstützen, hatte Dana mit einer Freundin handgearbeitete afrikanische Püppchen verkauft, die ihr Vater von seiner letzten Reise aus Zaire mitgebracht hatte. Er engagiert sich seit einigen Jahren in seiner Freizeit als Entwicklungshelfer in einer Missionsstation im Kongo und hat Dana diese Puppen für ihre private Hilfsaktion zur Verfügung gestellt. Sie freut sich noch immer darüber, wie erfolgreich sie waren und wie viele Läden ihre Puppen nun schmücken. Dana würde am liebsten selbst als Krankenschwester nach Afrika gehen, um dort zu helfen, doch zuerst muss sie die Schule beenden und sich damit begnügen, an solchen Hilfsaktionen in Deutschland teilzunehmen. Der im Hintergrund ertönende Refrain von »Nackt im Wind« reißt Dana aus ihren Träumen und erinnert sie an den Brief gegen das Vergessen, den sie eigentlich schreiben wollte und fast vergessen hätte.

Unbeschwerter Sommer

»An den Scheidewegen des Lebens stehen keine Wegweiser.«

Charlie Chaplin

Masuren
1939

Erwartungsvoll betritt Marie-Luise die Universitätsbibliothek auf dem Mitteltragheim, in der sie schon häufig auf der Suche nach Literatur gewesen war und die ihr an manchen einsamen Tagen wie ein Zufluchtsort vorgekommen ist. Die Türen sind ihr hier nicht verschlossen wie die Bibliothekstüren des väterlichen Anwesens in Masuren. Marie-Luise liebt diesen Ort mit den einladenden Stühlen und Lesetischen und stöbert wie üblich ausgiebig in den Regalen der medizinischen Abteilung. Ihr Blick fällt immer wieder auf einen jungen Mann mit hellbraunen, lockigen Haaren, der in ihrer Nähe in einem ledergebundenen Buch blättert. Als er zu ihr herüberschaut, lenkt sie verlegen ihre Aufmerksamkeit auf eine Reihe alter medizinischer Ratgeber. Ihre Hände zittern, als sie eine Abhandlung über Homöopathie von Matthes aus dem Regal nehmen will. Das Heft fällt ihr aus der Hand und gleitet lautlos auf den Boden. Während sie sich hinunterbeugt, um das Buch aufzuheben, sieht sie, wie eine schlanke Hand bereits danach greift. Marie-Luise richtet sich auf und blickt in die strahlenden Augen des jungen Mannes, den sie eben noch beobachtet hatte. Er war unbemerkt an ihre Seite getreten und betrachtet erstaunt die homöopathische Schrift der Königsberger Gelehrten Gesellschaft, die zu Boden gefallen war. »Das ist aber eine ausgefallene Literatur.«

Marie-Luise spürt, wie ihr bei seinen Worten die Röte ins Gesicht steigt, und sucht verzweifelt nach einer Antwort. Doch es kommt nur ein schüchternes »Danke« über ihre Lippen, während er ihr das Heft reicht und zu seinem Tisch zurückkehrt. Sie stellt das Heft zurück in das Regal und wagt nicht mehr, ihn anzuschauen. Fluchtartig verlässt sie die Bibliothek.

Marie-Luise steigt aus der Straßenbahn und eilt zur Bibliothek. Während sie die schwere Eingangstür öffnet, spürt sie den kühlen Lufthauch, der ihr entgegenweht. Ihre Augen gewöhnen sich schnell an die düsteren Räume und sie nimmt den besonderen Geruch dieses Gebäudes wahr. Es ist fast eine Woche vergangen, seit Marie-Luise dem jungen Mann hier begegnet war, doch sie konnte seine Augen nicht vergessen. Zielstrebig geht sie in die medizinische Abteilung und entdeckt ihn dort. Er sitzt in ein Buch vertieft in einem alten Holzsessel. Marie-Luise beobachtet ihn verstohlen, während sie ein Buch über Kinderheilkunde auswählt. Sie blättert in dem ledergebundenen Werk, kann sich jedoch nicht auf den Text konzentrieren und wagt nicht, in seine Richtung zu blicken.

»Hallo«, ertönt es hinter ihr.

Marie-Luise dreht sich erschrocken um und sieht den jungen Mann vor sich stehen, der sie mit seinen blauen Augen anstrahlt. Verlegen lächelt sie ihn an.

»Ich heiße Johannes Hausmann. Verrätst du mir deinen Namen und warum du so häufig hier bist?«

»Ich heiße Marie-Luise Suttner. Ich bin Kinderkrankenschwester und suche Literatur über Kinderheilkunde.« Wie so häufig während der letzten Wochen verleugnet sie auch heute ihre adlige Abstammung. »Und was führt dich hierher?«

»Ich bin Lehrer und suche nach Büchern für meine Studenten. Hast du Lust, mit mir heute Abend ins Café zu gehen? Ich kenne eine Konditorei, die den besten Marzipankuchen von Königsberg anbietet.«

»Gern«, antwortet Marie-Luise und spürt, wie ihr Herz vor Freude schneller schlägt.

»Ich könnte dich um sechs Uhr abholen, wenn du möchtest?«

»Ja, sehr gerne.«

»Wo wohnst du denn?«

»Ich wohne im Schwesternhaus der Universitäts-Kinderklinik.«

»Das werde ich finden und dort heute Abend vor dem Wohnhaus auf dich warten. Ich freue mich darauf«, sagt er und geht lächelnd zu seinem Platz zurück, ohne auf eine Antwort von Marie-Luise zu warten.

»Ich freue mich auch«, sagt Marie-Luise leise, obwohl sie weiß, dass er sie nicht mehr hören kann. Sie wirft Johannes einen letzten kurzen Blick zu und verlässt aufgeregt die Bibliothek.

Marie-Luise betrachtet sich vor dem Spiegel und überlegt, was sie anziehen soll. Sie kann ihre Nervosität nicht abschütteln und versucht, an etwas anderes zu denken. Aber immer wieder muss sie an den jungen Mann denken und kann es kaum glauben, dass er sie angesprochen hat. Sie wählt ein schlichtes Sommerkleid aus in der Hoffnung, dass es ihr stehe. Dann widmet sie sich ihren langen, schwarzen Haaren. Sie fragt sich, ob sie ihre Haare hochstecken oder besser offen tragen soll. Und zum ersten Mal wünscht sie sich eine Zimmernachbarin, die sie um Rat fragen könnte.

Doch nach ihren Erfahrungen mit Claire war sie froh, in der Kinderklinik ein eigenes Zimmer bekommen zu haben. Sie hätte gerne eine Freundin, der sie sich anvertrauen könnte, doch hat sie eine solche bisher nicht gefunden. Ihren Kolleginnen ist sie zu naturverbunden und ernst. Immer wieder wandert ihr Blick auf die Uhr, bis es endlich Zeit ist, zu ihrer Verabredung aufzubrechen. Marie-Luise verlässt klopfenden Herzens das Wohnheim und ist erleichtert darüber, dass Johannes Hausmann sie am Eingang bereits erwartet. Sie versucht, sich ihre Aufregung nicht anmerken zu lassen, während sie ihn lächelnd begrüßt.

Sie spazieren am Pregel und Schlossteich entlang und betreten schließlich den Schwermer'schen Cafégarten, von dem Johannes gesprochen hat. Stundenlang sitzen sie dort unter alten Kastanien an der Uferpromenade. Marie-Luise genießt die Gesellschaft von Johannes und das Gefühl, nicht mehr einsam zu sein. Als es Zeit ist aufzubrechen, verlassen sie das Café und laufen schweigend durch enge, winklige Gassen zurück zu Marie-Luises Wohnheim. Dort angekommen, nimmt Johannes Marie-Luise liebevoll in den Arm und küsst sie. Marie-Luise spürt eine besondere Wärme und Vertrautheit, die von Johannes ausgeht, als würde sie ihn schon lange kennen. Schweren Herzens löst sie sich aus der Umarmung und verabschiedet sich von ihm. Während sie das Wohnheim betritt, bemerkt sie nicht, wie der Baumgeist der mächtigen Eiche am Eingang des Wohnhauses ihr liebevoll zulächelt. Sie denkt nur an Johannes und die Stunden, die sie mit ihm zusammen und glücklich war.

In den kommenden Monaten verbringt Marie-Luise jede freie Minute mit Johannes. An lauschigen Sommerabenden bummeln sie über den Fischmarkt oder betrachten die riesigen Getreidespeicher und Lastkähne am Hafenbecken. Am Wochenende besuchen sie den Königsberger Tiergarten, gehen ins Kino oder Schauspielhaus. In den Sommerferien fahren sie an freien Tagen zum Sonnenbaden an die Ostsee oder verbringen ihre Zeit auf der Kurischen Nehrung mit ihren hohen Dünen und Kieferwäldern. Marie Luise genießt ihr Leben mit Johannes und nimmt nur wenig Notiz von ihrer Umgebung und den politischen Geschehnissen.

Obwohl sie mit Johannes viel Zeit in der Natur verbringt, verliert sie immer mehr den Kontakt zu den Naturwesen, die sie in ihren einsamen Kinder- und Jugendjahren getröstet haben. Es scheint, als nehmen Marie-Luise und Johannes nicht einmal die Menschen wahr, die wie sie auf der Schlossteichpromenade schlendern oder in den Straßencafés sitzen.

Auch heute haben sie sich hier am Schlossteich getroffen, in dessen Wasser sich die Sonne glitzernd spiegelt und Schwäne und Enten tummeln. Von keinem Menschen hatte Marie-Luise sich je so verstanden gefühlt, obwohl sie sich erst kurze Zeit kennen. Ihre Gedanken scheinen ineinander verwoben zu sein und oftmals müssen sie lachen, da sie zur gleichen Zeit dieselbe Idee haben. Marie-Luise und Johannes leihen sich ein Boot aus und rudern in Ufernähe über den Teich. Sie genießen die angenehmen Schatten der großen, überhängenden Weiden und den Augenblick des Glücks, als würde es nichts anderes außer ihnen geben.

Doch die Realität lässt sich nicht dauerhaft verdrängen und wartet darauf, sich auch in das Leben von Marie-Luise zu schleichen.

Hinter dem Schleier

»Alle Dunkelheit der Welt kann das Licht einer einzigen Kerze nicht auslöschen.«

Aus China

Feldberg
Silvester 1989

»Auf ein gutes neues Jahr!«

»Prost Neujahr, Dana!«

Während Dana mit ihrer Freundin Sandra und deren Verlobten Markus anstößt, hört sie Sektkorken knallen und Raketen in die Luft steigen. Sie hatten sich trotz der eisigen Kälte dazu entschlossen, das neue Jahr auf dem Feldberg zu begrüßen, und wundern sich über die große Party unter freiem Himmel, die sie hier erwartet hat. Die Bäume sind hoch gewachsen und geben nur wenig Sicht auf Frankfurt am Main frei, worüber sie enttäuscht sind. Die Freunde hatten sich eine schönere Aussicht in dieser Silvesternacht erhofft. Dennoch genießen sie die ausgelassene Stimmung an diesem ausgefallenen Ort. Die Luft ist klar und nur wenig Nebel steigt durch das Feuerwerk auf, das an vielen Stellen gezündet wird.

»Was hast du dir denn für das kommende Jahr vorgenommen?«, fragt Dana ihre Freundin, während sie an ihrem Sektglas nippt.

»Nichts Besonderes. Mal sehen, was es beim Roten Kreuz Neues geben wird.«

Markus nähert sich mit der Sektflasche, doch Dana winkt ab.

»Mir ist das Glas schon zu viel. Selbst du weigerst dich ja, die Ente zurückzufahren, nur weil sie eine Handschaltung hat.«

»Ihr wolltet unbedingt mit der Ente fahren. Dabei ist die Innenheizung bei dem Wetter wieder mal überfordert, wie es zu erwarten war«, erwidert Markus. »In meinem Auto muss man nicht auch innen Eis kratzen. Wenigstens friert die Plastikente auf der Motorhaube nicht, der du eine Pudelmütze gestrickt hast.«

»Und was planst du für dieses Jahr, Dana?«, unterbricht ihn Sandra.

»Auch nichts Konkretes. Ich fürchte, das Jahr wird langweilig und mit ziemlich viel Lernen verbunden sein. Das Abi rückt immer näher.«

Dana erinnert sich an das vergangene Jahr, das für sie im November in Berlin seinen Höhepunkt fand. Sie hatte mit ihrem Bruder Mike Freunden aus Ostberlin bei der Flucht über Ungarn helfen wollen und für den zehnten November einen Flug nach Berlin gebucht. Dann fiel am neunten November für alle unerwartet die Mauer, wodurch die Flucht der Freunde aus der DDR nicht mehr nötig war. Dana und Mike entschlossen sich, dennoch nach Berlin zu fliegen, um an der größten Party des Jahres teilzunehmen. Es war in ihren Augen ein Geschenk des Himmels, dass sie die Flüge gebucht hatten, da an diesem Wochenende sämtliche Flugzeuge nach Berlin ausgebucht waren. Auch bei ihrem Flug waren fast nur Reporter und Filmteams an Bord.

»Bin ich froh, dass ich mir das nicht angetan habe«, reißt Sandra Dana aus den Gedanken. »Abitur wollte ich nie machen. Hast du denn immer noch vor, Ernährungswissenschaften zu studieren? Das ist doch todlangweilig!«

»Du weißt genau, dass ich es nur studieren möchte, um als Entwicklungshelferin nach Afrika oder Südamerika zu gehen. Es gibt nicht viele Berufe, die dafür infrage kommen.«

»Warum hast du dann nicht Krankenschwester gelernt, wie du es früher immer wolltest?«

»Du weißt genau, dass ich kein Blut in größeren Mengen sehen kann. Die Ausbildung wäre einfach nichts für mich, auch Medizin könnte ich nicht studieren.«

»Aber ins Rote Kreuz bist du doch auch mit mir gegangen«, entgegnet Sandra verständnislos. »Und du bist doch genauso gerne im Bereitschaftsdienst und Katastrophenschutz aktiv. Da könntest du leicht mit all dem konfrontiert werden. Stell dir vor, ein Zug entgleist und ...«

»Das stelle ich mir erst gar nicht vor«, unterbricht Dana ihre Freundin. »Wahrscheinlich bin ich nur dabei, da wir bisher keine derartigen Katastrophen erleben mussten, sondern nur an Übungen teilgenommen haben. Die Sportplatzdienste und Blutspendetermine sind kein Problem für mich und gefallen mir.«

»Na, dann auf Afrika, Südamerika oder wo immer es dich hin verschlagen wird!«

Bad Homburg
2. Januar 1990

»Willst du heute wirklich nach Rosbach fahren?«

»Sicher. Ich bin mit Sandra verabredet. Sie wartet schon«, antwortet Dana ihrer Mutter.

»Es soll glatt sein! Es wäre besser, du fährst heute Abend nicht.«

»Es ist nicht glatt. Als ich eben nach Hause fuhr, habe ich nichts davon bemerkt.«

»Es wäre dennoch besser, du würdest daheim bleiben.«

Was ist denn heute nur los, denkt Dana. Erst hatte sie der Portier in dem Bürogebäude, in dem sie nach der Schule gejobbt hatte, vor Glatteis gewarnt und nun ihre Mutter. So ängstlich kannte sie beide nicht.

»Ich verstehe nicht, warum ihr alle so besorgt seid. Der Wetterbericht hat sich bestimmt geirrt.«

»Dennoch solltest du vorsichtig fahren.«

»Ja, ja«, winkt Dana ab. »Ich passe schon auf!« Entschlossen nimmt sie ihre Handtasche und verlässt das Haus. Während sie in ihre türkisblaue Ente steigt und zum Hof hinausfährt, erinnert sie sich an die Silvesternacht vor zwei Tagen, als sie nachts mit ihrer Ente vom Feldberg auf spiegelglatten Straßen heimfuhren. Da ist uns auch nichts passiert, denkt sie. Warum sollte ich heute Abend daheim bleiben?

Die Straße ist trocken und von Glatteis keine Spur. Es ist bereits dunkel, als Dana Köppern verlässt und auf der B 455 weiter Richtung Rosbach fährt.

Ich bin wieder mal viel zu spät. Es ist gar nicht nötig, dass ich so vorsichtig fahre, denkt sie, während sie sich der Anschlussstelle Friedberg nähert. Die Autobahnbrücke ist bereits in Sichtweite und Dana verringert die Geschwindigkeit auf die vorgeschriebenen 70 km/h.

Während sie auf die Autobahnunterführung zufährt, erkennt sie hinter der Brücke einen dunkelblauen Wagen, der von der A5 abgefahren ist. Plötzlich bewegt sich das Auto, um nach links Richtung Köppern abzubiegen. Er kann doch jetzt unmöglich losfahren, ich habe Vorfahrt, denkt Dana. Wieso sieht er mich nicht?

Dana bremst, doch sie weiß, dass es dafür längst zu spät ist und sie ihm nicht mehr ausweichen kann. Während ihr Auto auf das abbiegende Fahrzeug zufährt und die Zeit stehen zu bleiben scheint, schließt Dana innerlich mit ihrem Leben ab.

Mit einem lauten Knall schlägt der Manta in die Beifahrerseite der Ente ein. In Danas Kopf dreht sich alles und es wird dunkel um sie.

Schicksalhafte Begegnung

»Die Berufung offenbart sich wie ein Gesetz
Gottes, aus dem es kein Entrinnen gibt.«

Carl Gustav Jung

Königsberg
Spätsommer 1941

Marie-Luise verfolgt in den Klinikgängen die aufgeregten
Gespräche über die Kriegsereignisse in Polen und Russland und
wird von der zunehmenden Euphorie der Schwestern und Ärzte
mitgerissen. Schon seit Wochen liest sie in ihrer Freizeit die
Berichte über die englische Krankenschwester Florence
Nightingale, die im Krimkrieg die Pflege der englischen
Verwundeten in den Kriegslazaretten organisierte, und die
populären Romane von Elsa Brandström, die als
fünfundzwanzigjährige Krankenschwester nach Sibirien reiste,
um dort deutsche Kriegsgefangene zu pflegen. Sie bewundert den
Mut und Einsatz dieser Krankenschwestern, die ihre
Lebensaufgabe darin sahen, Schwestern der Kranken und
Leidenden zu sein.
Nachdem Marie-Luise die Aufrufe des Roten Kreuzes erreicht
haben, in denen es heißt, dass dringend Rotkreuzschwestern für
Kriegslazarette im Osten benötigt werden, sieht sie ihre Chance
gekommen, selbst einen humanitären Beitrag im Osten zu leisten.

Kurz entschlossen meldet sie sich bei einer Rotkreuz-Stelle für
einen Auslandseinsatz.

Nach ein paar Wochen Wartezeit erreicht sie ihr Marschbefehl für die Ostfront. Den genauen Einsatzort im Osten erfährt sie nicht, man teilt ihr lediglich mit, dass sie sich bereithalten solle, da ihr Einsatz unmittelbar bevorstehe. Während Marie-Luise die nötigen Reisevorbereitungen trifft, verdrängt sie alle Zweifel und Vorahnungen, die sich in ihr Bewusstsein zu drängen versuchen. Die Kriegsausrüstung, die man ihr aushändigt, besteht neben einer Kriegstracht und einer Rotkreuz-Armbinde aus einem grauen Kriegskoffer, einem Rucksack, einem Brotbeutel, einer Feldflasche und einer Gasmaske. Außerdem erhält sie ein Soldbuch und eine Erkennungsmarke, die sie während des Einsatzes um den Hals tragen soll.

Aufgeregt probiert sie noch am gleichen Abend die Rotkreuz-Tracht und das graue Reisekostüm an. Sie lacht über den Hut mit der aufgeschlagenen Krempe und ist stolz auf ihre Rotkreuz-Brosche, die sie sogleich an ihrer grauen Uniform befestigt.

Nachdem sich die erste Aufregung gelegt hat, erstarrt sie plötzlich und denkt an Johannes. Er weiß noch nichts von ihrem Entschluss, an die Ostfront zu gehen, sie hatte vergeblich auf einen passenden Zeitpunkt gewartet, es ihm zu sagen. Nicht nur, weil sie ahnte, dass er sie nicht verstehen würde, sondern auch, da sie befürchtete, er könne sie dazu drängen, ihre Meldung zurückzuziehen. Doch nun kann sie es nicht länger hinauszögern. Die gesamte Nacht wird sie ruhelos von düsteren Vorahnungen geplagt, die sie bis in ihre Träume verfolgen.

Der Herbstwind treibt die letzten bunten Birkenblätter an den beiden jungen Menschen vorbei, die Sonne steht schon sehr tief und schafft es kaum noch, die Tautropfen auf den Grashalmen am Wegesrand zu trocknen. Die Natur folgt dem Lauf der Jahreszeiten, als hätte sich nichts geändert, doch man spürt, dass das Blau des Himmels immer mehr von dunklen, unheilvoll wirkenden Wolken verdrängt wird.

Marie-Luises Hand fühlt sich heute ungewohnt kalt an und Johannes spürt, dass eine Last auf ihrer Seele liegt, die ihr sonst lachendes Gesicht sehr ernst aussehen lässt. Und doch bleibt er geschockt stehen, als sie ihm ihren Entschluss mitteilt.

»Das meinst du doch nicht ernst?« Johannes starrt Marie-Luise fassungslos an, die seinem Blick ausweicht und das glitzernde Wasser des Schlossteiches betrachtet. »Du wirst doch nicht freiwillig in den Osten fahren?«

»Doch. Ich werde an dem Einsatz teilnehmen.«

»Marie-Luise, du rennst in dein Unglück.«

»Du irrst dich bestimmt, Johannes. Es wird nicht gefährlich sein, du wirst sehen.«

»Du musst doch nicht fahren. Aus deiner Klinik wird sicher nicht jede Schwester zwangsverpflichtet.«

»Es ist zu spät, Johannes. Ich habe ...«, sie wagt nicht, weiterzusprechen und starrt auf das mächtige Schlosspanorama, das sich im kühlen Blau des Schlossteiches spiegelt.

»Was hast du?«

Marie-Luise schweigt noch immer.

»Du wirst doch nicht ...«

»Doch. Ich habe mich freiwillig gemeldet und wurde bereits vereidigt.«

»Nein!« Johannes starrt sie fassungslos an. »Du kannst nicht in einen Krieg ziehen. Wie kannst du nur so naiv sein und dich freiwillig für den Osten melden? Es ist schon schlimm genug, dass immer mehr Männer aus unserem Bekanntenkreis eingezogen werden, aber dass du dich freiwillig melden könntest, damit habe ich nun wirklich nicht gerechnet.«

Die Stille, die nun folgt, ist für Marie-Luise unerträglich. Sie weicht noch immer seinem verzweifelten Blick aus und fixiert eine Weide an der Uferpromenade.

»Willst du mich heiraten?« Marie-Luise dreht sich zu Johannes um und starrt ihn überrascht an.

»Marie-Luise, willst du meine Frau werden?« Marie-Luise spürt, wie ihr Tränen in die Augen steigen.

»Ich meine es ernst. Willst du mich heiraten?«

»Warum fragst du das ausgerechnet jetzt?«

»Ich will dich nicht verlieren!«

»Ich dich auch nicht. Ich möchte dich heiraten, aber nicht ...«

»Da gibt es kein Aber«, entgegnet er.

»Aber ich muss erst nach Russland, ich werde dort gebraucht. Ich möchte dort helfen.«

»Immer denkst du an die anderen. Du übertreibst. Deinen Beruf, das Helfenwollen. Und nun auch noch das.«

»Da ist doch nichts Schlechtes dabei. Ich möchte dort helfen, verwundete Soldaten pflegen, die auf Hilfe warten. Ich muss es tun! Ich werde dort gebraucht!«

»Ich brauche dich auch, Marie-Luise.« Flehend nimmt er sie in den Arm.

»Aber wir haben noch unser ganzes Leben vor uns. Ich werde bald zurück sein.«

Johannes fühlt ihre Entschlossenheit und Dickköpfigkeit und weiß in diesem Moment, dass er sie nicht überzeugen kann. Er spürt, wie sie sich nicht nur von seiner Umarmung, sondern auch von ihm löst. »Es wird anders sein, als du es dir vorstellst.«

»Das glaube ich nicht«, entgegnet Marie-Luise. »Der Einsatz wird bestimmt nicht lange dauern, der Krieg soll bald vorbei sein. Ich werde nach Russland fahren, meine Entscheidung steht fest.«

»Gut, fahre in den Krieg, wenn du es unbedingt willst. Aber ich fürchte, dann werden wir uns nicht mehr wiedersehen. Ich weiß nicht, ob ich es ertrage, hier auf dich zu warten.«

»Das brauchst du auch nicht.« Wütend dreht sich Marie-Luise um und läuft davon.

Auf dem Weg zum Schwesternheim überschlagen sich die Gedanken in ihrem Kopf.

Wieso versteht er mich nicht? Ich möchte doch nur dem Beispiel Florence Nightingales folgen und das tun, was sie getan hat: selbstlos dem Nächsten dienen.

Tränen der Hilflosigkeit steigen in ihr auf, während sie sich immer weiter von Johannes entfernt.

Ein neues Leben

»Nicht so, wie sie sind, erscheinen die Engel, sondern so, wie die
Sehenden sie sehen können.«

Johannes von Damaskus

Taunus
2. Januar 1990

Das weiße Licht hüllt Dana ein. Es ist warm und sie fühlt sich
geborgen und beschützt. Eine derartige Wärme hat sie noch
niemals erlebt und sie hat nur den einen Wunsch, sie nicht
verlassen zu müssen.

»Du musst zurück«, ertönt eine weibliche Stimme. »Es wird Zeit!«

Dana kann nicht erkennen, woher die Stimme kommt. Es ist
keine menschliche Gestalt zu sehen, es scheint, als würde das
Licht selbst zu ihr sprechen. Das Licht ist von diesen warmen
Worten erfüllt oder die Worte von dem Licht. Dana kann es nicht
unterscheiden, alles um sie scheint aus Liebe, Frieden und Wärme
zu bestehen.

Dana sträubt sich dagegen, zurückzugehen, fort von diesem
Leuchten. Sie möchte nicht weg von hier. Doch sie weiß, dass sie
sich nicht dagegen wehren kann. Sie wird von dem hellen
Lichtschein weggezogen und sie fühlt, wie es kalt und dunkel um
sie wird. Die Leichtigkeit und der Frieden sind verschwunden,
stattdessen spürt sie wieder ihren Körper, der von Schmerz erfüllt
ist. Schwere umgibt sie.

Dana will zurück, zurück zu dem warmen Licht. Da sieht sie vor
sich einen Tunnel, in den sie hineingezogen wird.

Schwerelos schwebt sie durch den schmalen Gang. Sie wird immer tiefer in den langen, dunklen Tunnel gezogen, fort von den Schmerzen und der Angst. Sie sehnt sich nach dem weißen Licht am Ende des Tunnels und spürt, wie sie darauf zu schwebt. Endlich taucht sie in das warme Licht ein, das sie augenblicklich durchdringt und mit tiefer Liebe und Ruhe umhüllt.

»Du kannst hier nicht bleiben«, ertönt wieder die Stimme. »Wir haben deinen Körper, so weit möglich, geheilt, und du kannst nun dorthin zurückkehren.« Dana lauscht stumm den liebevollen Worten und kann noch immer nicht erkennen, woher sie kommen. »Du weißt, dass dort noch vieles auf dich wartet, was du dir vorgenommen hast. Wenn es so weit ist, wirst du dich wieder daran erinnern! Doch nun ist es wirklich Zeit zurückzukehren.«

»Geht es dir gut?«

Dana kommt zu sich und sieht eine weiße, verschwommene Gestalt an ihrer Autotür stehen, die zu ihr spricht.

»Ja«, antwortet sie. »Es ist alles in Ordnung!«

Dana schaut sich suchend um. Wo ist meine Brille? Kein Wunder, dass ich alles nur verschwommen sehe. Sie findet sie auf dem Boden vor dem Beifahrersitz liegen und staunt darüber, dass sie trotz des Unfalls nicht beschädigt ist. Dana erinnert sich an den Aufprall, mit dem das andere Auto in ihre Ente einschlug, doch was ist dann geschehen? Wie lange war sie bewusstlos? Sie weiß es nicht.

Wenigstens sieht sie nun alles um sich deutlich und wendet sich wieder der Fahrertür zu. Die weiße Gestalt ist verschwunden. Dana öffnet die Tür und steigt aus dem Auto. Eine gespenstische Stille erwartet sie. Einige Menschen befinden sich am Rand der Straße, die durch die Autobahnauf- und -abfahrten an dieser Stelle vierspurig ist. Dana wundert sich, warum die Menschen am Waldrand stehen und niemand an ihrem Auto ist.

Und wo ist der Arzt? Dana sieht sich suchend nach ihm um. Nichts. Der weiß gekleidete Mann ist fort. Auch von seinem Auto ist nichts zu sehen. Es kann nur ein Arzt gewesen sein, denkt sie. Wahrscheinlich hatte er es eilig und musste weiter. Ich hatte ihm ja gesagt, dass es mir gut gehe.

Dana schaut sich weiter um. Ihre Ente hat sich um 180 Grad gedreht, in die Richtung, aus der sie gekommen ist.

Ihre Ente! Dana erschaudert. Das Auto ist völlig zerstört. Drei Kotflügel sind zertrümmert, ebenso die Motorhaube. Nur die Türen sind unversehrt und die kleine, gelbe Plastikente mit der blauen Pudelmütze, die unbeschadet auf dem zerbeulten Blech thront.

Noch immer kümmert sich niemand um Dana. Sie steht fassungslos neben ihrem beschädigten Auto und erblickt zwei weitere Unfallautos in ihrer Nähe, einen dunkelblauen Manta und einen silbernen BMW. Wenn sie doch nur wüsste, was geschehen ist. Da ertönen aus der Ferne Polizeisirenen und die wartende Menge erwacht zum Leben.

Dana sitzt in einem Polizeiauto und beantwortet die Fragen des jungen Polizisten. Immer wieder erzählt sie ihm das wenige, an das sie sich erinnern kann. Durch die 180-Grad-Drehung der Ente war ihm der Unfallhergang zunächst nicht klar, doch beginnt er inzwischen zu verstehen, was geschehen ist. Der von der Autobahn kommende Manta-Fahrer wollte links abbiegen und hatte ihr dabei die Vorfahrt genommen. Durch den Zusammenprall hat er ihre Ente auf die Gegenfahrbahn geschleudert und dort ist ein entgegenkommender BMW frontal mit ihr zusammengestoßen.

»Brauchen Sie einen Arzt?«, fragt der Polizist, während er auf Danas zitternde Hände schaut.

»Nein, danke. Mir tut nichts weh. Außerdem war schon ein Arzt da.«

Der Polizist gibt sich mit der Antwort zufrieden und reicht ihr ein weiteres Dokument zum Unterschreiben. Während Dana ihre Aussage unterzeichnet, beteuert der Manta-Fahrer unaufhaltsam, dass er Dana nicht gesehen hätte und nicht verstehen würde, wie dies alles geschehen konnte. Doch auch das ändert nichts an der Schuldfrage. Die Polizisten schließen ihren Bericht ab und geben die Autos frei. Das Schicksal von Danas Ente ist längst besiegelt, während sie von einem Abschleppwagen nach Friedberg abtransportiert wird.

Unbekanntes Land

»Gott nimmt uns nicht die Lasten, aber er stärkt uns die Schultern.«

Franz Grillparzer

Königsberg
Herbst 1941

Marie-Luise steht mit zahlreichen Schwestern auf dem Bahnsteig des Königsberger Hauptbahnhofs und wartet auf die Ankunft des Lazarettzuges, der sie nach Russland bringen wird. Ihr Gesicht ist vom feuchten Nordwind gerötet. Sie trägt ihr graues Reisekostüm mit dem Feldhut, das sie kaum gegen die kalte Oktoberluft schützen kann. Marie-Luise beobachtet, wie sich ihre Kolleginnen von ihren Freunden verabschieden, und fühlt sich einsam und verlassen, da Johannes nicht zum Bahnhof gekommen ist. Es schmerzt sie unverändert stark, dass er sie nicht verstehen will, doch bemüht sie sich, nicht daran zu denken. Stattdessen versucht sie, ihre Aufmerksamkeit auf die bevorstehende Reise zu lenken und auf die Aufgaben, die sie erwarten werden. Sie versucht, fröhlich zu sein, so, wie es von den Schwestern verlangt wird, die an die Front reisen. Aber es will ihr nicht gelingen. Immer wieder schaut sie sich suchend um und hofft, Johannes zu entdecken. Vergeblich.

Sie hatte erwartet, dass wenigstens ihr Vater zum Bahnhof kommen würde, er ließ ihr jedoch mitteilen, dass er keine Zeit habe. Er hatte verstanden, dass sie an dem Fronteinsatz teilnehmen möchte, da es seiner Meinung nach eine Ehre und Pflicht sei, dem Vaterland zu dienen und dieses zu schützen.

Ihre Beweggründe interessierten ihn nicht und wollte er auch nicht verstehen. Stattdessen ließ er Marie-Luise seine Enttäuschung spüren, dass sie keiner NS-Schwesternschaft beigetreten war, sondern sich einem Mutterhaus des Roten Kreuzes angeschlossen hatte.

Marie-Luises Vater hatte im Ersten Weltkrieg als Offizier in Russland gedient, doch kennt sie diese Zeit nur aus seinen Erzählungen, da sie beim Ausbruch des Krieges noch nicht geboren war. Ihr Vater erzählte an kalten Winterabenden von den Verdiensten seiner Armee, die dazu beitrug, dass die Offensive der russischen Armee in den Sümpfen Ostpreußens zum Stillstand kam.

Marie-Luises Interesse galt schon damals den neunzigtausend russischen Soldaten, die während der Kesselschlacht bei Tannenberg in Gefangenschaft gerieten. Doch ihr Vater weigerte sich, darüber zu sprechen, ebenso wie über das Schicksal der russischen Kriegsgefangenen, die während des Krieges auf seinem Gutshof arbeiten mussten. Der einfahrende Zug reißt Marie-Luise aus ihren Gedanken. Es ist ein Lazarettzug der Wehrmacht mit großen, roten Kreuzen auf den Dächern der Waggons. Marie-Luise zählt 37 Wagen und wundert sich über die Größe des Zuges.

Entschlossen ergreift sie ihren kleinen, grauen Reisekoffer und folgt ihren Kolleginnen zu den Wagen, die für die Sanitätsmannschaften und Schwestern reserviert sind. Während sie den Bahnsteig entlangläuft, beobachtet sie das aufgeregte Treiben um sich her. Ihr ist nicht zum Singen und Lachen zumute und sie versucht, die schmerzhaften Gedanken an Johannes und ihren Vater zu verdrängen, während sie ihren Waggon betritt. Der einsame Aufbruch nach Russland bestärkt sie in ihrem Entschluss, die Reise nach Osten anzutreten. Es scheint, als wolle sie nichts mehr in Königsberg halten.

Ich werde im Osten ganz bestimmt gebraucht und bald zurück sein, denkt sie, während sie das Abteil sucht, in dem sie für die Reise untergebracht ist.

Während sich der Zug langsam mit weiteren Rotkreuzschwestern und aufgeregtem Stimmengewirr füllt, beobachtet Marie-Luise vom Gang aus die Beladung des Apothekenwagens mit Sanitätsmaterial und sehnt die Abfahrt herbei.

Endlich setzt sich der Sanitätszug in Bewegung. Marie-Luises Blick gleitet noch ein letztes Mal suchend über den Bahnsteig, während sie langsam den Bahnhof verlassen. Doch Johannes war tatsächlich nicht gekommen.

Während Marie-Luise sich nicht nur in Gedanken immer weiter von Königsberg und Johannes entfernt, führt ein Sanitätsoffizier die Schwestern durch den Lazarettzug. Er erklärt den Frauen die Funktion des Zuges, dessen eigentliche Aufgabe es sei, Verwundete zu den Kriegs- oder Reservelazaretten zu transportieren. Direkt hinter der Lokomotive befinden sich die Gepäck- und Wirtschaftsvorratswagen, dahinter der Offizierskrankenwagen für acht Verwundete, gefolgt von vierzehn Mannschaftskrankenwagen für je elf Verwundete und dem Wagen für die Sanitätsmannschaften, der zehn Sanitätern oder Schwestern Platz bietet. Daran schließt sich der Arzt- und Verwaltungswagen für zwei Militärärzte und einen Verwaltungsbeamten, ein Operations- und Apothekenwagen und schließlich ein Küchen- und Küchenvorratswagen an. Diesen Wagen folgen ein weiterer Wagen für die Sanitätsmannschaften und dreizehn Mannschaftswagen. Außerdem gibt es noch zwei Beiwagen für die Freizeit. Nachdem die Schwestern schließlich erfahren haben, dass die 27 Krankenwagen Platz für 297 Verwundete bieten, kehren sie beeindruckt zu ihren Abteilen zurück. Das gleichmäßige Rattern der Räder lässt das Abteil ruhig werden und hüllt Marie-Luise in eine wohltuende Müdigkeit ein.

Sie kann es kaum glauben, dass sie nun wirklich unterwegs nach Russland ist. Sie ist in einem Mannschaftswagen mit neun Schwestern untergebracht und wurde einer Sanitätseinheit zugeteilt, zu der weitere 20 Schwestern gehören. Über das Ziel der Reise lässt man sie jedoch noch immer im Unklaren. Nachdem die Schwestern ihre Sitze zu Betten umgebaut haben, streckt sich Marie-Luise auf ihrem schmalen Stockbett aus und schläft unter dem monotonen Rattern des Zuges ein.

Marie-Luise wird durch lautes Stimmengewirr aus ihrem Schlaf geweckt. Müde setzt sie sich auf und schaut sich in dem Wagen um. Im Abteil ist es ruhig, die Stimmen müssen aus dem Gang stammen. Sie betrachtet die schlafenden Schwestern und fragt sich, was sie wohl nach Russland treibt. Ob sie auch helfen möchten oder ob es Abenteuerlust ist, die man ihr selbst so oft unterstellte.

Die Geräusche aus dem Gang ziehen immer mehr Marie-Luises Aufmerksamkeit auf sich. Schlaftrunken steht sie auf, streckt ihre steifen Glieder und tritt leise in den engen Korridor hinaus. Am Ende des Waggons sieht sie den Oberarzt mit einem Soldaten sprechen.

»Sprechen Sie nicht so laut! Sie wecken noch die Schwestern auf.«

»Das wäre das geringste Problem. Ich möchte nur, dass Sie endlich begreifen, dass ich es ernst meine.«

»Und ich versichere Ihnen, dass Sie hier keine Wachen aufzustellen brauchen. Damit ängstigen Sie die jungen Frauen nur.«

»Obersturmführer Mischke besteht darauf. Seit Beginn des Krieges wimmelt es hier von Partisanengruppen, die Anschläge auf die Eisenbahnstrecken verüben. Die Gefahr wird zunehmen, je mehr wir uns der Front im Osten nähern.«

Marie-Luise zuckt entsetzt zusammen. Von was für Partisanenangriffen reden sie?

Leise schleicht sie in ihr Abteil zurück und legt sich auf ihre Liege. Lange kann sie keinen Schlaf finden, da sie sich fragt, was man ihnen sonst noch verschweigt.

Auf dem Weg zum Speisewagen bemerkt Marie-Luise zahlreiche junge, bewaffnete Soldaten in feldgrauen Uniformen, die in den Gängen und an den Türen stehen, und erinnert sich an das Gespräch, das sie nachts aufgeschnappt hatte. Sie wagte es jedoch nicht, jemandem davon zu erzählen. Daher ist sie erleichtert darüber, dass Oberarzt Schubert die Schwestern nach dem Frühstück persönlich über die Gefährdungslage unterrichtet. Er erzählt ihnen nicht nur von den Partisanen, die ihr Unwesen treiben, sondern auch von der Gefahr, die von Minen ausgeht, mit denen die russischen Partisanen Anschläge auf die Bahngleise verüben. Dies sei auch der Grund dafür, warum der Zug seine Geschwindigkeit verringern müsse und die Reise möglicherweise länger dauern könne als geplant.

Marie-Luise verspürt nicht den Wunsch, mit ihren Kolleginnen darüber zu sprechen, und so kehrt sie schweigend in ihr Abteil zurück. Sie setzt sich auf ihren Platz und lässt ihren Blick über die vorbeiziehende Landschaft gleiten. Sie betrachtet das weite, flache Land mit den ausgedehnten Birkenwäldern und den ärmlichen Bauernhäusern. Rinder grasen träge auf den Weiden und dürre Pferde ziehen müde ihre Karren über die staubigen Landstraßen. Der Ausblick auf die Bauernhöfe mit den Storchennestern erinnert sie an ihre Kindheit in Masuren, allerdings sind die Störche längst nach Süden gezogen, während der Lazarettzug nun unaufhaltsam Richtung Osten rollt. Sie hatte in Königsberg nicht mehr das gesehen, was wirklich wesentlich war. Während sie auf die friedliche Landschaft hinausschaut, fragt sie sich, wie sie nur ihre unsichtbaren Freunde vergessen und den Kontakt zu ihren Engeln verlieren konnte. Sie hofft, dass diese Reise ihr dabei helfen wird, den Zugang zu ihnen wiederzufinden. Vielleicht ist es noch nicht zu spät.

»Marie-Luise, was gibt es denn da so Interessantes zu sehen?«, reißt Claire sie aus ihren Träumen.

Marie-Luise schreckt zusammen. Sie hat nicht bemerkt, wie Claire das Abteil betreten hat. »Ich habe gerade diese tiefen, dunklen Wälder betrachtet und mir überlegt, wie sehr sie mir in Königsberg gefehlt haben.«

»Ach, du schon wieder mit deinem Masuren.« Claire schaut verwundert aus dem Fenster. »Ich kann nichts Schönes darin entdecken. Ich finde es eher erschreckend einsam und langweilig. Wie Menschen so leben können und dann noch so ärmlich.« Sie schüttelt verständnislos den Kopf. »Ich werde Königsberg vermissen, die Stadt wird mir fehlen. Aber die paar Tage werde ich das aushalten. Vielleicht haben wir ja Glück und werden in einer größeren russischen Stadt eingesetzt und nicht in solch einer Einöde.«

Marie-Luise wendet sich wieder dem Fenster zu und denkt, dass es keinen Sinn mache, Claire ihre Gefühle zu offenbaren. Sie hat außer Johannes bisher keinen Menschen gefunden, der sie verstanden hat. Ihr Herz schmerzt bei dem Gedanken an Johannes und ihren Abschied von ihm. Die Zugfahrt scheint nicht enden zu wollen.

Am folgenden Morgen schreckt Marie-Luise durch lautes Geschrei aus dem Schlaf auf. Sie benötigt einige Sekunden, um zu begreifen, wo sie sich befindet. Nur langsam kommen die Erinnerungen zurück. Natürlich, sie ist unterwegs nach Russland. Verschlafen schaut sie aus dem winzigen Fenster neben ihrer Schlafkoje und beobachtet das hektische Treiben auf dem Bahnhof, in dem ihr Zug angehalten hat. Doch bevor sie herausfinden kann, wo sie sich befinden, setzt sich ihr Zug bereits wieder in Bewegung. Marie-Luise betrachtet das weite, flache Land, das in das Licht der aufgehenden Sonne getaucht ist und nur langsam zum Leben erwacht. Sie steigt aus ihrem Bett und zieht sich ihre Rotkreuz-Tracht an.

Claire steht bereits am Fenster und blickt hinaus. »Warum habe ich mich nur für diese Reise freiwillig gemeldet? Es war das Abenteuer und der Ruf nach etwas Besonderem, aber ich habe nicht erwartet, dass es so einsam werden wird.«

»Und woher willst du das wissen?«

»Na, schau doch mal aus dem Fenster. Dieses eintönige Land mit den ärmlichen Holzhäusern.«

»Aber es ist Russland. Was hast du denn erwartet?«

»Ich weiß es nicht. Ich habe mir ehrlich gesagt darüber keine Gedanken gemacht«, seufzt Claire. Das ist ja nichts Neues. Marie-Luise erinnert sich daran, wie selten Claire sich jemals über irgendetwas Gedanken gemacht hat.

»Du solltest dir lieber über mögliche Gefahren Sorgen machen. Und nicht über die Einsamkeit.«

Langsam wird es im Gang lebendig, sodass die Aufmerksamkeit der beiden jungen Frauen von dem Fenster abgelenkt wird und Marie-Luise Claires vernichtendem Blick entgeht.

Die beiden Frauen nehmen ihre Rotkreuz-Hauben, setzen sie wie verlangt auf und verlassen ihr Abteil. Im Gang empfängt sie Oberarzt Schubert, der sie mit besorgt klingender Stimme auffordert, zum Frühstück in den Speisewagen zu gehen und dort auf weitere Anweisungen zu warten. Erst da bemerkt Marie-Luise, dass sie Hunger hat, und folgt Claire in den Speisesalon, in dem sich schon einige Schwestern eingefunden haben. Sie nimmt an einem Fenster Platz, und während sie in die endlose Waldlandschaft blickt, wird ihr wieder einmal bewusst, wie sehr sie diese Einsamkeit liebt.

»Tee oder Kaffee?«

»Tee«, antwortet Marie-Luise dem Küchenchef, der mit zwei Kannen neben sie getreten war. Nachdem er Marie-Luise das duftende Getränk eingeschenkt hat, wendet er sich an Claire, die noch immer missmutig aus dem Fenster schaut. »Und für Sie?«

»Kaffee natürlich.«

Oberarzt Schubert betritt den Speisewagen und mustert kurz die Frauen, die ungeduldig auf seine Neuigkeiten warten, bevor er seine Stimme erhebt und zu ihnen spricht: »Ich habe Ihnen zu verkünden, dass wir bald in Brest-Litowsk sein werden. Dort haben wir drei Stunden Aufenthalt, da die Lokomotive ausgetauscht wird und die Waggons für die russischen Breitspurschienen umgestellt werden. Ich bitte Sie, den Zug auf keinen Fall zu verlassen.«

»Warum nicht?«, fragt Claire enttäuscht. »Brest-Litowsk wäre doch endlich mal eine interessante Stadt. Warum ist es verboten auszusteigen?«

»Es tut mir leid, aber es ist durch den Krieg zu gefährlich.«

»Die Front ist doch schon längst weitergezogen.«

»Auch wenn die Frontlinie weiter nach Osten gerückt ist, herrscht in dieser Gegend immer noch Krieg, Schwester Claire.«

Krieg. Immer wieder dieses Wort, Krieg. Wenn ich nur wüsste, was uns erwarten wird, denkt Marie-Luise, während sie den Worten des Arztes lauscht.

»Machen Sie sich endlich bewusst, dass Sie in den nächsten Tagen in verschiedenen Kriegslazaretten hinter der Front eingesetzt werden, in denen dringend Rotkreuzschwestern gebraucht werden.«

»Aber warum hat man uns vor der Abreise nichts davon gesagt, dass wir bis zur Front fahren?«, fragt Hedwig entsetzt.

»Es tut mir leid, dass man Sie nicht besser informiert hat. Aber dies ist ein Kriegseinsatz und Sie werden zumindest in Frontnähe eingesetzt«, versucht Oberarzt Schubert ihr verständlich zu machen. »Vielleicht sollte ich Sie noch einmal daran erinnern, dass Sie vereidigt wurden. Sie haben dem Führer des deutschen Volkes und dem Deutschen Roten Kreuz Gehorsam und Pflichterfüllung geschworen. Und so werden Sie deren Befehlen Folge leisten müssen. Sie möchten doch sicher nicht riskieren, als Deserteur vor ein Kriegsgericht gestellt zu werden?«

Doktor Schubert verstummt und betrachtet nochmals schweigend die jungen Frauen, bevor er aus dem Speisewagen eilt. Er lässt eine Gruppe nachdenklicher Schwestern zurück.

»Und ich dachte, dass es eine langweilige Reise wird«, durchbricht Claires Stimme die Stille.

»Wie kannst du nur so reden«, fährt Hedwig sie an.

»Ja, ja. Du passt bestens zu Marie-Luise. Sie verträgt auch keinen Spaß.«

Marie-Luise unterdrückt die Wut, die in ihr aufsteigt, und die Vorahnungen, die sich ihrer bemächtigen möchten, und stürmt aus dem Waggon.

Marie-Luise betrachtet die vorüberziehende Landschaft, die nicht mehr so verlassen wirkt wie in den letzten Tagen. Immer mehr Häuser, Plätze und Straßen ziehen an ihr vorbei, die vermuten lassen, dass Brest nicht mehr weit ist. Marie-Luise beobachtet die Menschen, die auf Bänken und Stühlen vor ihren Häusern sitzen und die Nachmittagssonne genießen. Sie ist fasziniert von der Ruhe, die von ihnen ausgeht, als scheine es keinen Krieg zu geben. Sie hat immer die Geschäftigkeit und Eile in Königsberg gestört und dort keinen innerlichen Frieden gefunden. Hier scheint das anders zu sein. Vor jedem Haus stehen behagliche kleine Bänke, die zum Ausruhen und Unterhalten einladen. Das ist ihr schon in den Dörfern aufgefallen. Die Dorfbewohner sitzen dort abends und ruhen sich von ihrem Tagewerk aus. Marie-Luise ist von diesem Frieden fasziniert, der von den einfachen Menschen ausgeht und sie an ihr Heimatdorf erinnert. Sie fühlte sich in ihrer Jugend zu den Dorfbewohnern hingezogen, zu den Bauern und Landwirten, die so sehr mit der Natur verbunden sind. In ihrem Elternhaus herrschte stattdessen nur eine unerträgliche Kälte und Unnahbarkeit. Marie-Luise war dieses luxuriöse Leben nie wichtig. Ihr Herz schlug für anderes, aber auch das konnte niemand verstehen.

Ja, das war das Einzige, was Claire an ihr interessierte und sie wunderte sich darüber, warum Marie-Luise nie darüber sprechen wollte. Die Natur, Wälder und Seen, über die Marie-Luise gerne sprach, interessierten Claire nicht. So hatten diese beiden Frauen sich nie wirklich etwas zu sagen gehabt, was nicht einfach ist, wenn man sich während der Ausbildung jahrelang ein Zimmer im Schwesternwohnheim teilen muss. Marie-Luise war wenig begeistert darüber, Claire auf dieser Reise wiederzutreffen, und ist sich sicher, dass es Claire ähnlich gehen wird. Mit Hedwig ist es anders. Marie-Luise betrachtet ihre Kollegin, die ihr gegenübersitzt und mit traurigen Augen aus dem Fenster sieht. Sie scheint nicht so oberflächlich zu sein wie Claire. Und nicht so naiv, was diese Reise betrifft. »Marie-Luise, schau doch mal, das ist der Bahnhof von Brest«, wird Marie-Luises Gedankenflut von Hedwig unterbrochen.

»Ja, wir erreichen nun Brest-Litowsk", bestätigt Doktor Schubert, der unbemerkt das Abteil betreten hat. „Wir werden drei Stunden Aufenthalt haben und ich bitte Sie nochmals darum, das Abteil nicht zu verlassen.«

»Warum denn nicht? Wir werden rechtzeitig zurück sein«, beschwert sich Claire. »Vielleicht gibt es ein gemütliches Straßencafé in der Nähe des Bahnhofes, es war die letzten drei Tage seit unserer Abreise so eintönig in diesem Zug.«

Der Oberarzt bleibt vor Claire stehen. »Ich dachte anfangs, dass Sie nur Spaß machen. Aber langsam glaube ich wirklich, dass Sie den Ernst der Lage nicht erfassen, Schwester Claire.«

Claire starrt ihn feindselig an. »Was soll das denn heißen?«, fragt sie ihn angriffslustig. »Was wollen Sie mir damit sagen?«

»Ganz einfach. Ich versuche, Ihnen seit einigen Stunden begreiflich zu machen, dass dies keine Vergnügungsfahrt ist und es zu gefährlich ist, den Zug ohne Begleitschutz zu verlassen. Wir fahren an die russische Front, in den Krieg. Und ich kann beim besten Willen nicht verstehen, wie man da an Schaufensterbummel und Straßencafés denken kann.«

»Aber warum nicht? Warum kann man nicht auch im Krieg das Beste aus seinem Leben machen und Spaß haben? Ich habe so viel Aufregendes davon gehört und ich habe mir immer gewünscht, einmal dabei zu sein. Stellen Sie sich vor, wie mich meine Freunde und Familie beneiden und bewundern werden, wenn sie hören, wo wir waren und was wir alles erlebt haben.«

»Offensichtlich sind Sie wirklich von dem überzeugt, was Sie da sagen. Ich hatte es einfach nicht glauben wollen und ich befürchte, dass Sie eines Tages eine andere Vorstellung vom Krieg haben werden. Doch diese Erfahrung kann Ihnen niemand abnehmen. Auch ich nicht. Vielleicht ist das der Grund, warum man Sie auf diese Reise geschickt hat.«

Doktor Schubert geht kopfschüttelnd weiter, um die anderen Schwestern über den bevorstehenden Aufenthalt zu informieren.

»Schau mal, Marie-Luise«, ruft Hedwig ihrer Platznachbarin zu. Sie haben sich in ihr Abteil zurückgezogen und sind erleichtert, dass Claire schmollend im Speisewagen zurückgeblieben ist.

»Das Kind ist ja so dünn und abgemagert«, antwortet Marie-Luise entsetzt.

»Das ist mir auch gleich aufgefallen«, seufzt Hedwig. »Diese dünnen Ärmchen und Beinchen und dieser traurige und ängstliche Blick. Warum läuft es nur hier an dem Zug entlang und schaut uns mit diesen großen, traurigen Augen an?«

»Ich fürchte, das Kind hat Hunger. Ich habe etwas wie ›chleb‹ – Brot - gehört, nach dem es den Schaffner gerade gefragt hat«, antwortet Marie-Luise, die vor der Reise etwas Russisch gelernt hat. »Dabei hat der kleine Junge seine Arme so bittend zu dem Mann gestreckt. Aber er hat nur mit dem Kopf geschüttelt und ihn weitergeschickt.«

»Wie kann man so herzlos sein und ein Kind hungern lassen?«, entrüstet sich Hedwig.

»Na, was habt ihr denn nun schon wieder für Sorgen«, ertönt Claires Stimme, während sie das Abteil betritt. »Soll mich ja nicht wundern.«

»Warum bist du so aggressiv, Claire? Wir können nichts dafür, dass man dich nicht in die Stadt lässt.«

»Ja, ja. Jeder erwartet, dass ich mich so unterordne, und füge wie ihr. Immer müsst ihr mit jedem und allem mitleiden.«

»Claire. Du wirst doch verstehen, dass man mit einem hungernden Kind Mitleid haben kann«, entgegnet Hedwig laut.

»Es ist ein Russe!«

Entsetzt starren Hedwig und Marie-Luise ihre Kollegin an.

»Das meinst du hoffentlich nicht ernst?«, fragt Marie-Luise.

»Doch! Es ist ein russisches Kind. Die Lebensmittel werden für unsere Soldaten und Schwestern benötigt. Ganz einfach. Ihr sagt doch alle, es sei Krieg. Da ist das völlig normal.«

»Aber man kann doch kein Kind hungern lassen, selbst in Kriegszeiten nicht, nur weil es kein Landsmann ist.«

»Doch!«

»Claire, das ist herzlos.« Hedwig kämpft mit den Tränen. »Sag, dass das ein ganz schlechter Scherz ist.«

»Das ist alles andere als ein Scherz. Hast du vergessen, wie die Russen unsere Leute hungern ließen? Glaubst du wirklich, sie würden es anders sehen? Es ist Krieg und das ist ein russisches Kind. Also, was geht es uns dann an?« Nach diesem letzten Satz erhebt sich Claire voller Verachtung und verlässt das Abteil.

Langsam setzt sich der Zug in Bewegung und nimmt seinen Weg gen Osten wieder auf. Die Sonne steht tief über endlosen Birken- und Kieferwäldern. Marie-Luise liebt diese undurchdringlichen, dunklen Wälder, die sie noch immer an Masuren erinnern, auch wenn dieses Land flacher und weiter erscheint. Ihre anfängliche Begeisterung ist einer Nachdenklichkeit gewichen. Lange hat sie über Claires Worte nachgedacht und fragt sich, wie kalt und herzlos es in ihrem Innerem aussehen mag.

Doch auch die Landschaft, die sich seit Brest immer mehr verändert hat, beunruhigt sie. Marie-Luise beobachtet immer mehr ausgebrannte Dörfer, zerbombte Städte und einzelne zerschossene Bauernhäuser. Wie befürchtet, gab es zahlreiche Partisanenanschläge auf die Gleise, um die Züge zum Entgleisen zu bringen. Hierdurch mussten sie mehrmals stundenlang auf kleinen Bahnhöfen oder dem offenem Land stehen bleiben. Bei ihren Aufenthalten in den halb zerstörten Bahnhöfen werden die Fenster von abgemagerten Kindern belagert, die um Brot betteln, bis sie von deutschen Soldaten gnadenlos verjagt werden. Auf ihrer Weiterfahrt sehen die Schwestern ausgebrannte Eisenbahnwaggons, die verlassen an der Strecke stehen, und beginnen zu ahnen, welche Gefahren hier in diesem trostlosen Land auf sie lauern. Immer mehr werden sie mit der Wirklichkeit konfrontiert. Doktor Schubert hatte aufgegeben, es vor ihnen zu verbergen.

Nachdem sie Minsk hinter sich gelassen haben und nach Südosten Richtung Gomel fahren, kommen ihnen lange, offene Güterzüge entgegen, in denen Tausende Männer eng aneinandergepfercht stehen. Hunderte Birkenkreuze neben dem Bahndamm zeugen von schweren Kämpfen, manche Kreuze tragen noch die Stahlhelme der gefallenen Soldaten. Menschen sitzen vor ihren notdürftig wiederhergestellten Häusern und kleine, zerlumpte Kinder laufen hungrig an den Gleisen neben den Zügen entlang. Es wird dunkel und die beiden jungen Frauen gehen zum Abendessen in den Speisewagen, in dem sie still und bedrückt ihr Essen zu sich nehmen.

»Wir werden morgen sehr früh in Bobruisk ankommen«, unterbricht Doktor Schubert die Stille. »Von dort wird es mit Autos weitergehen.«

»Wohin bringt man uns?«, fragt eine hochgewachsene Schwester an Marie-Luises Nachbartisch.

»Sie werden auf mehrere Lazarette verteilt und Genaueres vor Ort in Bobruisk erfahren.«

»Und was ist mit Ihnen? Begleiten Sie uns nicht?«, fragt Hedwig besorgt.

»Nein, es tut mir sehr leid, falls Sie anderes erwartet haben. Ich werde in diesem Zug bleiben. Er wird als Lazarettzug in die Heimat zurückfahren. Die Schwestern aus dem anderen Mannschaftswagen wurden ausgewählt, diesen Zug als Pflegekräfte in die Heimat zurückzubegleiten. Die Schwestern aus Ihrem Waggon werden, wie gesagt, in verschiedenen Kriegslazaretten in und um Bobruisk eingesetzt.«

Marie-Luise fragt sich, warum man sie nicht für den Lazarettzug ausgewählt hat, und bedauert es, dass Doktor Schubert sie verlassen wird. Sie denkt an die vielen unnahbaren Vorgesetzten, die sie in den vergangenen Jahren hatte, und fragt sich, wie es hier sein wird. Meist waren die Oberärzte kalt und unpersönlich, sodass sie die Art von Doktor Schubert sehr genossen hat. Er war wie ein Vater für sie, doch nun wird er sie nicht weiter begleiten. Am liebsten würde sie den nächsten Zug in die Heimat nehmen, fort von diesen Trümmern und bettelnden Kindern.

Mit ihrer heißen Teetasse in der Hand versucht sie, in der Dunkelheit etwas von dem fremden Land zu erkennen, doch die Landschaft ist in Finsternis gehüllt wie das, was sie hier erwartet.

Reise in die Vergangenheit

»Meine Fantasie ist von allem Unglück hier auf Erden so erfüllt, dass es meiner Ansicht nach nur noch eins gibt, was sich lohnt: anderen zu helfen und Mitgefühl zu erweisen.«

Florence Nightingale

Taunus
September 1992

»Was ist denn das?« Danas Vater steht schockiert im Flur und betrachtet die Kinderkleidung und Stofftiere, die auf Heizkörpern, Tischen und Stühlen verteilt liegen. Geistesabwesend lässt er seinen Koffer sinken und blickt sich um.

»Ich habe einiges waschen müssen. Das konnte man so unmöglich nach Masuren schicken«, antwortet Dana, während sie einen Strampelanzug zusammenlegt. »Keine Sorge, es ist bald trocken. Ich habe nicht erwartet, dass ihr schon so früh aus dem Urlaub heimkommt.«

»Wo hast du das nur alles her?«

»Ich habe in Zeitungen inseriert und erstaunlich viele Anrufe bekommen. Die Menschen freuten sich, dass dies alles in gute Hände kommen wird. Vom Roten Kreuz habe ich drei Kartons mit Spielsachen bekommen, obwohl ich dort nicht mehr aktiv bin.«

»Ist das nicht viel zu viel? Das nimmt kein Reiseunternehmen mit.«

»Deswegen habe ich einen anderen Weg gefunden. Mitte November geht ein Hilfstransport eines kirchlichen Hilfswerkes ins Kaliningrader Gebiet. Ich habe erfahren, dass dort in den russischen Dörfern die Not noch viel größer ist als in Polen. Daher habe ich beschlossen, diese Kindersachen mitzugeben. Sie haben in ihrem Lastwagen noch Platz für 30 Kubikmeter Hilfsgüter.«

Danas Vater ringt nach Worten und betrachtet die Tischnähmaschine, die vor der Schuhschranktür steht.

»Nähmaschinen werden auch dringend gebraucht«, erklärt Dana, während sie ihm stolz das zugehörige Nähmaterial präsentiert. »Ebenso wie diese Bettwäsche.«

Danas Vater betrachtet die Kleiderberge und versucht zu verstehen, was sich während seines Urlaubes daheim ereignet hat.

»Außerdem wünsche ich mir zu meinem Geburtstag nächsten Monat einen Rollstuhl.«

»Einen Rollstuhl?«

»Ich habe doch im Sommer der alten Frau in Masuren einen Rollstuhl versprochen.« Dana schaut ihre Mutter an, die mit einer Reisetasche in der Hand das Haus betreten hat und sich erstaunt umsieht.

»Ich habe nicht geglaubt, dass du das ernst meinst«, erklärt sie Dana. »Ich hatte dir diesen Sommer nur meine Heimat zeigen wollen und nicht damit gerechnet, dass sich so etwas daraus entwickeln würde. Du wirst deinen Rollstuhl bekommen.«

Polen
24. Dezember 1992

Die Straßen sind gefährlich glatt und verlassen. Der Fahrer des alten VW-Busses lässt sich davon nicht beirren. Er verringert kaum die Geschwindigkeit, während er in einen düsteren Kiefernwald einbiegt.

»Wenn ich nicht schlafen kann, dann brauchst du das auch nicht!«, fährt er Dana an, die auf dem Beifahrersitz kurz eingenickt ist.

»Was ist denn mit dir los?«, fragt sie Erik. Erik hüllt sich in Schweigen und tritt das Gaspedal wieder durch. Dana starrt aus dem Fenster und betrachtet die einsame Gegend. Kein Mensch ist zu sehen und es kommen ihnen immer weniger Autos entgegen. Vielleicht sind die Bewohner in der Kirche? Es ist Heiligabend, erinnert sie sich, während sie die festlich geschmückten Häuser betrachtet.

»Wann sind wir denn an der russischen Grenze?«

»Das dauert noch!«

Seit Wochen hat sich Dana auf diese Reise gefreut. Nachdem im November die Spenden mit einem 36-Tonner bei Dana abgeholt wurden, schien es zur Erleichterung von Danas Eltern etwas ruhiger zu werden. Doch dann gelangte ein Aufruf in Danas Hände, in dem 1.000 Weihnachtspäckchen für Kaliningrad gesucht wurden. Dana beschloss sofort, sich daran zu beteiligen, und hat für diese Hilfsaktion 345 Weihnachtspäckchen im Taunus gesammelt, die bereits unterwegs ins Kaliningrader Gebiet sind. Die Päckchen sollen durch verschiedene kirchliche Organisationen zum russisch-orthodoxen Weihnachtsfest an Rentner und kinderreiche Familien verteilt werden und Dana hofft, dies während ihrer Reise vor Ort miterleben zu können.

Während ihrer Spendensammlungen hat sie über Freunde ihrer Eltern Erik kennengelernt. Sie erfuhr, dass er sich ebenfalls im Kaliningrader Gebiet engagieren und Hilfstransporte dorthin begleiten würde. Dana fand ihn äußerst charmant und spürte, dass er auch Interesse an ihr hatte. Sie freute sich darüber, dass er ihr unerwartet vorgeschlagen hatte, ihn Weihnachten nach Kaliningrad zu begleiten. Sie stellte es sich romantisch vor, mit ihm dort Silvester zu feiern und das unbekannte Land zu erkunden. Daher wunderte es sie, warum sie beim Packen ihrer Reisetasche plötzlich von düsteren Ahnungen erfasst wurde. Die

Freunde ihrer Eltern ermunterten sie zu der Reise und versicherten ihr, dass sie Erik vertrauen könne. So war sie nun trotz ihrer plötzlichen Unschlüssigkeit mit Erik und dessen Freund Clemens unterwegs in das 1.400 Kilometer entfernte Kaliningrader Gebiet.

»Du solltest vielleicht wissen, dass ich in Königsberg eine russische Freundin habe«, reißt Erik Dana aus ihren Gedanken. »Doch das stört dich sicher nicht.«

»Das ist doch bestimmt ein schlechter Scherz? Seit wir durch Polen fahren, bist du irgendwie sonderbar.«

»Nein. Ich meine das ernst. Ich habe dort eine Freundin. Aber das hat nichts mit uns zu tun.«

Dana schaut ihn verständnislos an und versinkt in Schweigen. Sie fragt sich, ob ihre düsteren Ahnungen doch nicht grundlos waren und was sie auf ihrer Reise nach Russland erwarten wird.

Kaliningrad
28. Dezember 1992

Dana steht auf dem verrosteten Balkon des Plattenbaus und blickt auf den zugefrorenen Pregel und die verschneite Dominsel. Erik hatte ihr erzählt, dass er in einem Kaliningrader Neubauviertel eine Wohnung gemietet habe, doch hatte sie nicht erwartet, dass sie in einem baufälligen Plattenbau wohnen würden. Auch der Balkon sieht keineswegs neu und vertrauenerweckend aus.

»Ich muss mit Clemens wegen eines Auftrags noch einmal weg. Willst du mitkommen?«

Dana zuckt zusammen. Sie hatte nicht bemerkt, wie Erik auf den Balkon getreten ist.

»Nein. Ich bin nicht hierhergereist, um mich mit eurem Exporthandel zu beschäftigen.«

»Dann schaue dir die Stadt an. Du bist alt genug.«

Dana antwortet nicht. So hatte sie sich diese Reise nicht vorgestellt. Sie wollte bei der Verteilung ihrer Weihnachtspäckchen dabei sein und etwas über die Hilfsvereine erfahren, die in diesem Gebiet tätig sind. Erik erklärte ihr jedoch bereits bei der Ankunft, dass dafür keine Zeit sei. Er habe mit seinem Freund einen Exporthandel gegründet und müsse sich darum kümmern.

Dana hört die Tür ins Schloss fallen. Erleichtert tritt sie in die Wohnung zurück. Nun ist sie allein und vor Eriks Annäherungsversuchen sicher. Er kann noch immer nicht verstehen, warum sie kein Interesse mehr an ihm hat, seit sie festgestellt hat, dass es die russische Freundin tatsächlich gibt. Natascha kommt jede Nacht in die Wohnung und bleibt bis zum frühen Morgen. Sobald sie das Haus verlassen hat, beginnen seine Annäherungsversuche aufs Neue, die Dana zu seinem Ärger ignoriert. Clemens interessiert das alles nicht. Er stürzt sich jede Nacht in das Kaliningrader Nachtleben und kommt stark angetrunken gegen Morgen in die Wohnung zurück. Dana findet dies nicht weniger abstoßend.

Sie verdrängt die Gedanken an Erik und Clemens und schlüpft in ihren Mantel. Entschlossen greift sie nach ihrem Schal und verlässt die düstere Wohnung. Der Fahrstuhl steht bereit, doch macht er keinen vertrauenswürdigen Eindruck auf Dana. Er passt zu diesem Haus und ihrer Stimmung. Dana steigt die Treppe hinab, die selbst zu dieser Mittagszeit düster wirkt. Erik hatte ihr erklärt, dass die Glühbirnen im Treppenhaus entweder defekt oder gestohlen seien und sie sich an die Dunkelheit gewöhnen müsse. Eisige Luft empfängt sie auf der Straße, die mit einer dünnen Schneeschicht bedeckt ist. Dana blickt sich um und beschließt, zur Dominsel zu gehen. Sie war dort mit Erik, als er im Hotel Kaliningrad telefonieren wollte. Auch sie hatte mit ihren Eltern sprechen können und sie beruhigt, dass alles in Ordnung sei. Was hätte sie ihnen auch anderes sagen sollen?

Gedankenverloren geht sie am Pregel entlang und beobachtet die zahlreichen Kinder, die ausgelassen auf dem zugefrorenen Fluss spielen. Schlittschuhe haben sie nicht, sodass sie mit ihren Schuhen vergnügt über das dicke Eis rutschen. In der Ferne sieht Dana die Ruine des Hauses der Räte und erinnert sich an Eriks Erzählungen, dass dort vor dem Krieg das Königsberger Schloss stand, das in den Fünfzigerjahren gesprengt wurde. Das Haus der Räte wurde auf dem Gelände des Schlossbereiches errichtet und nie fertiggestellt. Dana betritt eine Pregelbrücke und läuft an einem verfallenen, alten Telefonhäuschen vorbei. Wenn nur die vielen Trümmer nicht wären, denkt sie. Es erinnert alles an den Krieg und man hat das Gefühl, die Zeit sei hier stehen geblieben. Dabei betritt sie die Dominsel und blickt auf die gespenstisch wirkende Domruine. Nur die Außenwände scheinen erhalten geblieben zu sein und der Kirchturm ragt wie ein hohles Gerippe in die Höhe. Dana läuft um die einsturzgefährdete Ruine herum und wundert sich, dass an der Nordostecke das Kant-Grabmal erhalten ist. Blumen schmücken den steinernen Sarg. Nachdenklich geht Dana weiter und sieht einen schlichten Gedenkstein, auf dem eine Plakette befestigt ist. Sie bleibt davor stehen und liest die deutsche Inschrift auf dem Findling:

»Wer nach der Wahrheit, die er bekennt, nicht lebt, ist der gefährlichste Feind der Wahrheit selbst.«
Julius Rupp

Dana erschaudert und versteht nicht, warum der Spruch sie so tief berührt. Wo habe ich ihn schon einmal gelesen, fragt sie sich. Ihr Blick streift noch einmal das dem Verfall preisgegebene Bauwerk, bevor sie die Dominsel verlässt und zu ihrem einsamen Quartier zurückkehrt.

Dana schaut auf die in Trümmern liegende Stadt. Die ausgebrannten Häuserfassaden und eingestürzten Mauern erinnern an das Wüten eines Erdbebens. Doch dieses Trümmerfeld stammt von keiner Naturkatastrophe, sondern ist von Menschen gemacht. Das Grauen des Krieges. Unter herabgefallenen Steinen und Ziegeln liegen Soldaten in grauen Uniformen und in der Ferne erkennt Dana die Ruine des ausgebrannten Königsberger Schlosses.

Das müssen deutsche Soldaten sein, denkt sie, während sie auf die Stahlhelme blickt, die neben den toten Männern liegen.

»Moment, paschalusta«, ertönt eine Stimme hinter Dana und lenkt ihre Aufmerksamkeit von dem beklemmenden Kriegsschauplatz ab. Sie dreht sich um und beobachtet eine ältere Frau, die den großen Saal durchschreitet und ihr freudig zuwinkt. Die Unbekannte bleibt vor einem schweren Vorhang stehen, schiebt ihn beiseite und drückt einen unscheinbaren Knopf an der Wand. Augenblicklich erfüllt Motorenlärm von sich nähernden Flugzeugen den Raum, gefolgt von dem zerberstenden Geräusch einschlagender Bomben. Gewehrsalven ertönen und der Fluglärm nimmt zu. Dana starrt auf die Trümmerlandschaft, in der an verschiedenen Stellen Feuer auflodern und die zerbombten Ruinen in gespenstisch flackerndes Licht tauchen. Sie erschaudert. Was für ein schreckliches Schauspiel. Sie hatte nicht mit einer solchen Ausstellung gerechnet, als Erik vorschlug, das Museum für Geschichte und Kunst zu besuchen, das sich in der wiederaufgebauten Stadthalle am Ostrand des Schlossteiches befindet. Sie freute sich auf den Ausflug, darauf, endlich mehr von dieser Stadt zu sehen, war doch das bisherige Programm nicht nach ihrem Geschmack.

Sie waren zunächst im Bunker von General Lasch, in dem dieser die letzte Schlacht um die ostpreußische Hauptstadt leitete und am 9. April 1945 die Kapitulation aussprach. Die ausgedehnte, unterirdische Anlage wurde zum Museum umgebaut und dokumentiert die tragische Geschichte der Stadt Königsberg, die nach dem Ende des Zweiten Weltkrieges in Kaliningrad umbenannt wurde. In den einzelnen Zimmern des Bunkers sind Szenen aus dem Kampf um Königsberg in dreidimensionalen Schaubildern nachgestellt. Fotografien und Urkunden dokumentieren den Untergang der Stadt. Dana ging die düstere Stimmung in den unterirdischen Gängen sehr nah und sie war froh, als sie diese Unterwelt endlich verlassen konnte. Und nun dies hier. Ein Kriegsschauplatz in Lebensgröße. Was würde Erik als Nächstes einfallen? Dana schaut sich nach ihm um, doch er ist bereits mit seiner Freundin Natascha zur Prussia-Sammlung weitergelaufen.

Kaliningrad
30. Dezember 1992

»Ich muss nach Hause. Meine Vorlesungen beginnen am siebten Januar und mein Visum läuft auch an diesem Tag ab.«

»Du wolltest es nicht verlängern lassen.«

»Weil abgemacht war, dass wir bis dahin zurück sind.«

»Wir bleiben länger. Ich muss hier noch einiges geschäftlich klären. Du musst alleine zurückfahren, wenn du es so eilig hast.«

»Du weißt genau, dass es nicht so einfach ist, hier wegzukommen.« Dana fragt sich, wie er so kalt sein kann. Erik weiß, dass diese russische Exklave bis 1991 als militärisches Sperrgebiet eine »geschlossene Stadt« und für Ausländer und die meisten Russen verboten war. Erst in diesem Jahr wurde das Gebiet wieder geöffnet, doch gibt es hier weder Züge noch Flugzeuge, die in den Westen fahren.

Eine deutsche Botschaft oder ein Konsulat gibt es im Kaliningrader Oblast auch nicht.

»Ich will hier nicht bleiben. Schon gar nicht in deiner Gesellschaft!«

»Dann bringe ich dich morgen nach Mamonovo und setze dich in irgendein Auto mit deutschem Kennzeichen. Zu Fuß darf man nicht über die Grenze, aber es wird dich schon jemand mitnehmen.«

Dana kämpft mit den Tränen, die ihr in die Augen steigen wollen und die Erik nicht sehen soll. Diesen Triumph gönnt sie ihm nicht. Sie weiß, dass er sie nur quält, da sie ihn abgewiesen hat.

»Ich muss noch etwas erledigen. Unser Exportgeschäft läuft nicht so, wie ich es mir vorgestellt habe.«

Nachdem Erik die Wohnung verlassen hat, sieht Dana auf einem Regal eine Bibel liegen. Sie schlägt sie auf und erbleicht, als ihr Blick auf einen Satz im Matthäus-Evangelium fällt:

»Betet aber, dass eure Flucht nicht im Winter geschehe.«
Matthäus 24,20

Kurische Nehrung
1. Januar 1993

Der Wind weht eisig über die schmale Landzunge und Dana schlingt ihren Mantel noch enger um sich. Sie steht mit Natascha auf dem einsamen Sandstrand zwischen Zelenogradsk und Lesnoj und blickt auf die Ostsee, in der sich der Himmel türkisblau und rosa spiegelt. Der Horizont scheint in das Meer überzugehen, als sei die Berührung des Himmels mit der Erde grenzenlos. Es ist Neujahr. Dana hat sich den Start in das neue Jahr anders vorgestellt und hofft, dass sie bis zum russisch-orthodoxen Weihnachtsfest am 7. Januar das Land verlassen kann.

Sie hat sich noch nicht daran gewöhnt, dass hier Weihnachten nach Silvester gefeiert wird. Erik hat ihr erneut erklärt, dass das Ablaufen ihres Visums ihm gleichgültig sei. Er könne es nun ohnehin nicht mehr für sie in der Gebietsverwaltung verlängern, da sämtliche Behörden zwischen Neujahr und Weihnachten geschlossen seien. Dana spürt, wie sehr er es genießt, dass sie noch immer keinen Weg gefunden hat, das Land zu verlassen.

»Wo bleibt er denn nur?«, fragt Dana Natascha, während sich ihr Blick im pastellfarbenen Meer und in ihren Sorgen verliert. »Die Sonne geht bald unter.«

»Ich weiß es auch nicht. Ich habe Erik so noch nie erlebt und verstehe nicht, wie sarkastisch und kalt er sein kann.«

Dana schweigt. Sie wagt es nicht, Natascha zu erzählen, dass er sie mit seinen Worten noch viel mehr quält, wenn sie nicht dabei ist. Sie weiß nicht, ob Natascha ihr glauben und wie sie darauf reagieren würde. So schweigt Dana auch heute in der Hoffnung, dass sie das Land und diesen Albtraum bald verlassen kann. Es ist ihr hier alles fremd, selbst die Straßenschilder, deren kyrillische Buchstaben sie nicht lesen kann. Sie hat während ihrer wenigen Ausflüge durch die Stadt versucht, sich heimlich einen Stadtplan zu zeichnen, für den sie die fremdartigen Buchstaben auf den Straßenschildern abgemalt hat. In diesem Plan hat sie sich den Weg von Eriks Wohnung zu dem kirchlichen Sozialzentrum, in dem sie ihre Hilfsgüter abgegeben haben, für den Fall markiert, dass er ihr zu nahe käme und sie nicht wie bisher nur mit Worten quälen würde.

»Die Sonne geht schon bald unter«, durchbricht Natascha Danas bedrückende Gedanken. »Was hältst du davon, wenn wir schon mal zum Auto zurückgehen? Erik wird schon kommen.«

Dana folgt Natascha zum Kontrollpunkt am Beginn der Nehrung, in dessen Nähe sie geparkt haben, und versucht, ihre gefühllosen Hände zu ignorieren. An dem Schlagbaum, der die Einfahrt zu diesem russischen Nationalpark markiert, warten sie auf Erik.

Dana betrachtet die verlassene Nehrungstraße, die von hier fast einhundert Kilometer schnurgerade ostwärts bis nach Litauen hinein führt. Mit der einsetzenden Dämmerung breitet sich die Kälte in und um Dana immer mehr aus. Während sie sich zitternd nach Erik umschaut, bemerkt sie, dass sie aus einer kleinen Holzhütte von drei düsteren Gestalten beobachtet werden.

»Die Hütte gehört den Wachposten, die hier den Zugang zur Nehrung kontrollieren«, erklärt Natascha, nachdem sie Danas Unbehagen bemerkt hat. Die Barackentür öffnet sich und ein in Pelzmantel und Fellmütze gehüllter Wachmann tritt ins Freie und kommt zielstrebig auf die beiden Frauen zu. Während er mit Natascha spricht, versucht Dana, sich ihre Angst nicht anmerken zu lassen. Erleichtert beobachtet sie, wie er in die Holzhütte zurückkehrt, und fragt Natascha, was er gewollt habe.

»Die Männer sorgen sich um uns, weil es so kalt ist«, erklärt diese. »Sie haben angeboten, dass wir uns in ihrer Hütte aufwärmen können. Das Angebot habe ich natürlich angenommen, da die Kälte immer unerträglicher wird. Lass uns gehen!«

Dana folgt Natascha in die Hütte und schaut sich noch einmal vergeblich nach Erik um.

Im Inneren brennt ein Holzfeuer und Dana bemerkt, wie sich langsam wieder Leben in ihren Händen und Füßen ausbreitet. Die Nehrung ist bereits in Dunkelheit gehüllt, als Erik an dem Kontrollpunkt eintrifft und sich suchend umblickt.

»Er sieht uns nicht«, durchbricht Natascha die Stille in der Hütte. »Wir sollten zu ihm gehen.« Doch noch bevor sie die Tür erreicht haben, tritt ein bärtiger Wachmann ihnen in den Weg und hält sie auf. Er spricht kurz mit Natascha und verlässt dann die Wachstube. Dana beobachtet, wie er zu Erik tritt und stark gestikulierend zu ihm spricht. Erik schaut ihn einen Moment verwundert an, bevor er in Gelächter ausbricht.

»Warum lacht er?«, fragt Dana.

»Das würde ich auch gerne wissen«, antwortet Natascha.

»Was hat er ihm denn gesagt?«

»Dass wir von der Miliz verhaftet und abtransportiert wurden. Er wollte Erik eigentlich einen Schrecken einjagen, weil er uns so lange alleine gelassen hat, und nun das.«

Dana zittert, während sie widerwillig Natascha ins Freie folgt, zu Erik, der sich noch immer sichtlich amüsiert.

Kaliningrader Oblast
7. Januar 1993

»Eigentlich nehme ich ja nie Fremde im Auto mit, aber meine Frau hat darauf bestanden.«

Dana starrt auf das weite, flache Land und versucht, die Worte des Geistlichen zu ignorieren. Es wird alles gut gehen und ich werde dieses Land jetzt endlich verlassen, denkt sie. Fort von Erik und diesen Kriegstrümmern.

Es ist der 7. Januar, der Tag, an dem ihr Visum abläuft. Erik hat diese Mitfahrgelegenheit für sie gefunden, im Auto eines Pfarrers, der nach Deutschland fährt, und sie zu ihm gebracht.

»Zu welchem Grenzübergang fahren wir?«, fragt Dana, um den Pfarrer auf andere Gedanken zu bringen.

»Bagrationowsk.«

»Ist es noch weit? Ich kenne die Strecke nicht, da wir in Mamonovo eingereist sind.«

»Von Kaliningrad sind es 50 Kilometer bis Bagrationowsk. Ich denke, die Hälfte der Strecke haben wir.«

»Das könnte allerdings Probleme geben, dass Sie in Mamonovo, dem früheren Heiligenbeil, eingereist sind«, meldet sich die Frau des Pfarrers zu Wort, die dem Gespräch bisher stumm gelauscht hat.

»Wieso?« Dana schaut sie erschrocken an und fragt sich, was es denn jetzt noch für Probleme geben könnte.

»Man muss an dem Grenzübergang wieder ausreisen, an dem man eingereist ist. Wir sind in Bagrationowsk, dem ehemaligen Preußisch Eylau, über die Grenze gekommen und müssen auch dort wieder das Land verlassen. Aber wenn Sie in Mamonovo eingereist sind, müssen Sie eigentlich dort das Land verlassen.« Dana schaut sie schockiert von der Rückbank an, während sie unbeirrt weiterspricht. »Mamonovo ist bestimmt 80 Kilometer von Bagrationowsk entfernt und die Wege dorthin sind nicht so ausgebaut wie diese Straße von Kaliningrad nach Bagrationowsk. Ich weiß nicht, wie Sie von Bagrationowsk dorthin gelangen könnten.«

»Im Übrigen werden in Mamonovo nur humanitäre Visa geduldet, sodass der Grenzübergang für uns nicht infrage kommt«, fügt der Pfarrer hinzu und gibt Dana zu verstehen, dass das Thema damit für ihn erledigt ist.

Während sich das Auto unaufhaltsam der Grenze nähert, weicht Danas kurzzeitige Erleichterung erneuter Angst. Was, wenn man ihr die Ausreise verweigern wird?

Taunus
20. Januar 1993

Dana läuft durch den einsamen Birkenwald und versucht, dem Lärm der sich nähernden Flugzeuge zu entkommen. Sie hört immer mehr Bomben explodieren und Granaten im Waldboden einschlagen. Wenn ich mich doch nur irgendwo verstecken könnte, denkt sie. Sie dürfen mich hier nicht finden.

Dana weiß, dass der Wald nicht dicht genug gewachsen ist, um ihr Schutz vor den Fliegern zu bieten. Während hinter ihr die Bomben zerbersten, hastet sie weiter und erreicht eine kleine Lichtung, die durch die Geschützfeuer wie in Nebel getaucht ist. Atemlos bleibt sie stehen und blickt sich suchend um.

Hier ist niemand, sie ist allein, sie muss alleine weiterlaufen, weg von diesem Ort.

Hätte ich doch den Lkw nicht verlassen, denkt sie. Doch der Fahrer sagte, es sei auf der Straße zu gefährlich und wir müssten zu Fuß weiter. Aber auch hier sind wir vor den russischen Fliegern nicht sicher.

Königsberg war nicht mehr weit, wir hätten es schaffen können. Doch nun habe ich mich in diesem Wald verirrt.

Die Einschläge kommen immer näher. Rauch liegt in der Luft. In Danas Ohren klingt der Lärm des Bombenhagels nach. Plötzlich versagen ihre Beine, und sie sinkt auf dem sandigen Waldboden in sich zusammen. Ich habe es nicht geschafft, denkt sie, während die Landschaft um sie herum in Dunkelheit versinkt. Ich habe es nicht geschafft.

Dana schreckt aus dem Schlaf auf und versucht, etwas in der Dunkelheit zu erkennen. Ihr Herz rast, während sie nach dem Lichtschalter sucht. Es war nur ein Traum, versucht sie sich zu beruhigen. Wieder nur ein Traum. Endlich hat sie den Schalter gefunden und ein heller Lichtschein verdrängt die Dunkelheit im Zimmer. Doch die Bilder in ihrem Kopf widersetzen sich dem Licht. Es war wieder einer dieser Träume, die sie seit ihrer Kaliningrad-Reise quälen. Sie versteht nicht, warum sie nicht aufhören wollen und so wirklich erscheinen. Sie ist doch nun zu Hause, in Sicherheit. Auch wenn sie schon nicht mehr daran geglaubt hatte, ließ man sie ohne Probleme in Bagrationowsk ausreisen und störte sich nicht daran, dass ihr Visum nicht für diesen Grenzübergang bestimmt war. Wie erleichtert war Dana, dass sie damit Erik endgültig entkommen war. Kein Wunder, dass sie von Albträumen aus Russland gequält wird. Nur, warum träumt sie von Krieg? Vielleicht wegen des Briefes, den sie gestern aus dem Kaliningrader Oblast bekommen hat? Er hat sie jedenfalls tief berührt und sie dazu ermutigt, trotz allem in Kaliningrad Erlebtem ihre Hilfsaktionen dort nicht einzustellen: »Wir danken Ihnen herzlich für Ihre humanitäre Hilfe.

Unser Land durchlebt gerade eine schwere Zeit. Da im Jahr 1992 wegen großer Trockenheit kaum etwas gewachsen ist, gibt es keine Lebensmittel, um den Winter und das Frühjahr zu überstehen. Wir danken Gott, dass im Kaliningrader Gebiet kein Krieg herrscht wie in anderen Gebieten der GUS, wo schon viel Blut geflossen ist. Von allen Gebieten Russlands kommen die Menschen zu uns und leiden Not. Besonders die Kinder sind betroffen. Lebensmittel bekommt man nur auf Bezugsschein. Die humanitäre Hilfe aus Deutschland ist die einzige Möglichkeit zu überleben.«

Die einsamen Wälder Weißrusslands

»Im Krieg ist die Wahrheit das erste Opfer.«

Aischylos

Belarus
Oktober 1941

In der Nacht hat es unerwartet geschneit und die Steppenlandschaft liegt unter einer dünnen Schneedecke. Der Lazarettzug fährt im Schritttempo in Bobruisk ein. Die jungen Schwestern stehen aufgeregt an den Fenstern und starren in die Morgensonne hinaus, auf das emsige Treiben auf dem russischen Bahnhof. Er ist anders als in Minsk, kleiner und überschaubarer, aber nicht weniger hektisch. Marie-Luise betrachtet die vielen Soldaten und Menschen, die über die Bahnsteige eilen. Sie fragt sich, was diese aufgeregte Geschäftigkeit zu bedeuten hat. Plötzlich hört sie Sirenen aus der Ferne ertönen und eine Vorahnung bemächtigt sich ihrer. Das wird doch kein Luftangriff sein. Sie spürt, wie ihr Herz zu rasen beginnt, während Doktor Schubert versucht, die Frauen zu beruhigen: »Es ist ein Fliegeralarm. Bleiben Sie zu Ihrer eigenen Sicherheit bitte vorerst im Zug sitzen und bewahren Sie möglichst Ruhe. Mehr können wir im Augenblick nicht tun.«

Hedwig nimmt neben Marie-Luise Platz und starrt ängstlich aus dem Fenster. »Es passiert uns bestimmt nichts«, versucht Marie-Luise sie zu beruhigen und ihre eigene Furcht zu ignorieren. »Wir wurden doch die ganzen Tage nicht angegriffen und werden sicher auch heute davon verschont.«

105

»Ich weiß nicht so recht«, murmelt Hedwig. »Woher nimmst du dein Gottvertrauen und deine Zuversicht, Marie-Luise? Ich habe unbeschreibliche Angst.« Während Marie-Luise Hedwig weiter zu trösten versucht, bemerkt sie erleichtert, dass die Sirenen inzwischen wieder abgestellt wurden.

»Nehmen Sie nun Ihre Koffer und folgen Sie mir bitte auf den Bahnsteig«, ertönt auch schon die Stimme des Oberarztes, dem die Erleichterung anzusehen ist. »Es war zum Glück ein Fehlalarm.« Er weiß, wie schutzlos sie in dem Zug gewesen wären, und dankt Gott, dass ihnen ein Luftangriff erspart geblieben ist. Er fühlt sich für die Schwestern verantwortlich und es schmerzt ihn, dass er sie verlassen muss. Er fragt sich, was sie dort an der Front erwarten wird, und würde sie am liebsten mit zurück in die Heimat nehmen. Aber auch er weiß, dass dies nicht möglich ist. Schweren Herzens ergreift er die Namenslisten der Rotkreuzschwestern und steigt aus dem Zug.

Auf dem Bahnsteig empfängt sie frostige Kälte, doch noch mehr innere Kälte beschleicht Marie-Luise, während sie sich auf dem Bahnhof umschaut. Sie sieht unzählige verletzte Soldaten, die zu dem Lazarettzug gebracht werden. In den Gesichtern der Männer erkennt sie die gleichen ausdruckslosen Augen, wie sie bei den russischen Kindern in Minsk zu sehen waren. Im Osten des Bahnhofs gibt es fast nur noch zerbombte Häuser. Ja, es ist Krieg, denkt Marie-Luise, während sie sich an die vielen zerstörten Höfe zwischen Minsk und Bobruisk erinnert. Es waren so unzählig viele verbrannte Häuser und Trümmer, die die Bahnstrecke gesäumt hatten. Sie sieht noch immer die abgemagerten Menschen vor sich, die vor ihren ausgebombten Gebäuden standen und dem Zug nachblickten. Man spürte förmlich ihre Angst und Hilflosigkeit und fragte sich, was in den vergangenen Tagen oder Wochen hier geschehen sein mochte. Auf entsprechende Fragen hatte ihnen Doktor Schubert erklärt, dass die Kriegshandlungen noch nicht lange zurücklägen.

Er war entsetzt darüber, dass man den Schwestern nichts
dergleichen erklärt hatte. Sie wussten wenig über den Angriff der
Deutschen auf Russland und die damit begonne Tragödie in
diesem Land. Immer wieder schüttelte er über das Unwissen der
Frauen den Kopf und begann zu begreifen, warum sie so
ahnungslos in dieses Land gekommen sind. Er war zornig
darüber, dass man diese Frauen so sehr belogen und in
Unkenntnis gelassen hat. In den wenigen Tagen, in denen sie
zusammen waren, hat er versucht, diese Unwissenheit
auszuräumen, was ihm alles andere als leichtfiel. Denn er spürte
die wachsende Angst der jungen Schwestern und wusste, dass er
dagegen machtlos war. Er musste sie nun ihrem Schicksal und
den kommenden Ereignissen überlassen und selbst zurück ins
Deutsche Reich fahren, mit den verletzten Soldaten, die immer
mehr die Bahnsteige füllten und auf die Heimkehr mit diesem
Lazarettzug warteten. Er hofft, dass die Schwestern während
ihres Einsatzes nicht derart seelisch verletzt würden wie die
Soldaten, denen er begegnet ist und aus deren Augen ihm die
blanke Angst entgegenschrie. Bedrückt führt der Arzt die
Schwestern zum Kommandanturgebäude, um sie nun endgültig
an seine Kollegen zu übergeben. Er betritt das Holzgebäude, das
den Deutschen als Registratur und Verwaltung dient, und kehrt
mit Anweisungen für die Schwestern zurück. Er erklärt ihnen,
welchen Lazaretten sie zugeteilt wurden und wie ihre Reise
weitergeht. Nachdem er ihnen alles Gute gewünscht hat, kehrt er
zu dem Lazarettzug zurück, vor dem sich immer mehr verletzte
Soldaten versammeln. Marie-Luise schaut dem entschwindenden
Arzt nach und fragt sich, was er ihnen alles über diesen Krieg und
das Land verheimlicht hat, um sie nicht zu beunruhigen.

Das Rotkreuz-Auto wartet mit laufendem Motor vor dem
Registraturgebäude. Hedwig, Claire und Marie-Luise besteigen
den grauen Kastenwagen unter den wachsamen Augen eines
Soldaten in feldgrauer Wehrmachtsuniform.

Der Fahrer grüßt die Schwestern kurz angebunden und setzt das Auto in Bewegung. Während die kleine Reisegruppe das Bahnhofsgelände verlässt und durch Bobruisk fährt, betrachtet Marie-Luise die Straßenzeilen, denen man die vergangenen Kämpfe ansieht. Der Fahrer hüllt sich nach wie vor in Schweigen, sodass die Schwestern ihren Gedanken nachhängen können. An einer Straßenecke sieht Marie-Luise kleine Kinder, die eine Soldatengruppe umringen. Wahrscheinlich sind auch sie hungrig.

Langsam bleibt die Stadt hinter ihnen zurück. Sie biegen in die Hauptstraße nach Ossipowitschi ein und das Auto nimmt an Geschwindigkeit zu. Das ist doch die Richtung, aus der wir mit dem Zug kamen, versucht Marie-Luise sich zu orientieren. Der Sandboden ist mit Kiefern und Birken bewachsen. Kaum ein Mensch ist zu sehen. Alles wirkt einsam und verlassen. Noch immer herrscht in dem Auto ein nervöses Schweigen. Claire ignoriert bewusst ihre beiden Kolleginnen und versucht erst gar nicht, ihre Wut darüber zu verbergen, dass sie ausgerechnet mit Hedwig und Marie-Luise einem Lazarett zugeteilt wurde. Hedwig kämpft mit einem dicken Kloß im Hals, der ihrer Angst und Unsicherheit entspringt und ihrem sich steigernden Heimweh. Marie-Luise ist wie so häufig in ihre Gedanken vertieft und fragt sich, ob es die richtige Entscheidung war, nach Russland aufzubrechen. Dabei erinnert sie sich jedoch an ihre eigenen Worte, nach denen sie ihren Überzeugungen folgen muss. Und das hatte sie an diesen Ort geführt. Der Fahrer bricht sein Schweigen und verkündet, dass sie Tatarka erreicht haben. Die Rotkreuzschwestern betrachten neugierig die kleine Stadt mit den hübschen Holzhäusern.

»Hier ist die Kommandantur, zu der ich Sie bringen sollte«, sagt der Fahrer kurz angebunden, während er vor einem grünen, zweistöckigen Holzgebäude stehen bleibt. »Die Kommandantur befindet sich im Keller, Sie finden das schon.«

»Danke«, murmelt Marie-Luise, während sie ihren Koffer ergreift und das Auto verlässt. Hedwig und Claire folgen ihr.

Kaum haben sie die Türen zugeschlagen, startet der Fahrer schon und braust davon.

»Was wird uns hier nur erwarten?«, jammert Hedwig, während sie sich der Kommandantur nähern.

»Ja. Das frage ich mich auch«, sagt Claire. »Nicht nur, dass ich mit euch eingeteilt wurde.« Dabei mustert sie ihre Kolleginnen abfällig. »Nun sind wir auch noch in dieser Einöde, mitten im Wald.« Sie folgt Hedwig und Marie-Luise in das Kommandanturgebäude und murmelt vor sich hin, dass sie doch lieber in der Stadt Bobruisk geblieben wäre, wo der Großteil der Schwestern eingesetzt wurde.

Der korpulente Offizier hebt seinen Blick langsam von den Papierbergen, die seinen Schreibtisch überfluten. »Das sind wohl die drei Krankenschwestern, die ich angefordert habe«, brummt er zur Begrüßung. »Bitte setzen Sie sich und warten Sie, bis unser Sanitätsleiter kommt.«

Marie-Luise lässt sich auf einen freien Stuhl an der Fensterfront nieder und betrachtet das geräumige Zimmer. Ob alle hier so wortkarg sind, fragt sie sich und mustert den unsympathischen Offizier, der sie keines weiteren Blickes mehr würdigt. Er ist wieder in seine Akten vertieft. Ewigkeiten scheinen vergangen zu sein, bis sich endlich die Tür öffnet und ein schlanker, weiß gekleideter Mann den Raum betritt. Er nickt dem Offizier zu und bleibt vor den drei Frauen stehen. »Da sind Sie ja«, begrüßt er sie und stellt sich als Sanitätsleiter Schmidt vor. »Wir haben Sie schon erwartet. Allerdings werden Sie nicht in Tatarka bleiben«, erklärt er den Schwestern. »Sie werden in einem Lager zwischen Tatarka und Swoboda arbeiten, in das ich Sie noch heute bringen werde.«

»Was ist das für ein Lager?«, fragt Marie-Luise.

»Da muss ich etwas ausholen, damit Sie es verstehen. Dies hier ist ein Behelfslazarett, und wie Sie vielleicht schon bemerkt haben, ist es nicht sehr groß.

Nachdem die Front weitergezogen war und die Kampfhandlungen in dieser Gegend abgenommen hatten, wurde es verkleinert und besteht nun nur noch aus zwei Räumen. Hier werden vor allem Soldaten behandelt, die durch Kampfhandlungen mit Partisanengruppen schwer verletzt wurden. Die Sanitäter, die in diesem Lazarettgebäude arbeiten, benötigen derzeit keine Verstärkung. Aber es gibt ein Lazarett im Wald zwischen diesem Ort und der Bahnstation Jasen. Es handelt sich um ein Kriegslazarett mit derzeit 500 Betten, in das schwer verwundete Soldaten von der Front gebracht werden, nachdem sie in den Feldlazaretten erstversorgt wurden.« Er legt eine kurze Pause ein und schaut die Schwestern vielsagend an. »Es gibt dort einen Stützpunkt der Waffen-SS und Schutzpolizei zur Partisanenbekämpfung.« Marie-Luise zuckt bei diesen Worten zusammen und starrt ihn fassungslos an, während Schmidt unbeirrt fortfährt. »Auf die dortige Bahnstrecke werden häufig Angriffe verübt. Der Standort des Lazarettes an dieser Eisenbahnverbindung Minsk–Bobruisk wurde bewusst ausgewählt, da man hier die schwer verletzten, frontuntauglichen Soldaten von unserer Krankentransportabteilung leicht in Lazarettzüge verladen kann, die sie in die Heimat zurücktransportieren. Natürlich sind diese günstigen Verkehrsverhältnisse auch zum Transport von russischen Kriegsgefangenen ins Reich hilfreich.« Die Kälte in und um Marie-Luise nimmt bei diesen Worten immer mehr zu, während Sanitätsleiter Schmidt weiterspricht. »Aber das braucht Sie nicht zu ängstigen. Sie haben mit diesen Russen nichts zu tun. Das ist nun wirklich nicht Ihre Aufgabe.« Marie-Luise kann seinen Worten kaum noch folgen und hofft, dass dies nur ein Albtraum sei, aus dem sie gleich erwachen werde. »Man wird Ihnen bei Ihrer Einberufung sicher erklärt haben, dass Ihnen der Kontakt mit der einheimischen Bevölkerung verboten ist. Daher werden Sie natürlich in einem Lazarett für deutsche Soldaten arbeiten.«

Schon allein, wie er das Wort »deutsch« betont, lässt Marie-Luise nichts Gutes erahnen. »Das wird man Ihnen alles noch einmal vor Ort erklären. Meine Aufgabe ist es lediglich, Sie dorthin zu begleiten. Schauen Sie doch nicht so ängstlich«, versucht Schmidt die Frauen aufzumuntern. »Ich bin mir sicher, dass Sie sich dort bald einleben werden. Kommen Sie, ich werde Sie nun zu Ihrem Lager bringen, das wir Dunowen nennen.«

Langsam stehen die drei Schwestern auf und folgen ängstlich dem Sanitätsleiter aus dem kalten Gebäude in diese fremde Welt, die sie erwartet.

Der Wald erscheint Marie-Luise düster und unheilvoll, während sie aus dem Auto steigt und Richtung Waldlager läuft. Eine erdrückende Stille liegt über der Lichtung und sie spürt, dass sogar der Natur der Atem stockt. Claire scheint von all dem nichts zu bemerken, während sie verärgert ihren Kolleginnen folgt. Sie hat es noch immer nicht überwunden, dass sie die folgenden Wochen oder Monate hierhergeschickt wurde. In diese Einöde und dann noch mit diesen langweiligen Kolleginnen. Hedwig scheint noch immer vor Angst erstarrt zu sein und kein Wort gelangt über ihre Lippen. Der Eingang des Lagers liegt vor ihnen und wird von einem jungen, blonden Soldaten mit scharfem Schäferhund bewacht. Er schaut ebenso grimmig wie sein Hund und Marie-Luise fragt sich, vor wem man sich mehr fürchten sollte. Unwillig folgt sie Sanitätsleiter Schmidt durch das große Eisentor ins Innere des Lagers, in dem ebenfalls eine unnatürliche Stille herrscht. Zu ihrer Rechten sieht sie graue Zelte, die mit großen, roten Kreuzen bemalt sind, und zu ihrer Linken erblickt sie einen hohen Wachturm.

Die Kälte in Marie-Luises Innerem steigert sich immer mehr, während sie Schmidt weiter über den großen Lagerplatz folgt. In der Ferne sieht sie einige Soldaten, die im Schatten einer großen Kiefer in der Sonne sitzen und schlafen. Selbst von ihnen geht etwas Unheimliches aus.

Hinter diesen Bäumen bemerkt Marie-Luise ein weiteres großes, graues Zelt, auf dessen Dach sich ebenfalls ein rotes Kreuz befindet.

Dies ist nun unsere Arbeitsstelle, hier werden wir arbeiten und leben. Marie-Luise ahnt nichts Gutes und fragt sich, ob ihre Kolleginnen auch so empfinden. Sie blickt kurz zu ihren Mitschwestern, die ebenfalls schweigend dem Sanitätsleiter Schmidt folgen. Dieser hat noch immer kein Wort gesprochen und lässt nicht erkennen, ob er ihre Nervosität und Angst bemerkt hat. Ab und zu grüßt er Männer in feldgrauer Wehrmachtsuniform oder einen mit Orden geschmückten Offizier. Marie-Luise betrachtet die Umgebung und fragt sich, wie lange dieses Lager wohl schon bestehe. Aber sie wagt nicht, die eisige Stille zu durchbrechen und Schmidt danach zu fragen. Endlich erreichen sie das Sanitätszelt. Marie-Luise muss sich zunächst an die Finsternis im Inneren gewöhnen und kann nur schattenhaft erahnen, was sich dort befindet.

»Bitte kommen Sie weiter. Ich werde Ihnen Ihren Vorgesetzten vorstellen«, unterbricht Schmidt endlich sein Schweigen. Zögernd folgen ihm die jungen Frauen durch das Zelt zu einem kleinen Bereich, der mit Vorhängen vom übrigen Raum abgetrennt ist. Ein stämmiger Arzt sitzt dort an einem Schreibtisch. Vor ihm steht eine rußgeschwärzte Petroleumlampe, die diesen Winkel in ein unheimliches Licht taucht. Marie-Luise spürt, wie der Arzt sie streng mustert. Es umgibt ihn eine Aura der Kälte, die sie in dieser Stärke noch nicht erlebt hat. Mit seinen eiskalten Augen durchdringt er sie bis in den hintersten Winkel ihres Herzens, als lese er in ihrer Seele. Selbst Claire kann ihre Nervosität nicht verbergen und versucht, seinem Blick auszuweichen.

»Sie sind also die Neuen«, entfährt es dem Arzt. »Ich habe schon auf Sie gewartet. Ich bin Oberstabsarzt Schulz.« Marie-Luise betrachtet voller Abscheu das aufgeschwemmte Gesicht, aus dem sie eisige Augen hypnotisierend anstarren.

»Das Lazarett, in dem Sie arbeiten werden, ist derzeit in großen Zelten untergebracht, doch werden für den nahenden Winter bereits Baracken errichtet. Doktor Jakobi wird Ihnen alles zeigen.«

Winter? Marie-Luise zuckt zusammen. Wieso für den Winter? Man hatte sie nicht auf eine solch lange Zeit vorbereitet, nicht nur, was die fehlende Winterkleidung betrifft. In der Heimat sprach man von einem Blitzkrieg, es wurde davon ausgegangen, dass der Krieg bald vorbei sein würde. Wieso bereitet man sich hier auf den Winter vor?

Während Marie-Luise weiter widerwillig in die unberechenbar wirkenden Augen des Arztes blickt, fragt sie sich, was im Inneren dieses Mannes vor sich gehen mag.

»Wohnen werden Sie gemeinsam in einem anderen Zelt, das Ihnen Jakobi auch zeigen wird. Das Nötigste wie Feldbetten, Wolldecken und Waschschüsseln ist vorhanden. Kerzen sind rar und daher bitte ich Sie, sparsam damit umzugehen. Denken Sie immer daran, dass hier noch vor nicht allzu langer Zeit die Front war und dass von Ihnen erwartet wird, für diesen Krieg die nötigen Opfer zu bringen. Ich vertraue darauf, dass dieser Krieg schneller vorbei sein wird, als Sie es sich vorstellen können, und bis dahin werden Sie hier Ihre Pflicht tun.«

Die Frauen lauschen entsetzt seinen Worten und wagen es nicht, seinen Redeschwall zu unterbrechen.

»Außerdem bitte ich Sie, das Gelände insbesondere in der Nacht nicht zu verlassen, da es in den Wäldern zu gefährlich für Sie ist. Es treiben sich hier unzählige Partisanengruppen herum, die nur auf solch willkommene Beute warten.« Dabei schaut er sie noch aufdringlicher an. »Das werden Sie doch sicher nicht wollen? Aber ich hoffe, dass wir das Gebiet bald gründlich gesäubert haben werden.«

Marie-Luise bemerkt, wie Hedwig immer blasser wird, und versteht selbst nicht, wie er so mit ihnen reden kann.

Da war das Schweigen der Männer in den letzten Stunden um einiges angenehmer. Sie fürchtet immer mehr, dass es für sie aus diesem Lager kein Entrinnen geben wird und sie dazu verurteilt sind, hier während der nächsten Wochen oder gar Monate arbeiten zu müssen. Sie würden sicher nicht so schnell in die Heimat zurückkehren, wie sie es sich vorgestellt haben.

Marie-Luise stellt ihren kleinen, grauen Reisekoffer auf die Erde und ist froh, für diese kurze Zeit nicht in das Gesicht von Schulz schauen zu müssen. Sie hatte gar nicht bemerkt, dass sie den Koffer noch umklammert hielt. Dann streift ihr Blick wieder das Gesicht des Arztes, der sie noch immer kalt anstarrt.

»Sie werden sich wahrscheinlich fragen, was dies für ein Lager ist«, setzt der Redeschwall des Oberstabsarztes Schulz wieder ein. »Und Sie werden sich vielleicht wundern, warum man Ihnen bisher nichts über Ihre neue Arbeitsstätte gesagt hat.«

Marie-Luise schaut unwillig in das feiste Gesicht des Mannes, der sie weiter mustert. »Das ist zu unserem und Ihrem Schutz. Die Partisanen haben es zwar bereits entdeckt, aber sie wissen nicht, was in seinem Inneren vor sich geht. Und auch Ihnen darf ich natürlich nicht alles über dieses Lager berichten. Aber ich denke, das wird solch junge Frauen auch nicht interessieren.« Dabei wird sein Blick immer aufdringlicher und Marie-Luise spürt, wie er sie auch immer unverhohlener betrachtet. »Nun, es ist so, dass dies ein Lager der Waffen-SS und Schutzpolizei ist. Ich bin mir nicht sicher, ob Ihnen die Bedeutung dieser Worte bewusst ist. Aber auch das ist nicht wichtig. Es gibt hier ein Lazarett zur Versorgung deutscher Soldaten und allein das hat Sie zu interessieren.« Und dabei schaut er sie drohend an. »Sie werden hier nicht nur Soldaten versorgen, die aus den Feldlazaretten zu uns gebracht werden, sondern auch deutsche Soldaten behandeln, die durch Partisanenangriffe verletzt wurden. Dies kommt leider gehäuft vor. Wie gesagt, nur das ist Ihre Aufgabe: sich um unsere tapferen Soldaten zu kümmern, die beim Einsatz für unser Vaterland verletzt wurden.«

Sein Blick wird immer drohender, was zu der Schärfe seiner Worte passt. »Ich möchte nicht hören müssen, dass Sie sich in diesem Lager um Dinge kümmern, die Sie nichts angehen.« Marie-Luise folgt fassungslos seinen Worten und fürchtet, dass ihre Beine versagen werden, wenn er noch lange weiterredet.

»Warum so schweigsam? Ich bin mir sicher, dass es Ihnen hier trotz allem gefallen wird. Sie haben sich doch freiwillig an die Front gemeldet, um dem Vaterland zu dienen. Und wo ginge dies besser als hier?« So plötzlich wie sein Vortrag begonnen hat, so abrupt endet er mit einem vielsagenden Lachen. »Nun wird Ihnen Doktor Jakobi Ihre künftige Wirkungsstätte zeigen.« Während er den Arzt herbeiruft, musterte er noch einmal jede einzelne der drei jungen Frauen mit eisigen Augen und einem selbstherrlichen Lächeln.

Waldlager
November 1941

Seine Schreie erreichen lange vor ihm das Lazarettzelt, in dem der Operationssaal eingerichtet ist, in dem Marie-Luise die ersten Wochen arbeitet. Sie trägt ihr blau-weiß gestreiftes, wadenlanges Schwesternkleid mit einer Überschürze aus weißer Baumwolle und eine weiße Schwesternhaube, auf deren Vorderseite ein rotes Kreuz aufgedruckt ist. Marie-Luise eilt zum Eingang des Zeltes und betrachtet den etwa dreißigjährigen Soldaten, der von zwei Sanitätern auf einer Trage hereingebracht wird. Er hat dunkle Haare und sein blasses Gesicht ist schmerzverzerrt. »Er hat eine schwere Beinverletzung. Ich fürchte, da ist nicht mehr viel zu machen«, erklärt ihr ein Sanitäter, während sie ihm den Weg zum Operationsplatz weist. »Es gab einen überraschenden Partisanenangriff und sein linker Unterschenkel ist von Granatsplittern zerfetzt worden.«

Der Soldat stöhnt und verliert immer wieder sein Bewusstsein. Marie-Luise tupft den Schweiß von seiner Stirn und spricht beruhigend auf ihn ein, obwohl sie nicht weiß, ob er sie hören kann. Er gibt einige Wortfetzen von sich und verliert vor Schmerzen wieder das Bewusstsein.

Wie grausam dieser Krieg ist. Marie-Luise fragt sich wieder einmal, wie Menschen einander dies alles antun können. Seit Tagen besteht ihre Arbeit nur darin, den Ärzten in diesem stickigen Zelt bei der Amputation von zahllosen Armen und Beinen zu assistieren und gegen die dabei aufkommenden Übelkeits- und Ohnmachtsgefühle anzukämpfen. Immer mehr Soldaten werden von der Front hierhertransportiert, nachdem sie auf den Verbandsplätzen von Sanitätern notdürftig versorgt wurden. Da der Stromgenerator überlastet ist und häufig ausfällt, finden die meisten Operationen bei spärlichem Kerzenlicht statt. Die Männer hoffen, in die Heimat verlegt zu werden und somit dem Kriegseinsatz zu entkommen. Doch die Soldaten, die lediglich leichtere Verletzungen und Erfrierungen erlitten haben, werden nach der Versorgung umgehend zurück zur Front geschickt.

Marie-Luise bereitet die Operation vor, obwohl sie fürchtet, dass man auch diesem Soldaten nicht wirklich helfen kann. Ob sie sich jemals an diesen Krieg und die Qualen, die damit verbunden sind, gewöhnen wird?

In Gedanken versunken verfolgt sie die Operation, die ihre Befürchtungen bestätigt. Der Unterschenkel des Soldaten ist nicht mehr zu retten, genau wie unzählig viele Menschenseelen in diesem endlosen Krieg. Marie-Luise versucht, ihre düsteren Gedanken zu verdrängen, doch will es ihr auch heute nicht gelingen.

»Marie-Luise, hör doch«, redet Hedwig atemlos auf Marie-Luise ein. »Ich habe etwas Grauenhaftes gesehen. So etwas Furchtbares kannst du dir nicht vorstellen.«

Marie-Luise schaut verwundert von ihrem Frühstück auf. »Von was sprichst du?«

»Sie haben hinter Stacheldraht Russen eingesperrt.«

»Bist du sicher?« Marie-Luise spürt, wie ihr der Appetit vergeht.

»Ich schwöre es, ich habe es mit eigenen Augen gesehen. Ich war in der Lagerküche. Man bat mich, dort heißes Wasser für eine Operation zu holen, da habe ich es entdeckt. Ein Kriegsgefangenenlager. Es ist hinter Stacheldraht versteckt, im Osten des Lagers. Ich habe mich verlaufen und bin dort zufällig vorbeigekommen. Zum Glück hat mich niemand bemerkt. Da war ein Bereich des Lagers vom übrigen Lager abgetrennt. Dort, wo der mächtige Wachturm steht.«

Marie-Luise erinnert sich an ihr Unbehagen, das sich jedes Mal ihrer bemächtigt, wenn sie in diese Richtung sieht und den Beobachtungsturm betrachtet.

»Dort waren so viele Männer eingesperrt. Das kannst du dir nicht vorstellen«, redet Hedwig weiter, während sie sich ängstlich umblickt und sich vergewissert, dass niemand sie hört. »Sie waren so abgemagert und hilflos und sahen so verzweifelt aus. Sie saßen auf der Erde im Freien und hatten kaum etwas anzuziehen. Dabei kommt doch der Winter und es wird täglich kälter.« Marie-Luise bemerkt, wie Hedwig sich eine Träne aus dem Augenwinkel wischt.

»Es waren so viele, du wirst es nicht glauben. Auch ganz junge Männer waren dabei, fast noch Kinder. Ihre Gesichter schrien vor Angst.«

Marie-Luise kann diese verzweifelten Menschen förmlich vor sich sehen und ihr graut es vor weiteren Einzelheiten.

»Dann kam ein Soldat mit Schäferhund. Ich bin so erschrocken und habe mich hinter einem Geländewagen versteckt.« Hedwig schaut sich ängstlich um und hofft, dass sie von niemandem belauscht werden. »Er ist in dieses Lager gegangen. Ich habe gesehen, wie die Männer noch mehr Angst bekamen. Dann hat er wahllos auf sie geschossen und hysterisch dabei gelacht.«

117

Hedwig fließen inzwischen immer mehr Tränen aus den Augen. »Warum tun sie das? Die Gefangenen haben doch nichts getan. Sie kauerten nur auf der Erde, starr vor Angst. Nachdem dieser Soldat auf sie geschossen hat, hetzte er lachend seinen Schäferhund in die Menge.« Marie-Luise starrt Hedwig entsetzt an und versucht, etwas Ordnung in ihre Gedanken zu bringen. »Du hättest ihre Schreie hören sollen. Sie hatten solche Angst und konnten sich nicht wehren.« Immer mehr Tränen laufen Hedwig über das Gesicht. »Was hätte ich denn tun sollen?«, fragt sie Marie-Luise. »Ich war wie erstarrt. Warum? Sage mir bitte, warum?« Während immer weitere Tränenströme unaufhaltsam über Hedwigs Wangen fließen, schaut sie Marie-Luise fragend an. »Ich weiß es nicht«, flüstert diese und spürt, dass auch ihre Augen feucht werden.

Marie-Luise dachte noch lange darüber nach, was Hedwig berichtet hatte, und ihr wurde langsam klar, warum man ihnen verboten hatte, sich im Lager umzusehen.

Sie ist entsetzt darüber, wie hilflose Menschen misshandelt und gequält werden. Sie wünscht sich nichts sehnlicher, als diesen Ort so schnell wie möglich zu verlassen, doch Oberarzt Schmidt, den sie darauf anspricht, sieht sie nur verständnislos an.

»Versetzung? Heimkehr? Darum bitten Sie mich? Es tut mir leid, aber Sie haben sich für diesen Einsatz gemeldet und es ist Ihre Pflicht, Ihre Arbeit für Ihr Vaterland zu tun. Da haben eigene Wünsche keine Bedeutung.«

»Aber ich ...«, versucht Marie-Luise einzuwenden, wird jedoch sofort von Schulz unterbrochen.

»Kein Aber! Es ist Ihre verdammte Pflicht, Ihre Arbeit zu tun. Dazu gehört es, sich hier einzuordnen und den Soldaten zu helfen. Sie haben sich freiwillig gemeldet, aber das ändert überhaupt nichts an der Tatsache, dass hier Krieg herrscht und Sie auch durchaus zwangsverpflichtet werden könnten. Ich möchte nichts mehr von Ihnen hören, was mich an Ihrer Loyalität zu unserem Vaterland zweifeln lassen könnte.

Ansonsten ...«, Schulz legt eine bedeutungsvolle Pause ein und schaut sie scharf an. »Ansonsten werden Sie ganz andere Seiten an mir kennenlernen und was es heißt, ein Vaterlandsverräter zu sein.« Sein Blick lässt Marie-Luise erstarren.

»Ich schaffe diese Aufgabe nicht, ich konnte nicht ahnen, was von uns hier verlangt würde. Was hat das mit Verrat zu tun?«

»So?« Schulz starrt Marie-Luise eisig an.

»Die schwer verletzten Soldaten, denen nicht mehr zu helfen ist; die unzähligen Amputationen; die heimtückischen Seuchen wie Typhus und Ruhr und besonders die Schmerzensschreie der sterbenden Soldaten. Das ist zu viel für mich.« Marie-Luise sucht vergeblich nach einer menschlichen Regung in seinem Gesicht.

»Sind Sie nicht Krankenschwester?«

»Natürlich. Aber was hat das damit ... «

»Dann benehmen Sie sich auch wie eine und setzen endlich Ihre Arbeit fort. Es ist Krieg und da kann ich auf Ihr sensibles Wesen keine Rücksicht nehmen. Auch wenn ich mich selbst schon gefragt habe, wer uns eine Kinderkrankenschwester schickt. Operationsschwestern werden hier benötigt! Also müssen Sie nun diese Arbeit übernehmen und sich daran gewöhnen. Wir müssen alle Opfer bringen. Was glauben Sie denn?« Seine Stimme wird immer schärfer, während er fortfährt: »Ich wäre ebenfalls lieber in der Heimat, als mich um diese Russen zu kümmern. Glauben Sie mir das. Aber es ist auch meine verdammte Pflicht, hier meine Arbeit zu tun. Das ist auch schon alles, was ich von Ihnen verlange. Sie werden hierbleiben und genau das tun, wofür wir Sie hier brauchen.« Er schaut sie einen kurzen Moment drohend an, bevor er lautstark weiterredet: »Ich will nichts mehr davon hören, dass es Ihnen nicht möglich ist, Ihre Arbeit zu tun. Gehen Sie gefälligst in Ihr Lazarett zurück und kümmern sich um unsere Soldaten, die geben alles für unser Vaterland, sogar ihr Leben. Da ist doch das wenigste, was man von Ihnen erwarten kann, dass Sie Ihre Aufgabe hier erledigen und diese Soldaten medizinisch versorgen.«

Marie-Luise starrt ihn voller Entsetzten an und begreift, dass es aus diesem Lager für sie so schnell kein Entrinnen gibt. Ohne ein weiteres Wort verlässt sie das Zelt, um der drohenden Gestalt des Oberstabsarztes zu entfliehen, und läuft zum Lazarett, das ihr nun wie ein Gefängnis erscheint. Während sie das Lazarettzelt betritt und die aufdringlichen Blicke der Soldaten zu ignorieren versucht, denkt sie an Johannes. Wenn er ihr doch wenigstens schreiben würde, aber auch heute war keine Post von ihm dabei. Sie zieht sein Foto aus ihrer Rocktasche und vergisst für kurze Zeit die gefühllosen Augen ihres Vorgesetzten und die gehetzten Blicke der Soldaten. Hätte sie doch nur auf ihn gehört.

»Guten Morgen, Schwester Marie-Luise, wie schön, Sie zu sehen.« Ein freudiges Lächeln huscht über das Gesicht des Soldaten. Sie hatte vor ein paar Tagen die Operation vorbereitet, bei der sein Bein abgenommen wurde, und ihn seitdem gepflegt. Inzwischen hat sie erfahren, dass er Wilhelm heißt und noch nicht lange an der Ostfront ist. Obwohl ihre Arbeit wartet, setzt sich Marie-Luise zu dem Verwundeten und versucht, für einen kurzen Moment ihre Pflichten zu vergessen. Sie bewundert seine Tapferkeit, mit der er den Verlust seines linken Unterschenkels und die damit verbundenen Schmerzen erträgt, und sie fragt sich, ob er ahnt, wie schlecht es um ihn steht. Die Chirurgen können den Wundbrand nicht aufhalten und geben ihm keine Chance. Falls er es weiß, lässt er es sich zumindest nicht anmerken. Stattdessen tröstet er sie, da er weiß, welches Heimweh sie hat und wie verzweifelt sie ist. Er macht sich auch Gedanken darüber, was ihr als Frau hier passieren könnte.

»Wo waren Sie denn? Haben Sie mich vergessen?«, fragt Wilhelm gespielt entrüstet und reißt Marie-Luise aus ihren Gedanken.

»Ich hatte meinen freien Tag«, antwortet sie.

»Was macht man denn an einem freien Tag in dieser Einöde?«

»An meinen Freund schreiben und davon träumen, dass dies alles nur ein Albtraum ist und ich gleich daraus erwache und zu ihm zurückkehren werde.«

»Ach, vergessen Sie doch Ihren Freund. Sie brauchen jemanden, der hier bei Ihnen ist und sich um Sie kümmert. Wer weiß, ob er Sie nicht längst vergessen hat.«

»Wie können Sie nur so etwas sagen?«

»Ich verstehe nicht, dass er sich nicht um Sie sorgt und Sie beschützen möchte. Ich weiß, dass Sie hier nicht sicher sind, gerade als Frau sind Sie in Gefahr, wenn das hier geschieht, was ich befürchte. Doch ich werde auf Sie aufpassen.«

»Das ist sehr nett von Ihnen gemeint, aber erst sollten Sie an sich denken und gesund werden«, versucht Marie-Luise das Thema zu wechseln.

»Ich werde nicht mehr gesund, das weiß ich.« Marie-Luise schaut ihn schockiert an und weiß nicht, was sie darauf erwidern soll.

»Schauen Sie nicht so entsetzt. Ich weiß, dass ich sterben werde.« Wilhelm schaut Marie-Luise eindringlich an, bevor er weiterredet. »Doch ich habe keine Angst vor dem Tod. Mit dem Tod ist es nicht vorbei. Ich verspreche, dass ich Sie nicht vergessen werde, sondern auch nach meinem Tod noch beschützen werde.«

»Bitte reden Sie doch nicht so, Sie machen mir Angst«, erwidert Marie-Luise.

»Ich möchte Sie nicht ängstigen. Das tut mir leid. Der Krieg ist sicher bald vorbei und dann können Sie nach Hause zurückkehren. Und bis dahin passe ich auf Sie auf.«

Marie-Luise beruhigen seine Worte nicht. Hastig steht sie auf. »Ich glaube, ich muss jetzt wirklich gehen.«

Während sie das Lazarettzelt verlässt, überschlagen sich ihre Gedanken. Und wenn Wilhelm recht hat? Vielleicht hat Johannes sie längst vergessen? Wenn er auf sie warten würde, hätte er ihr geschrieben. Doch sie wartet jeden Tag vergeblich auf Post.

Im Getto

»Ich bin gefangen gewesen, und ihr seid zu mir gekommen.«

Matthäus 25, 36

Tatarka
Sommer 1943

»Was ist denn hier los?«, fragt Marie-Luise verwundert, als sie die Baracke betritt, in der die drei Frauen wohnen.

In den letzten Wochen wurden von russischen Kriegsgefangenen immer mehr Wohn- und Arbeitsbaracken errichtet, sodass es möglich wurde, separate Bereiche für Schwerverwundete und aussichtslose Fälle einzurichten. Außerdem wurde neben dem Operationsraum ein Bereich für die Desinfektion und Entseuchung und eine Seuchenbaracke errichtet. Doch das Leben wurde dadurch nicht leichter, da inzwischen weit über 1.000 verletzte Soldaten aufgenommen wurden, die von den wenigen Ärzten und Schwestern versorgt werden müssen.

Marie-Luise betrachtet Hedwig, die scheinbar planlos mehrere Wäschestapel über ihrem Feldbett verteilt.

»Ach, Marie-Luise. Ich werde in ein anderes Lazarett versetzt. Ich bin so unglücklich und verzweifelt.«

Marie-Luise schaut Hedwig erschrocken an. »Warum? Wohin schickt man dich denn?«

»Nach Ossipowitschi, allerdings nur vorübergehend. Ich hoffe, dass ich bald zurück sein werde.«

Marie-Luise ist entsetzt. Warum müssen sie ausgerechnet Hedwig wegschicken und sie mit Claire zurücklassen?

Ihre Gedanken schweifen ab zu den letzten zwei Monaten, die sie hier verbracht haben. Mit Claire war es nach wie vor nicht einfach. Sie blieb unnahbar und verschlossen und interessierte sich nicht für das Leid der russischen Gefangenen. Diese sind Feinde für sie, deren Leid sie nichts angeht. Sie bemerkt nicht, was sich um sie herum ereignet, und ignoriert die mitleidslosen Augen und gnadenlosen Herzen der SS-Männer. Nun würde Marie-Luise mit Claire hier zurückbleiben, in diesem einsamen, kalten Lager. Nachdenklich blickt Marie-Luise in Claires Zeltecke und beobachtet, wie diese verträumt auf ihrem Bett liegt. Sie genießt die Komplimente der vielen Soldaten, besonders der Offiziere. Sie lässt sich von den schicken Uniformen und Abzeichen blenden und freut sich, dass wir an diesen Männern kein Interesse haben, sie im Gegenteil immer wieder von uns fernzuhalten suchen. Dadurch widmen sie ihre ganze Aufmerksamkeit Claire. Sie wird regelmäßig ins Frontkino in der Kaserne in Tatarka oder zu Ausflügen nach Bobruisk eingeladen. Sie sei doch hierhergekommen, um etwas zu erleben, und warum solle sie ihre Freizeit nicht genießen. Mich widern diese aufdringlichen Männer nur an. Die Blicke, denen man kaum entfliehen kann, und das Gefühl, hier nicht wegzukommen. Claire scheint das nicht zu stören. Nun muss ausgerechnet Hedwig das Lager verlassen. Marie-Luise widmet ihre Aufmerksamkeit wieder Hedwig, die mit feuchten Augen ihren kleinen Reisekoffer packt.

»Ich bin bestimmt bald wieder hier, Marie-Luise«, flüstert Hedwig und reißt Marie-Luise für einen Moment aus ihren Gedanken.

»Ich kann nichts dagegen tun. Du kennst diese Ärzte und ihre Kaltherzigkeit.«

Und ob ich sie kenne. Ich hatte schon gedacht, dass es nichts mehr geben könne, was mich schockieren würde. Aber sie versetzen mich immer wieder aufs Neue in Schrecken. Wenn ich nur an diese Blutspenden denke. Die Blutspenden, die wir unseren Soldaten in regelmäßigen Abständen übertragen sollen. Zur Stärkung der deutschen Soldaten, heißt es.

Das Blut ist nicht nur für die kranken Soldaten gedacht, sondern es wird auch gesunden SS-Männern übertragen, um sie für den Kampf zu stärken. Marie-Luise spürt, wie erneut Zorn in ihr aufsteigt. Das ist doch völlig irrsinnig, besonders da dieses Blut häufig von sterbenden Kindern oder russischen Zivilisten stammt.

Marie-Luise setzt sich auf ihr Bett und schaut traurig zu Hedwig hinüber, die noch immer mit zitternden Händen ihre wenigen Habseligkeiten sortiert.

Ich sehe einfach keinen Sinn in diesem Krieg und dem, was er aus Menschen macht. Bestien, Monster, anders kann ich es wirklich nicht nennen. Sie scheinen keine menschlichen Regungen mehr zu spüren. Besonders diese jungen Männer der Waffen-SS und Schutzpolizei. Sie streicht sich eine Haarsträhne aus dem Gesicht und spürt, wie immer mehr Wut und Verzweiflung in ihr hochsteigen. Sie sind so grausam, gnadenlos und unbarmherzig. Man spürt es in jeder ihrer Bewegungen und Blicke. Gerade gestern haben sie wieder einen russischen Zivilisten am Eingang des Lagers aufgehängt. Und mit welcher Begründung? Er hatte Essen gestohlen. Marie-Luise starrt auf den Fußboden, um ihre Tränen vor Hedwig zu verbergen. Er hatte ein Brot in der Lagerküche gestohlen, für seine Kinder, als er dort arbeiten musste. Da wird er das Brot gesehen und an seine hungrigen Kinder gedacht haben. Als er das Lager abends verlassen durfte, hat man ihn durchsucht und das Brot gefunden. Sie versucht nicht, ihre Tränen zu unterdrücken, da sie weiß, dass es sinnlos ist. Wenigstens hier sind sie ungestört, soll doch Claire denken, was sie will. Sie haben ihn an den Haaren auf die Mitte des Platzes geschleift und dort auf ihn eingetreten, bis er sich vor Angst nicht mehr bewegt hat. Dann hat ein Wachmann ihn minutenlang ausgepeitscht und mit seinem scharfen Schäferhund bedroht. Als er sich kaum noch rührte, haben sie ihn zum Eingang gezogen und dort an dem Galgen aufgehängt.

Wie viele andere vor ihm. Sie haben verkündet, dass er zur Abschreckung dort hängen bleiben wird.

Inzwischen geben sie sich schon keine Mühe mehr, das alles vor uns Frauen zu verbergen. Sie wissen, dass wir doch nichts daran ändern können und dass wir so schnell nicht aus diesem Lager herauskommen werden. Sie drohten uns mit härtesten Strafen, sollten wir einen Ton über das verlieren, was sich hier ereignet. Ich weiß nicht, um welche Strafen es sich handelt, aber ich traue diesen kaltblütigen Männern alles zu. Sie vergräbt ihr Gesicht in ihren Händen und weint leise in sich hinein.

»Marie-Luise. Sie werden heute die Suppe aus der Lagerküche holen müssen. Die Köchin ist krank und kann sich nicht darum kümmern.«

Marie-Luise wundert sich, wie es denn Suppe geben kann, wenn die Köchin erkrankt ist, doch sie nimmt auch diese Anweisung schweigend entgegen, da sie schon so oft mit ihren Fragen auf Unverständnis bis hin zu feindseliger Aggressivität gestoßen ist. Sie weiß, dass sie in diesem Lager nicht sehr beliebt ist und man ihr auch nicht vertraut. Ein kleiner Umweg erlaubt ihr einen schmerzvollen Blick auf das russische Kriegsgefangenenlager. Es leben inzwischen weniger Russen dort, da viele den Hunger und die wahllosen Erschießungen nicht überstanden haben. Marie-Luise hat sich noch immer nicht an die Unmenschlichkeit in diesem Lager und im Krieg gewöhnt. Für die russischen Gefangenen ist der Tod der einzige Weg, aus dem Lager herauszukommen. Sie betrachtet die dürren Männer, die sich vor Schwäche kaum rühren können. Gerne würde sie diesen Menschen beistehen, aber sie darf nur den deutschen Soldaten helfen. Sie weiß, welche Strafe ihr für Mitleid mit dem Feind droht. Marie-Luise erinnert sich mit Schaudern, wie sie mit ansehen musste, dass die Inhaftierten im Herbst verzweifelt Laub gegessen haben, und läuft zornig weiter Richtung Küche.

Warum gibt man ihnen nichts zu essen? Sie sind so hungrig.

Sie spürt, wie Verzweiflung und Zorn in ihr aufsteigen und sich die Gedanken in ihrem Kopf überschlagen.

Ich wollte schon Brot hineinschmuggeln, aber wie? Sie sind zu stark bewacht und ich komme nicht in dieses Lager hinein. So muss ich untätig zusehen, wie diese Menschen langsam verhungern, falls sie nicht vorher ein anderes Schicksal ereilt.

Die Lazarettküche kommt bereits in Sichtweite, doch Marie-Luise ist in Gedanken immer noch bei den russischen Kriegsgefangenen.

Diese entkräfteten Männer sollen auch noch Zwangsarbeit leisten. Was für ein Hohn. Zwangsarbeit unter diesen Umständen. Sie müssen jeden Tag mit rostigen alten Schaufeln Torfgräben ausheben. Wenn die Spaten nicht reichen, werden sie gezwungen, mit den bloßen Händen zu graben, hat mir Hedwig erzählt.

Marie-Luise hat inzwischen die Küche erreicht. Bevor sie das Gebäude betritt, erblickt sie zwei deutsche Soldaten, die eine Karre mit Leichen an ihr vorbeiziehen.

Das sind wieder einige ihrer Opfer, die diese Qualen nicht überlebt haben. Bis zu neun Meter tiefe Gräben müssen sie ausheben, um das Torfgebiet trockenzulegen. Ohne ausreichend Essen und ohne Rücksicht darauf, wie heiß es ist. Ich habe Claire gefragt, wie sie das richtig finden kann. Und was sagt sie? »Es ist ein wichtiger Beitrag für die deutschen Städte, die diesen Torf dringend benötigen. Da muss man Opfer in Kauf nehmen. Wäre es dir lieber, unsere Männer würden sich dort quälen?« Sie passt mit ihrer Kaltblütigkeit wirklich in dieses Lager, aus dem ich am liebsten entfliehen möchte. Aber wie?

So werden diese Menschen zu Opfern. Unzählige Männer, die an Entkräftung oder Unterernährung sterben oder willkürlich erschossen werden. Mit solchen Karren oder Lkws werden sie aus dem Lager geschafft und dann anonym irgendwo begraben. Plötzlich fällt Marie-Luise wieder die Suppe ein. Eilig betritt sie die Küchenbaracke.

Im Inneren der Küche sieht sie vier Frauen sitzen, die schweigend Kartoffeln schälen. Marie-Luise bleibt verwundert stehen und spricht eine der Frauen an. Sie hat dunkle, kurz geschorene Haare und ausdruckslose Augen.

»Guten Tag. Ich bin Schwester Marie-Luise und soll hier Suppe für unser Lazarett abholen.«

Die Angesprochene schaut Marie-Luise ängstlich an. »Sofort. Ich hole sie.« Eilig steht sie auf und geht in den Nachbarraum, während die anderen Frauen sich weiter in ihre Schälarbeit vertiefen und Marie-Luise nicht beachten.

»Seit wann arbeitet ihr denn hier?«, fragt Marie-Luise ein junges Mädchen mit schmutziger Schürze.

»Seit die Köchin krank ist«, antwortet das Mädchen leise. »Aber wir werden in Zukunft häufiger in der Küche helfen. Das ist schon richtig so.« Mit zitternden Händen nimmt sie eine weitere Kartoffel aus einem Eimer, der auf dem Boden vor ihr steht.

»Und woher kommt ihr? Ich habe euch hier noch nie gesehen?«, fragt Marie-Luise unbeirrt weiter.

»Wir sind aus dem jüdischen Getto und sollen hier im Lager helfen. Man teilt uns zu verschiedenen Arbeiten ein, die anfallen, wie kochen, Kartoffeln schälen, das Lazarett und die Baracken putzen oder Wäsche waschen.«

Getto. Marie-Luise zuckt bei dem Wort zusammen.

»Welches Getto?«, fragt sie heiser.

»Aber wissen Sie das denn nicht?«, fragt eine ältere, magere Frau, die Marie-Luise bisher nur schweigend gemustert hat. »Man hat bei Jasen ein Getto eingerichtet. Fast der ganze Ort wurde zum Getto umfunktioniert, da dort sehr viele Juden leben. Wissen Sie das denn nicht?«

Wie praktisch. Marie-Luise spürt, wie erneut Zorn in ihr aufsteigt. Man macht hier wohl vor nichts halt und den Menschen wird offensichtlich nichts erspart. Dieser Krieg ist unmenschlich und grausam!

»Aber wir dürfen nicht mit Ihnen sprechen«, meldet sich nun das junge Mädchen zaghaft zu Wort. »Wir werden sonst bestraft. Und ich habe Angst davor.«

»Das, das wusste ich nicht«, stammelt Marie-Luise entsetzt. Sie ergreift die Suppe und eilt aus dem Küchengebäude. Auf dem Weg zurück ins Lazarett gehen ihr die Worte und Gesichter der jüdischen Frauen nicht aus dem Kopf.

Wie in Trance verlässt Marie-Luise das Lazarettgebäude, in dem sie den ganzen Nachmittag gearbeitet hat. Sie hat sich noch immer nicht an den Geruch und den Anblick der Kriegswunden gewöhnt. Heute wurde wieder ein junger Soldat eingeliefert, der durch eine Mine ein Bein verloren hat.

Marie-Luise glaubt, dass sie auch dieses Bild nicht vergessen wird, wie so vieles andere auch. Die Wunde, das abgerissene Bein und die schmerzerfüllten Augen des Mannes verfolgen sie den ganzen Tag. Sie sehnt sich so sehr nach Hause, fort aus dieser russischen Hölle. Während sie sich auf eine Bank unter einem Birkenbaum setzt, erinnert sie sich daran, wie sie in dieses Land gekommen war.

Ich wollte helfen, deswegen bin ich hierhergekommen. Es war naiver Idealismus, der mich nach Russland führte, durch den ich für die Propaganda empfänglich war. Und nun dies. Sicher, mit meinen Möglichkeiten kann ich helfen. Beispielsweise diesem sterbenden Mann, der solch eine Angst hat. Nicht vor dem Tod, aber vor dem, was ihm die nächsten Stunden bringen werden. Marie-Luise erinnert sich nur ungern an die vergangenen zwei Stunden, während derer sie sich um Wilhelm gekümmert hat. Es beeindruckte sie, dass er ihr, trotz der eigenen Qualen, weiterhin immer wieder Mut zuzusprechen versuchte. Als ahnte er ihre innere Seelennot unter all diesen Männern und in dieser Einsamkeit.

Helfen kann ich auf diesem Wege schon, aber das reicht mir nicht. Ich möchte allen helfen. Nicht nur den deutschen Soldaten.

Warum quält man die russischen Gefangenen und die Juden so? Sie bekommen noch immer keine medizinische Hilfe und nicht genügend Essen! Wenn ich ihnen nur irgendwie helfen könnte.

Resigniert erhebt sie sich von der Holzbank, um in das Zelt und zu ihrer Arbeit zurückzukehren. Sie fürchtet sich vor dem, was sie im Inneren des grauen Zeltes heute erwartet.

Marie-Luise betritt müde die Baracke, in der sie mit Claire wohnt. Sie hat sich noch immer nicht an dieses Quartier gewöhnt, auch nicht an die katastrophalen hygienischen Bedingungen im Lazarett, und wünscht sich nichts sehnlicher, als endlich heimzukehren. Doch selbst ein Heimaturlaub bleibt ihr verwehrt.

»Du könntest deine Schuhe im Getto reparieren lassen«, reißt Claire Marie-Luise aus ihren Gedanken. Marie-Luise schreckt zusammen, sie hat Claire nicht bemerkt.

»Schau doch nicht so erstaunt, Marie-Luise. Du achtest aber auch gar nicht auf dein Äußeres.«

»Ich achte schon genug darauf. Ich bin nur nicht den halben Tag damit beschäftigt wie du.«

»Es sollte nur ein freundschaftlicher Rat sein.« Claire wirft Marie-Luise einen verächtlichen Blick zu und verlässt das Zimmer.

Marie-Luise setzt sich müde auf einen Stuhl und betrachtet ihre Schuhe. Natürlich, Claire hat ja recht. Sie sehen alles andere als gut aus und müssten wirklich einmal repariert werden. Sie wusste nicht, dass dies im Getto möglich ist, da sie während der letzten zwei Jahre kaum das Lager verlassen hatte, obwohl es ihnen nicht mehr verboten ist.

Da Marie-Luise ihre Arbeit beendet hat, beschließt sie, noch am gleichen Tag ins Getto zu gehen.

Am Lagerausgang erklärt sie dem jungen Wachsoldaten ihr Vorhaben, der sie ohne Probleme das Lager verlassen lässt.

So einfach geht das also, wundert sich Marie-Luise.

Sie fühlt sich auf dem einsamen, sandigen Waldweg, der nach Jasen führt, nicht wohl und würde am liebsten umkehren, doch sie weiß, dass ihre Schuhe die Strapazen ihrer Arbeit nicht mehr lange aushalten werden.

Nach einiger Zeit erreicht sie endlich die ersten Häuser der Bahnstation Jasen. Nun kann das Getto nicht mehr weit sein.

Claire hatte bestätigt, was die jüdischen Frauen in der Lazarettküche Marie-Luise erzählt hatten. Ein Einsatzkommando der Wehrmacht hatte einen Teil des Dorfes bei Jasen mit Stacheldraht eingezäunt, mit Wachposten umgeben und zum Getto erklärt.

Auch als Claire Marie-Luise von dem Leben im Getto erzählte, ließ sie wieder einmal jegliche Anteilnahme und jedes Mitgefühl vermissen.

So erzählte sie Marie-Luise, dass es inzwischen vorgeschrieben sei, dass Juden ab zehn Jahren einen Judenstern auf der Brust und dem Rücken tragen müssten und dass sie das Getto nicht ohne besondere Erlaubnis verlassen dürften.

Nach Claires Wegbeschreibung war das Getto nicht schwer zu finden. Es ist wie beschrieben mit Stacheldraht eingezäunt und von hohen Wachtürmen umgeben. Marie-Luise läuft zögernd auf das Eingangstor zu, das von einem Soldaten in grauem Feldanzug der Waffen-SS bewacht wird. Er hält einen knurrenden Schäferhund an der Leine und mustert Marie-Luise misstrauisch. »Was haben Sie hier zu suchen?«, fragt er Marie-Luise, die versucht, sich durch das SS-Zeichen an seinem Kragen und Stahlhelm nicht einschüchtern zu lassen.

»Ich bin Krankenschwester. Aus dem Lager Dunowen. Meine Kollegin Claire sagte mir, dass man hier Schuhe reparieren lassen kann.« Sie bemerkt, dass die Augen des Soldaten bei dem Namen Claire einen freudigen Ausdruck annehmen, wodurch er Marie-Luise auch nicht sympathischer wird.

»Gut, bitte lassen Sie sich nicht davon abhalten. Fragen Sie einfach nach Schuster Jakob. Man wird Sie zu ihm bringen.«

Er öffnet das Gittertor und lässt Marie-Luise das Getto betreten. Im Inneren herrscht eine angespannte Ruhe. Kein Mensch ist auf der Straße zu sehen. Marie-Luise läuft durch die Häuserreihen und fragt sich, wie es den Menschen hier ergehen mag, ob sie genauso gepeinigt würden wie die Kriegsgefangenen im Waldlager. Sie traut den deutschen Besatzern inzwischen alles zu, da sie zu oft miterleben musste, wie die russischen Gefangenen von ihnen ohne jegliches Mitgefühl gequält wurden. In der Heimat wird mir das kein Mensch glauben, denkt sie immer wieder. Diese Aktionen finden ja meistens im Verborgenen statt. Doch alles können sie nicht verheimlichen, auch wenn sie sich noch so sehr darum bemühen. Deswegen haben sie uns Schwestern auch bewusst zum Schweigen verurteilt, da sie wissen, dass wir mehr mitbekommen, als wir sollten. Aber ich lasse mir das nicht verbieten, ich werde darüber reden, wenn ich endlich wieder in die Heimat zurückkehren darf. Noch immer ist kein Mensch zu sehen und Marie-Luise fragt sich, ob es überhaupt noch Bewohner in diesem Ort gibt.

Wenn ich nur allein an die riesigen Gruben im Wald denke. Ich habe in den zwei Jahren wirklich viel Grausames gesehen, aber das Fürchterlichste sind für mich noch immer diese Löcher im Wald. Ihre Hände beginnen bei diesen Gedanken vor Angst zu zittern. Sie erinnert sich besonders an eine dieser Mordaktionen, bei der zur Verstärkung sogar deutsche Schutzpolizisten und SS-Männer aus Bobruisk anrücken mussten und Hunderte Menschen ihr Leben verloren haben. Sie haben bei dieser Aktion alle jüdischen Bewohner eines Dorfes in den Wald getrieben, dort niedergeschossen und dadurch fast die gesamte Bevölkerung dieses Ortes ausgelöscht, da in dieser Gegend beim Einmarsch der Deutschen fast nur Juden lebten. Die Partisanen hatten von dieser Mordaktion erfahren und die Juden gewarnt, doch hat es ihnen niemand glauben wollen, dass so etwas wirklich passieren könnte, dass die Deutschen zu solch einer grausamen Tat tatsächlich fähig sein könnten.

So wurden die ahnungslosen Dorfbewohner früh morgens von der deutschen Einsatztruppe im Schlaf überrascht und schlaftrunken aus ihren Häusern gejagt. Man trieb sie zum Dorfplatz, auf dem sie sich versammeln mussten. Die Waffen-SS hat dann wahllos einige Frauen vergewaltigt.

Dann haben sie die Juden in zwei Häuser gesperrt, tagelang, ohne Essen. Auch viele kleine Kinder wurden auf diese Art gequält und mussten hungern.

Marie-Luise schaut sich in den verlassenen Straßen um und sucht noch immer vergeblich nach einem Lebenszeichen in diesem einsamen Ort, während sie weiter an diese grauenhaften Geschehnisse denkt.

Tagelang hielt man sie in diesen Häusern eingesperrt, auf unvorstellbar engem Raum und unter katastrophalen sanitären Bedingungen. Schließlich wurden die verängstigten Menschen in den Wald getrieben. Die wenigen Einwohner, die nicht von dieser Aktion betroffen waren, standen fassungslos und machtlos daneben und wussten nicht, wie sie es verhindern könnten. Sie waren über diese Säuberungsaktion, wie die Schutzpolizisten es nannten, völlig schockiert und sind aus Angst vor den deutschen Besatzern in Hilflosigkeit und Resignation erstarrt.

Marie-Luise setzt ihren Weg durch das Getto fort und hält immer wieder Ausschau nach einem Menschen, den sie nach dem Schuster fragen könnte. Es begegnet ihr niemand, nur bedrückende Stille umgibt sie.

Der Menschenzug in den Wald hatte kein Ende nehmen wollen. Sie wurden in Kolonnen aus der Stadt in den angrenzenden Birkenwald geführt. Dort warteten riesige Löcher in der Erde auf sie, die von Kriegsgefangenen tagelang gegraben worden waren. In der Nähe dieser Gruben wurden sie aufgefordert, sich hinzusetzten und die Hände hinter dem Kopf zu verschränken. Unzählige Bewacher standen um sie herum und schüchterten diese unschuldigen Menschen ein. Paarweise wurden sie an die Gruben geführt, dort befahl man ihnen, sich auszuziehen.

Ihre Kleidung hatten sie ordentlich zusammenzulegen und genau sortiert auf verschiedenen Stapeln zu legen, Hemden zu Hemden, Schuhe zu Schuhen, Kleider zu Kleidern, Unterwäsche zu Unterwäsche.

Die verzweifelten Mütter mit ihren Kindern an der Hand oder auf dem Arm warteten an den Gruben, bis sie an die Reihe kamen. Sie mussten ihre Kinder entkleiden, sogar die Säuglinge, und die Kleider auf entsprechende Stapel verteilen. Claire hat auch das verteidigt. Es wäre doch eine Verschwendung an Kleidung und Schmuck, wenn man diese nicht vor den Erschießungen einsammeln würde. Zumal man dies alles in der Heimat so dringend benötigen würde. Sie erzählte, dass diese Kleidung mit anderen beschlagnahmten Gütern per Zug ins Deutsche Reich transportiert und als »Spende des weißrussischen Volkes« ausgegeben werde. Welch ein Sarkasmus, entrüstet sich Marie-Luise noch immer.

Wieder schaut sie sich um und sucht nach einem Zeichen menschlichen Lebens in diesem stillen Dorf.

Man wundert sich, dass es noch Juden gibt, die man in Gettos sperren kann. Es muss ein schrecklicher Anblick gewesen sein. Es waren so viele Frauen und Kinder dabei. Sie mussten sich daraufhin nackt an den Grubenrand knien, mit dem Gesicht zur Grube, und dann kamen zwei Schutzpolizisten und schossen ihnen von hinten in den Kopf.

Zunächst wurden die Kinder erschossen. Dann auch die Mütter getötet. Die Säuglinge warfen die Schutzpolizisten lebend in die Gruben, um Munition zu sparen. Marie-Luise wischt sich eine von vielen Zornestränen aus dem Augenwinkel.

Das Massaker ging stundenlang, bis die komplette jüdische Bevölkerung einer großen Ortschaft ausgelöscht war. Wie betäubt läuft Marie-Luise durch das Dorf. Die Grausamkeiten der vergangenen Monate steigen wie lebende Ermahnungen in ihr empor.

Die Erschossenen fielen in die Gruben und die Nächsten mussten sich an den Rand der Erdlöcher setzen. Das hat sich unzählige Male wiederholt, wieder und wieder. Das Schreien der Menschen hat man mit klassischer Musik aus einem Lautsprecherwagen übertönt. Zwischendurch mussten russische Kriegsgefangene die Leichen in den Gruben ordentlich aufeinanderschichten, damit mehr hineingingen. Marie-Luises Gedankenstrom stockt und sie bleibt verzweifelt stehen. Dieses unermessliche Leid verfolgt sie nicht nur jede Nacht in ihren Träumen, sondern auch während des Tages, sodass sie sich zeitweise nur mühsam auf ihre Arbeit konzentrieren kann. Warum, fragt sie sich immer wieder. Warum?

Marie-Luise bleibt an einer Straßenecke stehen und überlegt, wie sie in diesen verlassenen Gassen den Weg zu Schuster Jakob finden soll. Da sieht sie hinter einem dunklen Holzschuppen ein kleines Mädchen mit blonden Zöpfen neben einem Rosenstrauch kauern.

»Hallo. Wohnst du hier?«

Das abgemagerte Kind rührt sich nicht von der Stelle und mustert Marie-Luise ängstlich.

»Warum versteckst du dich denn vor mir? Wo sind deine Eltern?«

»Meine Eltern sind weg«, antwortet das Kind leise.

»Wieso? Was ist mit ihnen?«

»Sie wurden weggebracht. Ich weiß nicht, wo sie sind.« Das Kind kauert noch immer hinter dem Schuppen und Marie-Luise bemerkt die Tränen, die ihm über die Wangen laufen.

»Willst du mich auch wegholen?«

»Nein. Natürlich nicht. Ich suche Schuster Jakob. Kannst du mir sagen, wo ich ihn finde?«

»Ja, er wohnt in unserer Nähe.«

»Kannst du mir den Weg zeigen?«

»Sicher.« Zögernd verlässt das Mädchen sein Versteck und führt Marie-Luise durch die noch immer ausgestorbenen Straßen.

Marie-Luise wagt es nicht, das Kind nach dem Grund für diese Stille zu fragen, und folgt ihm schweigend. Als sie das Haus des Schusters erreichen, kann Marie-Luise gerade noch Danke sagen, bevor das Kind schon eilig davonläuft. Marie-Luises Blick schweift über die angrenzenden Gärten und Höfe und sie fragt sich, was für ein schöner Ort dies einmal gewesen sein muss. Die kunstvoll angelegten Vorgärten der kleinen Backsteinhäuser lassen erahnen, wie beschaulich es wohl vor dem Krieg hier gewesen war. Bevor man damit begonnen hatte, die einheimischen Juden einzusperren und umzubringen. Während Marie-Luise ihren Blick wieder auf das liebevoll erbaute Haus des Schusters richtet, muss sie an die riesigen Gruben denken, die es auch nahe der Bahnstation Jasen gab. Wie kann Gott so etwas zulassen?

Man hat die Menschen dort erschossen, stundenlang und doch waren nicht alle tot. Als man die Gruben mit Erde zudeckte, hat die Erde sich noch lange bewegt. Dabei haben sie Musik gespielt. Wie sadistisch, immer wieder dieselben Lieder, die man auch so oft im Lager hört. Sie verursachen mir Magenschmerzen, wenn ich sie höre. Marie-Luise versucht, diese Gedanken und Bilder aus ihrem Kopf zu vertreiben, während sie durch das kleine Gärtchen zur Eingangstür des Hauses läuft, in dem Schuster Jakob wohnen soll. Sie klopft und wartet verunsichert auf das Erscheinen des Schusters.

»Ja, bitte?« Eine kleine, hagere Gestalt öffnet Marie-Luise. Sofort fällt ihr der gelbe Stern auf seiner Brust auf.

»Guten Tag. Ich bin Schwester Marie-Luise. Ich habe gehört, Sie würden Schuhe reparieren, und wollte Sie fragen, ob Sie mir helfen können.«

»Natürlich. Kommen Sie doch herein.«

Auf dem Heimweg überschlagen sich Marie-Luises Gedanken.

Oft hat sie miterlebt, wie die Waffen-SS und Sicherheitspolizei Juden gequält und getötet haben, doch hatte sie sich das Leben im Getto nicht so grausam vorgestellt.

Es wundert sie auch, wie schnell Schuster Jakob zu ihr Vertrauen gefasst und was er ihr alles anvertraut hat. Als hätte seine Seele nur darauf gewartet, sich jemandem offenbaren zu können. Nachdem die Dämme erst einmal gebrochen waren, ist alles aus ihm herausgesprudelt, alle Verletzungen, die sich in den letzten Monaten in seiner Seele angesammelt hatten.

Er erzählte ihr von dem täglichen Leid, das die Einwohner zu erdulden haben. Die Hausdurchsuchungen, die Plünderungen und auch Erschießungen. Von dem ständigen Dasein in Angst und Schrecken und den unaufhörlichen Gefahren. Hunderte Juden wurden abtransportiert und erschossen. Andere wurden als Zwangsarbeiter ins Reich gebracht oder konnten in letzter Minute zu den Partisanen flüchten. Der abgezehrte Mann sagte ihr, dass er nur deshalb noch leben würde, da er Schuster sei und für die Wehrmacht arbeite.

Diese Zwangsarbeit rettete bisher den Handwerkern im Getto das Leben, aber die Angst vor den Erschießungen bleibe.

Jakob berichtete ihr schließlich, dass viele russische und jüdische Menschen den Partisanen ihr Leben zu verdanken hätten und sie diese deswegen unterstützen würden. Vor nicht langer Zeit trieb der Kommandant einer deutschen Garnison die Bewohner eines Dorfes bei Swoboda in das russische Badehaus, die Banja, nur weil ein zwölfjähriger Dorfjunge angeblich das Pferd dieses Kommandanten, auf das er so stolz war, beschimpft hätte.

Die deutschen Soldaten stellten ein Fass mit Benzin in die Banja und legten reichlich Stroh daneben. Die dort eingesperrten Menschen waren wie versteinert. Keiner weinte und niemand versuchte zu flüchten. Die alten Menschen bekreuzigten sich und beteten. Dann suchten die Soldaten alle Männer und Jungen aus der Menschenmenge heraus und erschossen sie vor den Augen der Frauen und Mädchen.

Gerade als die deutschen Soldaten das Stroh anzünden wollten, griffen russische Flugzeuge den Ort an und erschossen einige deutsche Soldaten. Die russische Bevölkerung konnte sich diese unerwartete Rettungsaktion nur durch das Eingreifen der Partisanen erklären. Sie vermuteten, dass diese die Flugzeuge herbeigerufen hätten, da einige Partisanen im Dorf erschienen und den russischen Soldaten halfen, einen großen Teil der Bevölkerung zu retten.

Auch wenn es sich unvorstellbar anhörte, fühlt Marie-Luise, dass jedes seiner Worte wahr war. Sie kennt diese kalten, gnadenlosen Männer in ihrem Lager. Sie sind zu allem fähig und geben sich keine Mühe, das zu verbergen. Sie verspürt immer mehr den Wunsch, nach Hause zurückzukehren und dort über das Unrecht zu berichten, von dem man in ihrer Heimat sicher zu wenig erfährt. Doch hat man ihr bisher jeden Urlaubsantrag abgelehnt, sodass sie nicht weiß, wann sie endlich in die Heimat zurückkehren kann. In ihren Briefen wagt sie nicht, dieses Leid zu erwähnen, da sie befürchtet, dass ihre Briefe von der Waffen-SS gelesen und zensiert werden.

Marie-Luises Gedanken wandern zurück zu Schuster Jakob und sie denkt mit wachsendem Seelenschmerz an dessen abgemagerte, hungrige Kinder. Als sie ihn nach seinem Lohn fragte, winkte er nur ab.

Er dürfe nichts von ihr nehmen. Er sei Jude und hätte für die Deutschen zu arbeiten. Doch in ihrem Inneren reift der Gedanke, dass sie ihm wenigstens Brot bringen müsse. Brot für seine hungrigen Kinder und Medikamente für seine kranke Frau.

Während sie das Waldlager betritt, überlegt sie bereits, wie sie das bewerkstelligen kann.

Marie-Luise betrachtet angestrengt das kleine Fenster im Hof der Lazarettküche und fragt sich, ob sie auch wirklich nicht beobachtet wird. Immer wieder blickt sie sich verstohlen um, kann jedoch nichts erkennen.

Es ist schon dunkel und das Lager ist in den Schein des Vollmondes gehüllt. Endlich fasst sie sich ein Herz und betritt entschlossen die Küchenbaracke, die um diese Zeit verlassen ist. Kein Laut ist zu hören, während Marie-Luise durch die Küchenräume geht und sich nach Brot umsieht. Wie immer hat die Köchin Erna das Brot in verschiedenen Töpfen aufbewahrt. Zum Schutz vor den Ratten und Mäusen, die nachts die Küche in Beschlag nehmen. Die steinernen Töpfe sind mit verschiedenen Tüchern und Deckeln bedeckt und mit Zetteln versehen. Marie-Luise sucht einen besonders großen Vorratsbehälter, in dem sich mehrere Brotlaibe befinden, und nimmt zwei Brote daraus an sich. Es wird hoffentlich nicht auffallen, spricht sie sich selbst Mut zu, während sie sich weiter in der Küche umschaut. Das muss jedoch erst einmal genügen, ich darf nicht zu unvorsichtig sein. Sie löscht das Licht ihrer kleinen Taschenlampe, verlässt eilig die Küchenbaracke, um zum Lazarett hinüberzugehen. Dort herrscht um diese mitternächtliche Stunde ebenfalls eine entspannte Stille, sodass auch Marie-Luises Puls langsam zur Ruhe kommt. Noch entschlossener als zuvor betritt sie die Lazarettbaracke und geht zielstrebig zum Medikamentenschrank. Er ist nicht abgeschlossen. Unzählige Medikamente stapeln sich in den Fächern und sie fragt sich, wie es kommt, dass auch hier nie Mangel herrscht.

Sicher. Für unsere Soldaten ist ja immer alles reichlich vorhanden. Es kommt ständig Nachschub. Sei es aus dem Reich oder aus den besetzten Ländern. Aber ich möchte mir nicht vorstellen, wie unterversorgt die russische Bevölkerung ist. Marie-Luise seufzt und sucht weiter nach den Medikamenten, die sie der Frau des Schusters versprochen hat.

Einmal hat mich ein russischer Zwangsarbeiter angesprochen, erinnert Marie-Luise sich. Er hatte eine große Fleischwunde, da er sich beim Fällen einer Birke am Bahngelände schwer verletzt hatte.

Ich spürte seine unerträglich starken Schmerzen, als er mich um einen Verband bat. Marie-Luise sieht seine flehenden Augen vor sich, als wäre es gerade geschehen.

Gerade als ich ihn zu beruhigen versuchte und helfen wollte, kommt ein SS-Mann zu mir und sagt, dass ich mir dies sparen könne. Es wäre eine Verschwendung, das kostbare Verbandszeug einem Russen zu geben. Von dem man noch nicht einmal wüsste, ob er den nächsten Tag erleben würde. Er solle gefälligst sorgsamer arbeiten. Ich hoffte wieder einmal, das sei alles nur ein langer, furchtbarer Albtraum, aus dem ich endlich erwachen möge.

Noch immer durchsucht Marie-Luise den geräumigen Schrank nach passender Medizin. Endlich hat sie das Gesuchte gefunden und nimmt es an sich. Sie blickt sich kurz um, um sich zu versichern, dass sie nicht beobachtet wurde. Erleichtert verlässt sie dann das Gebäude. Ungesehen kehrt sie zu ihrem Zelt zurück. Die Medikamente und das Brot versteckt sie in ihrem grauen Koffer. Erschöpft und glücklich legt sie sich lange nach Mitternacht schlafen und träumt von dem bevorstehenden Besuch im Getto.

»Marie-Luise, gehst du mit zum Schwimmen?« Claire steht fragend vor Marie-Luise, die gedankenverloren auf ihrem Bett sitzt und an den geplanten Ausflug nach Swoboda denkt. »Du wirst doch bei dieser Hitze nicht hier im Lager bleiben wollen. Es gibt keine Notfälle und ich habe unseren Oberarzt gebeten, ob wir nicht ein paar Stunden im Moorsee baden gehen könnten, und er hat es erlaubt.«

Marie-Luise wundert sich, dass Claire sie mitnehmen möchte, lässt sich aber nichts anmerken.

»Nein, heute nicht. Ich möchte meine Schuhe im Getto abholen.«

»Bei der Hitze zum Getto laufen? Dir ist mal wieder nicht zu helfen«, sagt Claire kühl. »Ich dachte, dass du dich freuen würdest, wenn wir uns einen schönen Nachmittag machen.

Es kommt auch ein gut aussehender Obersturmführer mit, der sich nach dir erkundigt hat.«

»Was für ein Obersturmführer?«

»Er gehört zum Einsatzkommando aus Minsk, das vorübergehend in Bobruisk zur Partisanenjagd stationiert ist.«

»Partisanenjagd? Dann redest du von einem SS-Obersturmführer. Du weißt genau, dass sie nicht nur Partisanen jagen, sondern auch Jagd auf Juden machen und dass sie zur Waffen-SS gehören.« Marie-Luise ist entsetzt. Einen Angehörigen der Waffen-SS zu treffen, hat ihr gerade noch gefehlt bei dem, was sie geplant hat. »Ich habe kein Interesse an diesen Männern«, antwortet sie abwehrend.

»Wird sich das denn nie ändern, Marie-Luise?« Claire ist sichtlich gereizt. »Was hast du denn gegen ihre Arbeit? Sie erfüllen nur ihre Pflicht und das gründlich.«

»Ja, das kann man so sagen.«

»Was meinst du damit?«

»Dass sie ihre Arbeit gründlich tun, mehr nicht.«

»Das gehört sich auch so. Immerhin wurden sie deswegen nach Weißrussland geschickt.« Claires Blick wird schon wieder feindselig. »Ich bewundere sie für ihren Mut und ihre Entschlossenheit.«

»Mit denen sie die Menschen hier quälen und töten. Meinst du das?«

Claire starrt Marie-Luise böse an und schweigt, während diese unbeirrt fortfährt: »Genau das ist ihre Aufgabe. Sie sind hier, um Angst und Schrecken zu verbreiten und um die Menschen auszurotten.«

»Na und? Was geht dich das an?«

»Claire, wie kannst du nur so herzlos sein? Wieso hast du nicht einen Funken Mitleid mit den unzähligen, unschuldigen Opfern, die hier täglich zu beklagen sind?«

»Wer sagt mir, dass sie unschuldig sind?«, antwortet Claire gereizt.

»Ich war auch viel zu lange blind, bevor ich mich an die Front gemeldet habe, und wollte nicht sehen, was für eine Gewalt von diesen Truppen ausgeht. Kannst du mir sagen, was ein kleines jüdisches Kind verbrochen haben kann, dass man es mit anderen Juden in eine Scheune sperrt, tagelang hungern lässt und schließlich lebendig in diesem Gebäude verbrennt? Kannst du mir bitte erklären, wie ein Mensch das rechtfertigen kann? Und wie man sich mit so etwas sein Gewissen belasten kann?«

»Im Krieg gibt es leider immer wieder unschuldige Opfer, auch auf unserer Seite. Vergiss das bitte nicht.«

»Soll das als Rechtfertigung dienen?«

»Nein. Aber das soll bedeuten, dass es noch lange kein Grund ist, schlecht über unsere Schutzpolizei zu reden, nur weil sie auch einmal Unschuldige mit ihren Aktionen trifft.«

»Claire, bitte.« Marie-Luise schaut ihre Kollegin vorwurfsvoll an.

»Ich habe noch keinen deiner SS-Männer gesehen, der mir nicht einen kalten Schauer über den Rücken gejagt hätte. Sie sind gnadenlos und kalt. Merkst du das denn nicht? Warum kannst du dich nicht mit ›normalen‹ Soldaten treffen, was fasziniert dich so an diesen Angehörigen der SS?«

»Ich finde, dass sie sehr charmant sind.«

»Sicher, zu dir sind sie charmant. Du bist ja auch eine Deutsche und darüber hinaus eine junge Frau und die gibt es in dieser Einöde ja nicht so häufig.«

Claire starrt Marie-Luise angriffslustig an. »Und du bist ja alles andere als freundlich zu diesen Männern und denkst nur an deinen Johannes, der dich längst vergessen hat. Oder hat er dir geschrieben?« Claire bemerkt zufrieden, wie Marie-Luise zusammenzuckt.

»Es wundert mich ja selbst, dass sich jemand nach dir erkundigt hat. Und wenn schon. Obersturmführer Wegener bat mich, dich zu fragen, ob du mit zum See kommst. Aber offensichtlich bist du dir dazu zu fein und verbringst lieber deine freie Zeit damit, sterbenden Soldaten ihre Briefe nach Hause zu schreiben.

Mich interessieren die lebenden Soldaten mehr und ich möchte nicht immer an das Leid und den Tod erinnert werden.« Claire schaut Marie-Luise vorwurfsvoll an und verlässt dann zielstrebig das Schlafzelt, ohne sich noch einmal umzudrehen.

Marie-Luise bleibt schweigend zurück und versucht, ihre Gedanken wieder auf den bevorstehenden Gettobesuch zu lenken und Claires verletzende Worte zu vergessen.

Ein einsamer Storch fliegt über die Lichtung und scheint nach Futter für seine Jungen zu suchen.

Du bist freier als wir Menschen, denkt Marie-Luise traurig. Für dich gibt es keine Grenzen und Nationen und niemand verbietet dir, für deine Jungen Nahrung zu sammeln. Ihr Blick folgt wehmütig dem Storch und sie fragt sich, wann sie ihre Freiheit wieder zurückerlangen würde.

Der Waldweg ist sandig und heiß und die dünnen Birkenbäume spenden kaum Schatten. Der Weg kommt ihr heute besonders weit vor. Sie weiß, dass dies an ihrer Nervosität liegt und an dem, was auf sie wartet. Das Brot hat sie unter ihrem Kleid versteckt, ebenso wie die Medikamente für die Familie in Swoboda, deren ganze Hoffnung auf sie gerichtet ist.

Sie haben ja so geweint, als ich ihnen sagte, dass ich versuchen würde, ihnen Brot und Medikamente zu bringen. Sie kämpft wieder einmal selbst mit den Tränen. Zunächst wollten sie es nicht. Sie hatten große Angst, ich könnte entdeckt werden. Sie wüssten nicht, was mit mir geschehen würde. Aber ich habe mich nicht davon abbringen lassen. Die hungrigen Augen der Kinder lassen mir keine andere Wahl.

Zwischen ihre Verzweiflungstränen mischen sich nun auch wieder Tränen des Zornes.

Aber ich mache mir natürlich Sorgen, was passieren könnte, wenn man das Brot und die Medizin in ihrem Haus finden sollte. Schuster Jakob erzählte, dass darauf die Todesstrafe stehen würde.

Außerdem könnte es passieren, dass weitere unschuldige Menschen im Getto getötet werden, zur Abschreckung. Marie-Luise zittert bei dieser Vorstellung.

Aber ich muss es einfach tun. Ich könnte es mir nie verzeihen, sollten seine Kinder verhungern, nur weil ich zu feige war.

Entschlossen läuft Marie-Luise weiter und versucht, ihr stärker werdendes Herzrasen zu ignorieren.

Was soll schon passieren? Man hat mich das letzte Mal auch nicht durchsucht. Und es ist doch glaubwürdig, dass ich meine Schuhe wieder abholen muss.

Langsam kommen die ersten Häuser des Dorfes Jasen in Sicht.

Für mich ist es wirklich nicht so gefahrvoll wie für die jüdischen Bewohner dieser Siedlung. Sie werden immer durchsucht, wenn sie von ihren Arbeitseinsätzen ins Dorf zurückkehren.

Marie-Luise hat den Wachposten am Eingang des Dorfes erreicht und versucht, einen ruhigen Eindruck zu vermitteln.

»Sie waren doch vor ein paar Tagen schon einmal hier«, begrüßt sie der Soldat. »Haben Sie den Schuster damals gefunden?«

Marie-Luise wundert sich, dass er sich offensichtlich noch an den Grund ihres Besuches erinnern kann, und denkt sich, dass sie wirklich vorsichtig sein muss.

»Ja, danke. Und nun möchte ich meine Schuhe abholen. Ich habe dienstfrei, sodass es gerade passt. Auch wenn man bei dem Wetter natürlich lieber schwimmen gehen möchte.«

»Das kann man wohl sagen«, antwortet der Wachposten und öffnet Marie-Luise ohne weitere Fragen das Tor.

Erleichtert betritt sie die menschenleeren Straßen und läuft mit klopfendem Herzen zum Haus des Schusters.

Während Marie-Luise den lauen Sommerabend im Hof des Lazarettes genießt, beobachtet sie, wie Claire strahlend über den Lagerhof auf sie zu spaziert.

»Na, war es schön?« begrüßt Marie-Luise Claire, um die Stimmung zwischen ihnen wieder etwas zu besänftigen.

Es hat ja doch keinen Sinn. Sie müssen hier miteinander auskommen, auch wenn sie sich nichts zu sagen haben und in verschiedenen Welten zu leben scheinen.

»Oh ja, Marie-Luise. Es war ja so ein wunderschöner Tag. Und die beiden jungen Männer waren so nett«, schwärmt Claire. »Mit Fritz würdest du dich bestimmt sehr gut verstehen. Er ist äußerst charmant und war so traurig, dass du nicht gekommen bist.«

»Ich habe es dir schon einmal erklärt, Claire. Ein Obersturmführer der SS wäre der letzte Mann, der ... «

»Manchmal frage ich mich, ob du dich überhaupt für Männer interessierst«, unterbricht sie Claire. »Und wer weiß, ob es diesen Johannes überhaupt gibt. Ich habe noch immer nicht gesehen, dass deine Post beantwortet wurde. Du kannst mir viel erzählen.«

»Natürlich gibt es ihn, und ich werde zu ihm zurückkehren, wie ich es ihm versprochen habe. Und es wird einen Grund geben, warum ich noch keine Post von ihm bekommen habe. Vielleicht ist er selbst an der Front und hat keine Möglichkeit zu schreiben.« Claire verdreht gelangweilt die Augen und wendet sich wortlos von Marie-Luise ab.

Marie-Luise schaut ihr schweigend nach und kann noch immer nicht glauben, wie es in Claires Innerem aussieht. Sie hätte gedacht, dass sich Claire durch diesen Krieg und durch den Aufenthalt an der Front ändern würde. Offensichtlich hat sie dies nicht, sonst könnte sie sich wohl kaum mit diesen kalten, undurchsichtigen und brutalen Männern einlassen.

Ein Sanitäter kommt grüßend vorbei und reißt sie für kurze Zeit aus ihren Gedanken, doch schon bald drehen sich sie wieder um Claire.

Wir sind nun fast zwei Jahre hier und sie hat nicht einen Augenblick etwas Mitgefühl mit den hiesigen Bewohnern gezeigt. Offensichtlich haben bei ihr die antijüdische Hetze und die unablässige Propaganda Wirkung gezeigt. Marie-Luises Blick verliert sich im Nichts, während sie weiter über ihre Kollegin nachdenkt.

Claire sieht in ihnen nur Untermenschen, denen man nicht zu helfen braucht und denen man jegliches Lebensrecht und Mitgefühl verweigern muss. Marie-Luise ist in ihre Gedanken vertieft und bemerkt nicht, dass sich ihr eine graue Gestalt genähert hat und sie unaufhörlich beobachtet. Sie erinnert sich daran, wie sie immer wieder versuchte, Claire an die Genfer Konventionen zu erinnern. Dass es ihre Pflicht sei, allen Leidenden und Kranken zu helfen, und dass man dies nicht von Nationalität oder Glauben abhängig machen dürfe. Claire schaute Marie-Luise in solchen Momenten jedoch nur verständnislos an und entgegnete, dass bei ihr die Pflicht zum Vaterland an erster Stelle stehen würde. Marie-Luise nimmt nicht wahr, dass sie inzwischen laut mit sich selbst spricht. »Vaterlandspflicht. Mehr fällt ihr nicht ein. Auch so eine Propaganda. Was ist das für ein Vaterland, dessen Angehörige hier jahrelang wüten und morden. Ich fühle mich diesem Land nicht verpflichtet.«

»Und wem oder was fühlen Sie sich verpflichtet?«

Marie-Luise zuckt erschrocken zusammen, als sie die Stimme des jungen Mannes aus ihren Gedanken reißt.

»Ich finde das äußerst interessant, was Sie gerade von sich geben, und würde Ihnen empfehlen, so etwas in Zukunft nicht mehr zu äußern und Ihre Worte zu überdenken. Ich müsste Sie eigentlich melden.«

Marie-Luise schaut den hochgewachsenen Soldaten in feldgrauer Uniform an und erschaudert, als sie das SS-Zeichen am Kragenspiegel und den silbernen Adler an seiner Schirmmütze erkennt. Er ist von der Waffen-SS, ausgerechnet von der SS. Was mag er nur alles gehört haben, fragt sich Marie-Luise.

»Vielleicht sollte ich mich erst einmal vorstellen, dies gebietet wohl die Höflichkeit. Mein Name ist Wegener, Fritz Wegener.« Er streckt Marie-Luise zur Begrüßung die Hand entgegen, die diese nur zögernd ergreift.

»Marie-Luise Suttner«, antwortet sie kurz angebunden und entzieht sich sogleich dem kalten Händedruck.

»Ich weiß«, erwidert er vieldeutig und versucht, ein freundliches Lächeln hervorzubringen. »Das ist mir durchaus bekannt. Ich habe Sie schon seit Längerem beobachtet und gehofft, dass Claire Sie heute zum Badesee mitbringen würde. Sie kamen leider nicht, sodass ich Sie nun persönlich einladen wollte.«

»Ich hatte keine Zeit«, erwidert Marie-Luise abweisend.

»Ja, auch das ist mir nicht neu. Claire hat sich schon häufiger darüber beklagt, dass Sie zu viel arbeiten würden. Außerdem hat sie erwähnt, dass Sie sich zu viele Gedanken über Dinge machen würden, die Sie nichts angehen.«

Marie-Luise fühlt sich zunehmend unwohl in seiner Gegenwart und fragt sich, was er von Claire noch über sie erfahren haben mag.

»Aber ich gebe mich mit einem solchen Korb nicht zufrieden«, redet er unbeirrt weiter auf sie ein. »Ich würde Sie gerne zu einem Spaziergang einladen. Ich weiß, dass Sie nun frei haben.«

Marie-Luise schaut widerwillig in seine kalten, grünen Augen, die mehr zu verbergen scheinen, als sie preiszugeben gewillt sind. Woher wusste er das und was war ihm noch über sie bekannt?

»Ich werde in einer Stunde am Lagertor auf Sie warten«, fügt er selbstbewusst hinzu und verlässt, ohne ihre Antwort abzuwarten, den kleinen Hof, in den sich Marie-Luise zurückgezogen hatte.

»Marie-Luise! Wie konntest du nur den Obersturmführer Wegener so vor den Kopf stoßen?« Aufgebracht bleibt Claire vor Marie-Luise stehen. »Er war äußerst verärgert, dass du auf seine Einladung nicht eingegangen bist und er vergeblich auf dich gewartet hat.«

»Das war wohl eher eine Anweisung als eine Einladung. Ich habe kein Interesse an ihm und ich hoffe, dass er das endlich akzeptiert.«

Claire betrachtet Marie-Luise fassungslos. »Aber was hast du gegen ihn? Er ist gutaussehend, charmant und sehr erfolgreich.«

»Erfolgreich worin? In was kann ein Schutzpolizist schon erfolgreich sein?«, entgegnet Marie-Luise angriffslustig. »Im Morden, im Abbrennen, im Angstverbreiten oder im Plündern? In was?« Claire starrt sie mit aufgerissenen Augen an und sucht vergeblich nach Worten.

»Ich bin nun lange genug in diesem Land und weiß, welchen Auftrag diese Männer hier haben. Es sind keine Soldaten, es sind Mordkommandos!« Claire schaut sich ängstlich um, ob sie auch niemand gehört hat.

»Auch er ist nicht anders. Da genügt ein Blick in seine Augen.«

Claire schnappt nach Luft und ringt vergeblich nach einer Antwort, während Marie-Luise unbeirrt fortfährt: »Mir ist es egal, wie du von diesen Männern schwärmst. Das ist deine Sache, wenn du dich mit ihnen einlässt, aber wage es nicht noch einmal, irgendeinem dieser Unmenschen irgendetwas über mich zu erzählen!«

»Wenn dich jemand hört! So kenne ich dich ja gar nicht«, erwidert Claire. »Ich habe ihm nicht viel über dich erzählt.«

»Weißt du, Claire, dass es hier von Tag zu Tag unerträglicher wird? Im Gegensatz zu dir interessiere ich mich für das, was sich hier abspielt, was man den Menschen antut. Siehst du nicht diese Massengräber, die immer mehr werden?« Marie-Luise streicht sich wütend eine Haarsträhne aus der Stirn. »Siehst du nicht, dass hier die Bevölkerung ausgelöscht wird? Das hat nichts mehr mit Krieg zu tun, wie du immer so schön sagst. Die Front ist schon lange weiter nach Osten gerückt, doch hier wird systematisch ein ganzes Volk ausgelöscht, insbesondere die Juden.« Dabei drängt sich wieder einmal ihre Sorge um Schuster Jakob in Marie-Luises Gedanken. »Die Dörfer bestehen hier zum großen Teil aus Juden, die man vernichten will. Oder sollte ich lieber sagen, dass man dies schon erfolgreich vielerorts getan hat?«

Claire starrt Marie-Luise feindselig an, doch diese fährt unbeirrt fort.

»Die nicht-jüdische russische Bevölkerung wird auch nicht verschont. Da haben sie andere Argumente für ihre Säuberungsaktionen: Partisanen! Wenn ich dieses Wort schon höre.«

»Was meinst du denn damit?«, unterbricht sie Claire, die endlich ihre Stimme wiedergefunden zu haben scheint. »Du willst doch nicht auch noch die Partisanenjagd unserer mutigen Männer schlechtreden?«

»Mutige Männer. Partisanenjagd. Genau das meine ich. Alle Russen, die unbequem werden, werden als Partisanen bezeichnet und erschossen. Und im Übrigen kann ich die wirklichen Partisanengruppen verstehen.«

Claire springt erschrocken auf. »Wie kannst du so etwas sagen? Jetzt gehst du wirklich zu weit.«

»Wieso? Was würdest du machen, wenn du mit ansehen müsstest, dass dein Volk abgeschlachtet wird? Dass deine Familie vor deinen Augen verhungert? Weil du ihnen noch nicht einmal etwas zu essen geben kannst?« Wütend streicht Marie-Luise sich erneut die widerspenstige Haarsträhne aus dem Gesicht. »Und warum nicht? Weil unsere ›mutigen‹ Männer ihnen aber auch alles nehmen, alles! Ihre Tiere, ihre Ernte, ihre Vorräte und ihre wenigen Habseligkeiten.«

»Das glaube ich nicht«, entfährt es Claire.

»Na, wo ist denn die warme Wolldecke her, die dir einer deiner Verehrer letzte Woche mitgebracht hat?« Marie-Luise macht eine vielsagende Pause, bevor sie weiterredet. »Oder die Uhr, auf die du so stolz bist? Der Spiegel, die Kleider? Ich könnte eine ganze Liste schreiben von Dingen, die sie dir mitbringen. Das alles stammt von Plünderungen. Es wurde den Menschen abgenommen, bevor man sie an den Gruben erschoss oder die Häuser ansteckte, in denen sie lebend verbrannten. Dann sind sie auch noch stolz auf diese Beute. Schicken sie ins Reich oder verschenken sie an so naive Frauen wie dich.«

Wütend verlässt Marie-Luise die Krankenbaracke, die sie wegen eines Typhusfalles hätte entseuchen sollen, und lässt eine nachdenkliche Claire zurück.

»Schwester Marie-Luise! Wie schön, dass Sie wieder zu Besuch hier sind.« Freudig öffnet Schuster Jakob die Haustür und bittet sie einzutreten.

»Ich wollte sehen, wie es Ihnen geht und ob Ihrer Frau die Medikamente geholfen haben.«

»Ja. Wir sind Ihnen so dankbar dafür. Es ist das erste Mal seit Jahren, dass wir wieder etwas Lebensmut gefunden und das Gefühl haben, dass es doch noch so etwas wie Menschlichkeit gibt.« Wieder kämpft der Schuster mit seinen Tränen, die er vor Marie-Luise nicht zeigen möchte. »Den Kindern geht es auch schon besser. Sie weinen nachts nicht mehr im Schlaf.«

Marie-Luise begrüßt ein wenig erleichtert die restlichen Familienmitglieder, während Jakob sie durch das Haus führt.

»Ich habe ein schlechtes Gewissen gegenüber den anderen Gettobewohnern. Es sind ja nicht mehr viele übrig, aber es reicht trotzdem nicht für alle.«

»Ich weiß«, sagt Marie-Luise traurig. »Doch mehr kann ich leider nicht aus dem Lager schmuggeln.«

»Nein, nein. So meinte ich das nicht«, ruft Jakob entsetzt. »Sie nehmen ein viel zu großes Risiko auf sich. Ich kann mir nicht ausmalen, was passieren würde, wenn man Sie erwischt.«

»Daran denken wir lieber nicht«, versucht Marie-Luise ihn zu beruhigen, während sie sich zu seinen Kindern an den kleinen Wohnzimmertisch setzt. Sie schaut sich im Zimmer um und fragt sich, wie es wohl eingerichtet war. Es ist kaum noch etwas davon zu sehen. Das meiste haben die Deutschen mitgenommen, das wenige, was man ihnen ließ, wie beispielsweise ihre kostbaren Bücher, hat Familie Jakob in den eisigen Wintermonaten zum Heizen verbrannt.

»Ich habe Ihnen heute drei frisch gebackene Brote mitgebracht und etwas Fleischwurst.«

Jakob schaut sie überrascht an, während sie fortfährt. »Man erwartet im Lager Besuch aus Berlin, irgendwelche wichtigen Militärpersonen, sodass es derzeit mehr Essen in der Küche gibt. Dadurch ist es nicht aufgefallen, dass ich etwas mehr als sonst mitgenommen habe.«

Dankbar nimmt Jakobs Frau Irena das Mitgebrachte an sich und versteckt es unter einer Fußbodenplatte.

»Ich muss leider wieder gehen. Es fällt langsam auf, wie häufig ich etwas zu reparieren habe. Heute habe ich dem Wachmann erklärt, dass ich bei Schneider Glanderer etwas anzufertigen habe, und er schien mir noch einmal zu glauben. Aber ich spüre, dass ich vorsichtiger sein muss.« Marie-Luise erhebt sich und verabschiedet sich von Jakob. »Ich werde eine Zeit lang nicht zu Besuch kommen. Das verstehen Sie sicher.«

»Natürlich verstehe ich das«, antwortet er. »Wir sind Ihnen ja so dankbar für alles, was Sie bisher für uns getan haben, und wünschen Ihnen Gottes Segen.«

Marie-Luise verabschiedet sich und läuft über die verlassenen Straßen zurück zum Gettotor, das ihr so bedrohlich wie ihr eigenes Lagertor vorkommt, ein Tor, dem unzählige Menschen nicht entrinnen können.

Marie-Luise eilt im Schein der untergehenden Sonne den einsamen Waldweg Richtung Tatarka entlang, um noch vor Einbruch der Dunkelheit das Waldlager zu erreichen. Sie erschaudert, wenn sie an das ausgedehnte Moorgebiet denkt, das den Weg und das Lager umgibt. Sie empfindet das Moor als ebenso heimtückisch wie das Wüten der Waffen-SS in den angrenzenden Wäldern. Sie weiß, dass die deutsche Armee bewusst diesen von außen schwer zugänglichen Standort für das Lager ausgewählt hat. Man muss immer damit rechnen, dass die Füße im Boden versinken, sicher ist man nur auf dem Waldweg und auf den Dämmen und Gleisen, die dem Torfabbau dienen.

Marie-Luise hatte sich so auf dieses einsame Land gefreut und gehofft, dass sie hier trotz des Krieges etwas Trost und Kraft schöpfen würde, so wie in ihrer Kindheit in Masuren. Doch wagte sie es nicht, sich hier in die Wälder zu flüchten. Nicht nur wegen des Moores, sondern auch wegen der vielen Menschen, die dort getötet und vergraben wurden. Für sie war da kein Leben mehr, das ihr Kraft und Zuversicht schenkte, sondern nur Angst und Schrecken.

In diese Gedanken versunken, überquert sie einen kleinen Birkensteg, der über einen der vielen Torfgräben führt, die von Kriegsgefangenen ausgehoben wurden. Sie bemerkt dabei nicht, dass ihr schon länger ein Schatten folgt, der immer schneller zu werden scheint. Ihr Geist ist in ihren verzweifelten Gedanken gefangen, so wie ihr Körper in diesem Land. Sie erinnert sich an die vielen Menschen, die beim Ausheben der Gräben qualvoll gestorben sind. Nicht wenige wurden von herabstürzender Erde begraben und man befreite sie nicht. Andere verhungerten oder hatten sich an dem Moorwasser vergiftet, das sie trinken mussten.

Der Schatten hat sie inzwischen eingeholt und sie spürt, wie sie plötzlich jemand am Arm packt und zum Stehenbleiben zwingt. Entsetzt dreht sie sich um und schaut in das grinsende Gesicht von Obersturmführer Wegener.

»Was soll das?«, ruft Marie-Luise aufgebracht und versucht, sich ihre Angst nicht anmerken zu lassen.

»Dieses Mal entkommst du mir nicht.« Fritz Wegener schaut Marie-Luise scharf an und verstärkt seinen Griff. »Du hältst dich wohl für etwas Besonderes? Aber ich lasse mich so nicht behandeln.«

Marie-Luise bemerkt, wie sich ihr Magen verkrampft, und versucht, sich aus seiner Umklammerung zu lösen.

»Lassen Sie mich sofort los!« Doch sie wehrt sich vergeblich gegen seinen festen Handgriff, der sie am Weitergehen hindert.

»Oh nein. Du hältst dich für besonders schlau und glaubst, ich merke nicht, was dich ins Getto treibt.«

Marie-Luise stockt der Atem und sie spürt, wie ihr allmählich übel wird.

»Du schmuggelst Brot und Medikamente zu den Juden. Für wie dumm hältst du uns eigentlich? Wir wissen, dass dies nun schon einige Zeit so geht, und wir werden es in Zukunft nicht mehr dulden.«

»Ich, ich wollte doch nur helfen. Warum versteht das keiner?«

»Helfen? Das sind Juden! Und du verschwendest unser kostbares Brot. Ja, das habe ich mir gedacht. Jetzt hast du Angst. Du bist doch angeblich so mutig und großherzig, warum nun diese Angst?«

Marie-Luise schaut erschrocken in seine eiskalten Augen und bemerkt voller Entsetzen, dass er sie langsam von dem sandigen Waldweg wegzerrt.

Eine furchtbare Ahnung bemächtigt sich ihrer. »Lass mich los«, schreit sie immer verzweifelter. »Lass mich endlich los!«

»Nein. Jetzt kommst du mit, ob du willst oder nicht. Du bist für uns schon lange vom Weg abgekommen.«

Wegener drängt sie immer tiefer in den düsteren Wald hinein. Als sie eine kleine, verborgene Lichtung erreichen, drückt er sie brutal auf den Waldboden und erstickt mit seiner Hand ihre verzweifelten Schreie.

»Schrei nur, hier hört dich doch keiner.« Während er sie immer fester gegen den Waldboden presst, muss Marie-Luise erkennen, dass sie gegen seine Kräfte machtlos ist. Ihren Lippen entspringt noch ein letzter stummer Schrei, bevor sie von einer wohltuenden Dunkelheit eingehüllt wird.

Das Land ist in eine sternenlose Nacht getaucht, während Marie-Luise zitternd zum Waldlager zurückläuft. Sie ist bestürzt über das, was sich im Wald zugetragen hat. Sie hatte doch nur helfen wollen.

Natürlich wusste sie, dass es gefährlich war, Lebensmittel ins Getto zu schmuggeln, aber sie hatte nicht mit einer solchen Vergeltungsaktion gerechnet. Wie konnte Fritz Wegener sie dafür nur so hassen? Wieso musste er sie aus Rache vergewaltigen?

Endlich erreicht sie das Waldlager. Sie ist erleichtert darüber, dass ihr zu dieser späten Stunde auf dem einsamen Waldweg niemand begegnet ist. Der Wachposten ist in ein Gespräch mit einem Soldaten vertieft und nimmt kaum Notiz von Marie-Luise. Er ist nur an dem Losungswort interessiert und nickt ihr zur Bestätigung kurz zu. Sie betritt hastig das Lager und gelangt unbemerkt zu ihrem Nachtquartier. Dort zieht sie ihr zerrissenes Kleid aus und wäscht sich, so gut es in diesem Lager möglich ist. Durch die Kriegsgefangenen ist zumindest genügend Wasser vorhanden, das vom Dorfbrunnen in Eimern ins Lager gebracht wird. Doch auch dies ändert nichts an ihrem Gefühl, bis tief in ihre Seele beschmutzt zu sein. Erschöpft vergräbt sie sich unter ihrer kalten, dünnen Decke. Die Bilder der letzten Stunden lassen sie nicht los und verfolgen sie bis in ihre tiefsten Träume.

Gegen Morgen steht Claire besorgt an Marie-Luises Bett und rüttelt sie wach. »Was ist denn mit dir los? Warum schreist du so?«

Marie-Luise schreckt aus dem Schlaf auf. Sie sieht wieder die Bilder der Nacht, die Augen von Wegener vor sich, doch sie bringt es nicht fertig, sich Claire anzuvertrauen. Denn selbst wenn Claire ihr glauben würde, könnte sie es ihr nicht sagen, nicht nur aus Scham. Wegener hatte ihr gedroht, dass er alles abstreiten würde, sollte sie über diesen Vorfall sprechen. Sie könne sich sicher sein, dass man ihm Glauben schenken würde, wenn er im Lager verbreiten würde, dass sie sich schon häufiger heimlich nachts mit ihm im Wald getroffen hätte und es nicht gegen ihren Willen war. Sie hätte schließlich nichts dagegenzusetzen, außer sie wolle ihren Vorgesetzten erzählen, bei wem sie in Wirklichkeit war.

Dann würde sie nicht nur ihr eigenes Leben aufs Spiel setzen, sondern auch das ihrer Freunde im Getto. Marie-Luise hatte keine Wahl, sie musste diesen Schmerz alleine tragen.

»Ach, ich habe schlecht geträumt, das war nur ein böser Traum«, murmelt sie, bevor sie wieder in einen unruhigen Schlaf fällt.

Nach dem Überfall im Wald wurde Marie-Luise vorsichtiger und riskierte in den folgenden Monaten keinen Besuch mehr im Getto. Stattdessen warf sie in regelmäßigen Abständen etwas Brot über den Zaun und hoffte, dass es in die richtigen Hände kommen würde. Sie hätte zu gerne gewusst, wie es den Familien ging, denen sie geholfen hatte, sie befürchtete, dass man auch sie brutal bestraft hatte. Tagsüber konnte sie sich durch die Arbeit im Lazarett ablenken, doch nachts verfolgten sie noch immer die Bilder von Wegener in ihren Träumen.

So sitzt Marie-Luise an diesem kühlen Sommertag, wie so häufig in letzter Zeit, gedankenverloren in der Lazarettküche und versucht, die Albträume der letzten Nacht zu verdrängen.

»Ich muss dir unbedingt etwas erzählen.«

Marie-Luise, die nicht bemerkt hatte, dass Claire die Baracke betreten hat, zuckt erschrocken zusammen.

»Stell dir vor, wer gerade zurückgekommen ist, Hedwig.«

Marie-Luise schaut Claire überrascht an.

»Das Lazarett, in dem sie gearbeitet hat, wurde geschlossen. Es ist eigenartig, auch hier scheinen einige Soldatengruppen Richtung Westen aufzubrechen. Man munkelt, dass die Front wieder näher rückt.«

Marie-Luise kann es kaum glauben, dass Hedwig zurückgekehrt ist, und ein Lächeln huscht kurz über ihr Gesicht.

»Und wie geht es ihr?«

»Sie hat erzählt, dass man die Soldaten in Stalingrad eingekesselt hat und die Front eingebrochen ist. Es muss furchtbar sein.« Claire redet aufgeregt weiter. »Ich hoffe, dass wir auch nicht mehr lange hierbleiben müssen. Ich wünsche mir so sehr, endlich wieder in die Heimat zurückzukehren.«

»Ja, davon träume auch ich jeden Tag«, seufzt Marie-Luise, die Claires aufgeregten Worten kaum folgen kann. »Doch wenigstens hat man uns einen Heimaturlaub genehmigt und wir werden kommenden Monat für drei Wochen zu unseren Familien und Freunden reisen dürfen.«

»Ach, wenn es doch nur bald so weit wäre. Ich hoffe, dass wir nicht auch von der Front überrollt werden. Ich habe versucht, unseren Oberarzt auszufragen, wie es an den Frontlinien aussieht, aber er hüllt sich wie immer in Schweigen.«

»Vielleicht weiß er selbst nichts«, sucht Marie-Luise nach einer Erklärung.

»Oh, doch. Er muss etwas wissen. Er hat einen Radioempfänger und sitzt jeden Abend davor! Du solltest seine Augen dabei sehen, ich glaube, das ist kein gutes Zeichen. Wenn man sich seinem Zimmer nähert, schaltet er das Gerät sofort aus.«

»Ja, das ist mir auch schon aufgefallen«, bemerkt Marie-Luise. »Es liegt eine sonderbar düstere Stimmung über dem Lager und die Offiziere werden immer wortkarger. Ich denke, sie verheimlichen uns etwas. Lass uns zu Hedwig gehen.«

Tatarka
Herbst 1943

Marie-Luise ist von ihrem Fronturlaub zurück.

Tagelang war sie in kalten, überfüllten Lazarett- und Fronturlauberzügen durch die weißrussische Steppenlandschaft bis Warschau gereist. Von dort fuhr sie mit Personenzügen weiter über Königsberg nach Masuren. Die Waggons wurden aus Angst vor Partisanenangriffen von Soldaten bewacht und mussten immer wieder stundenlang auf freier Strecke halten. Die Landser freuten sich über Marie-Luises Gesellschaft und versorgten sie mit köstlichem Essen, Wein und duftendem Bohnenkaffee. Marie-Luise war erleichtert, als sie nach der langen Fahrt unbeschadet ihre masurische Heimat erreichte.

Doch auch auf dem elterlichen Gut erwartete sie keine Ruhe. Mit ihrem Vater hatte sie wie immer nur Streit, er verstand ihre Sorgen nicht. Er wollte nichts von dem Kriegsgräuel hören und verbot ihr den Mund, wenn sie ihm von den Verbrechen erzählen wollte, die die SS-Einsatzgruppen hinter der Front verübten. Er beharrte darauf, dass sie dies alles nichts anginge und sie ihre Pflicht fürs Vaterland erfüllen möge, indem sie sich ausschließlich um die deutschen Soldaten kümmern solle. Noch größer als ihre Verzweiflung war Marie-Luises Wut. Bevor sie nach Russland ging, war sie selbst viel zu lange blind gewesen für das, was im Land passierte, für die Hetzkampagnen gegen die Juden, die in ihrer Klinik bereits seit 1935 nicht mehr arbeiten durften. Nun schämte sie sich auch dafür. Ihr Vater reagierte dagegen noch immer voller Gleichgültigkeit gegenüber deren Schicksal und unterstellte ihr mangelnde Treue zum Vaterland. Es interessierte ihn nur, ob sie die Ostmedaille, die für den Einsatz im Winter 1941/42 an der Ostfront verliehen wurde, erhalten hätte. Marie-Luise wurde diese Winterschlacht-Medaille tatsächlich verliehen und sie erzählte ihm widerstrebend davon. Das rote Bändchen mit den zwei weißen und schwarzen Streifen, an denen sie befestigt ist, symbolisiert das rote Blut der Verletzten, den weißen Schnee des Winters und die schwarze Farbe der Trauer um die Gefallenen. Marie-Luise bedeutete diese Auszeichnung nichts.

Sie war nicht stolz darauf, dass sie an dem Kriegseinsatz teilgenommen hatte, wenn auch aus humanitären Gründen.

Sie war außerdem entsetzt darüber, dass ihr Vater seit einigen Monaten mehrere französische Kriegsgefangene auf dem Anwesen beschäftigte. Sie musste erkennen, dass sie auch in Masuren nichts hielt, zumal sie schon kurz nach ihrer Ankunft erfahren musste, dass Johannes in Stalingrad vermisst wurde. Marie-Luise verstand nicht, warum er ihr in den vergangenen zwei Jahren nicht geschrieben hatte, auch nicht nach Gut Schattenwalde. Nun schien es dafür zu spät.

So sehnte sie sich schon fast zurück zur Front, besonders, um ihrem Vater zu entfliehen, und doch hatte sie Angst vor dem, was sie dort erwartete. Ihrem Wunsch nach Versetzung wurde von der Wehrmachtabteilung nicht entsprochen, es wurde ihr auch dort zu verstehen gegeben, dass sie ihre Pflicht für das Vaterland zu erfüllen habe. Man verstand Marie-Luises seelische Qualen nicht. Es tröstete sie auch nicht, dass man sie trotz ihres jugendlichen Alters unerwartet zur Oberschwester ernannt hatte und ihr das große Schwesternkreuz an einer Kette überreichte. Wie gerne hätte sie diese Tätigkeit aufgegeben, doch konnte sie dieser Hölle offensichtlich nicht entkommen, auch da es Krankenschwestern seit 1942 verboten war, ihren Beruf zu wechseln.

Nun ist sie zurück im Waldlager und zunächst schien es, als habe sich im Lazarett nichts verändert. Doch dieser erste Eindruck täuschte. Marie-Luise spürt die Veränderungen, die in der Luft liegen und sich in den Gesichtern der Menschen widerspiegeln Es scheint, als hätten die Soldaten und Ärzte die Hoffnung auf einen baldigen Sieg und das Ende des Krieges verloren. Die Stimmung ist gedrückt und nicht mehr so zuversichtlich wie in den ersten beiden Kriegsjahren. Auch die langen Reihen Soldatengräber mit Birkenkreuzen neben dem Lazarett zeugen von den Schrecken der letzten Monate.

»Es wurde wirklich Zeit, dass du zurückkommst«, begrüßt Claire Marie-Luise auf dem Hof. »Es werden immer mehr verletzte Soldaten mit Lazarettzügen, Lkws, Sanitätswagen und sogar mit Panjewagen ins Lazarett gebracht, sodass die Arbeit kaum mehr zu bewältigen ist. Du glaubst nicht, wie ich mich nach einem freien Tag sehne, um endlich mal wieder ins Soldatenkino oder ins Casino nach Tatarka zu gehen.«

Zumindest Claire hat sich während Marie-Luises Abwesenheit nicht verändert. Sie interessiert sich nicht für Marie-Luises

Urlaub, sondern redet unbeirrt weiter, wie es ihr zwischenzeitlich ergangen war.

»Es sind bestimmt 1.000 Betten belegt und täglich werden weitere Verletzte eingeliefert, sodass uns die Feldbetten ausgehen. Die Verwundeten liegen schon auf Strohsäcken zwischen den Betten auf der Erde. Überall an den Bettgestellen und Wänden wimmelt es von zerquetschten, stinkenden Wanzen. Das ist einfach abscheulich. Die Schwestern, die uns zur Verstärkung versprochen wurden, sind auch noch nicht eingetroffen. Es breiten sich hier immer mehr Typhus und Fleckfieber aus und die Läuse- und Mückenplage bekommen wir auch nicht in den Griff. Nun darfst du dich darum kümmern, wenn du dir als Oberschwester nicht zu fein dafür bist.« Zumindest das war Claire nicht entgangen.

Während Marie-Luise die chirurgische Abteilung betritt, um Claires Redeschwall zu entkommen, schlägt ihr der unangenehme Geruch von Eiter, Blut und Schweiß entgegen, der in der Luft liegt. Ihr Blick gleitet über die Soldaten, die mit durchbluteten Verbänden auf Feldbetten liegen. Einige wirken apathisch, andere rufen ungeduldig nach einer Schwester. Die blassen, schmerzverzerrten Gesichter erscheinen Marie-Luise noch jünger als vor ihrer Reise und sie fragt sich wieder einmal, wann dieser Krieg endlich ein Ende haben würde. Es sind so viele flehende Hände, die sich nach ihr ausstrecken und um Wasser und Schmerzmittel betteln, dass sie nicht weiß, wo sie mit ihrer Arbeit beginnen soll.

Besuch aus der Vergangenheit

»Deine Bestimmung kannst du nicht finden. Sie findet dich, wenn du bereit dazu bist.«

Asiatische Weisheit

Taunus
25. Dezember 2002

Der Junge ist ärmlich gekleidet, blass und seine Augen blicken ins Leere. Die Röhre, aus der er herausklettert, ist so schmutzig wie seine Kleidung. Sie wirkt wie ein Einstieg in die Unterwelt und passt so gar nicht zu der Parkanlage, in der sie sich befindet.

Dana betrachtet das Bild, das sie aus Kaliningrad erreicht hat. Sie weiß, dass der Zugang zu einem unterirdischen Kanalsystem abgebildet ist, in dem im Winter zweitausend Straßenkinder leben und Schutz vor der Kälte suchen. Deswegen werden sie oft Kanalkinder genannt. Im Sommer schlafen die Kinder im Freien, in den Parks oder auf den Dächern der Verkaufsbuden des Marktes. Schon sechsjährige Kinder, die von den Eltern verstoßen und auf die Straße geschickt wurden, leben im Winter im Fernheizungssystem der Stadt Kaliningrad und kämpfen ums Überleben. Viele Eltern geben ihre Kinder nicht zur Adoption frei, um von dem wenigen Kindergeld Alkohol zu kaufen. Oftmals wissen die Kinder nicht, wie sie den Tag überleben sollen, und können die kalten Winternächte nur in den Heizungsschächten überstehen. Dana hat auf ihrer letzten Reise nach Kaliningrad einen solchen Einstieg in das Kanalsystem der Stadt besucht und ist den Kanalkindern begegnet.

Sie hat in den vergangenen Jahren sehr viele Hilfsaktionen für das Königsberger Gebiet ins Leben gerufen, doch die Not der Straßenkinder hat sie am stärksten berührt. Aus Danas privaten Hilfsaktionen ist ein mildtätiger Verein geworden, der weit über den Taunus hinaus unterstützt wird. Sogar aus Kanada haben sie Spenden erhalten. Obwohl der Verein auch in anderen Regionen und bei Naturkatastrophen hilft, hat Dana das Kaliningrader Gebiet nicht losgelassen. Mit Unterstützung ihrer Familie und Vereinsfreunden hat sie über 30 Lastwagen mit jeweils bis zu 35 Tonnen Hilfsgütern in das Gebiet geschickt und ist unzählige Male dorthin gereist, obwohl sie es sich nach ihrer ersten Reise nicht hätte vorstellen können. Dana hat das Land und die Bewohner inzwischen in ihr Herz geschlossen, viele Freundschaften geknüpft und ist nach jeder Reise mit neuen Ideen und Projekten heimgekehrt.

In diesem Jahr hat sie ein Hilfsprojekt für die Kaliningrader Straßenkinder entdeckt, deren Elend man bereits auf den Fotos erahnen kann, die Dana noch immer betrachtet. Zwischen verrosteten Heizungsrohren kauern die Kinder in den Schächten, auf Kartonfetzen, die sie zum Schutz gegen die Kälte notdürftig auf dem Boden verteilt haben.

Die Kanalkinder werden von einer humanitären Organisation aus Deutschland vor Ort betreut, mit der Danas Hilfswerk auch in der Vergangenheit oft zusammengearbeitet hat. Dana ist besonders von einem Projekt angetan, das als Brötchenwagen bezeichnet wird. Dieser mobile Brötchenwagen fährt mehrmals in der Woche verschiedene Stellen in der Stadt an, um dort Kinder mit belegten Brötchen und heißem Tee zu versorgen. Es hat sich unter den verlassenen Kindern herumgesprochen, dass es Menschen gibt, die ihnen helfen möchten und denen sie vertrauen können. Dennoch fiel es sehr vielen Straßenkindern schwer, ihr anfängliches Misstrauen und ihre Furcht abzulegen, um zu den mobilen Anlaufstellen zu kommen.

Zu tief sitzt die Angst vor den Erwachsenen, zu viel haben sie schon in ihrem kurzen Leben erleiden müssen.

Danas Verein wird während der diesjährigen Weihnachtsaktion die Kaliningrader Straßenkinder unterstützen. Da ihnen vom russischen Zoll die Einfuhr von Lebensmitteln untersagt wurde, haben sie beschlossen, die Lebensmittel vor Ort zu kaufen und Weihnachtstüten für die Kinder zu packen. Dana hofft, dass darüber hinaus genügend Spenden eintreffen werden, damit die Essensausgabe im Winter ausgedehnt werden kann und die Kinder nicht nur belegte Brötchen, sondern auch eine warme Mahlzeit erhalten können. Sie weiß, dass sie es schafft und auf Unterstützung zählen kann, über alle Grenzen hinaus.

Der Zug rollt unaufhaltsam Richtung Osten. Die jungen Frauen, die auf drei Abteile verteilt sind, nehmen von dem einsamen, flachen Land keine Notiz. Zu aufgeregt sind sie, fragen sich, was sie in Russland erwarten wird. Ausgelassen haben sie den Start in ihr Abenteuer gefeiert und die Fröhlichkeit hat sie seitdem nicht verlassen. Sie können es kaum erwarten, ihr Ziel zu erreichen.

Plötzlich bleibt der Zug auf offener Strecke stehen und versinkt in Dunkelheit. Dana bekommt Angst, doch sie versucht, sich damit zu beruhigen, dass dies nur ein Stromausfall sein kann. Sie weiß, dass sie den Zug verlassen muss. Sie ertastet sich in der Dunkelheit einen Weg ins Freie.

Es wird hell und Dana erkennt, dass sie sich auf einem Bahnhof befindet und erst die Hälfte der Strecke bewältigt hat. Doch warum ist sie allein? Ihre Reisebegleiter und selbst der Zug sind verschwunden. Dana lässt sich auf einer kleinen Holzbank nieder und versucht zu verstehen, was passiert ist. Da setzt sich ein Mann neben sie und starrt sie an. Dana wird von Angst ergriffen und es wird plötzlich wieder dunkel um sie. Endlich lichtet sich die Dunkelheit und Dana kann wieder etwas erkennen. Doch wo ist sie? Das ist kein Zug, sie sitzt in einem kalten, engen Raum und friert. Der Boden ist aus Stein und die Fenster sind vergittert.

Wo bin ich, denkt sie, während sie von Panik ergriffen wird. Wo bin ich und was ist passiert?

Dana schaut sich um und erkennt, dass es sich um eine Gefängniszelle handelt. Sie haben mich verhaftet und hierhergebracht, erinnert sie sich schwach. Immer wieder haben sie mich verhört und in verschiedene Zellen gebracht, bis ich schließlich jegliche Orientierung verloren habe. Aber warum? Warum hat man mich verhaftet und hierher verschleppt? Und wer? Könnte ich mich doch besinnen, was passiert ist. Ich weiß nur, dass sie uns zu Unrecht beschuldigt haben und mir vorwerfen, ich hätte Leuten geholfen, denen ich nicht helfen durfte. Doch warum kann ich mich nicht daran erinnern? Sie haben mir alle meine Habseligkeiten abgenommen, um meine Flucht zu verhindern. Ich darf mich nicht frei bewegen und fühle mich doch wie auf der Flucht. Wo bin ich und wohin könnte ich flüchten? Erfüllt von diesen Fragen, wird es wieder dunkel um Dana und sie verliert das Bewusstsein.

Wie spät ist es, fragt sich Dana, während sie die Augen öffnet. Wenn ich doch nicht ständig diese Träume hätte, diese Albträume, die immer wiederkehren und mir den Schlaf rauben. Der Traum heute war neu und doch war er genauso bedrückend wie die Träume der vergangenen Monate. Was hat er nur zu bedeuten, fragt sie sich, während sie versucht, die beängstigenden Bilder aus ihrem Bewusstsein zu verdrängen. Die Traumbilder verblassen jedoch nur langsam, ebenso wie die Gefühle, die den Traum begleitet haben. Sie sieht noch immer das große, freie Gelände, das ihr wie ein Lager erschien, und spürt die damit verbundene Bedrohung. Sie war dort gefangen, kauerte im Freien und fror. In der Nähe befanden sich ein größeres Gewässer und ein hoher Berg, dessen Namen sie nicht kennt. Konnte es das Meer gewesen sein? Es sah alles so asiatisch und fremd aus.

Sie kann sich nicht erinnern, ob sie das Gelände verlassen durfte und was dann geschah. Da war nur wieder diese Dunkelheit, die von unendlicher Stille, Angst und Verlassenheit begleitet wurde. Kann das eine Warnung gewesen sein, fragt sie sich. Vielleicht hat es etwas mit meiner geplanten Reise nach Russland zu tun? Aber ich werde mich von einem solchen Traum nicht davon abhalten lassen, im Januar nach Kaliningrad zu reisen, zumal der Traum sehr wirklichkeitsfremd war und nicht in Kaliningrad spielte. Ich freue mich auf die Zugfahrt und werde mir durch einen Albtraum keine Angst machen lassen. Ich glaube vielmehr, dass ich vielleicht noch einmal im Winter mit zwei Männern nach Kaliningrad reisen muss, um zu erleben, dass es auch anders sein kann. Dieses Mal fahre ich mit Freunden, werde nicht in Gefahr sein und weiß, wie ich nach Hause kommen werde.

Dana öffnet gespannt ihr Postfach und die E-Mail aus Frankreich, die sie dort vorfindet. Es hat geklappt, denkt sie, während sie die Nachricht liest. Der Stich ist noch verfügbar und wird bald meine Praxis schmücken.
Sie hat während der Weihnachtsfeiertage in einem Internetantiquariat in Toulouse einen alten Stich von Franz Anton Mesmer entdeckt und sich gewundert, wie günstig er ist. Sie konnte es sich nur damit erklären, dass der deutsche Arzt und Begründer des Mesmerismus dort unbekannt ist und deswegen kein Interesse an dem Stich besteht. Ursprünglich suchte sie ein Bild des Homöopathen Hahnemann für ihre vor einem Jahr eröffnete Naturheilpraxis, doch hat dieser Holzstich von Mesmer nun ihre Aufmerksamkeit auf sich gezogen. Dana denkt nicht weiter darüber nach und beginnt, die E-Mail des Franzosen zu beantworten, in der er sie nach dem Grund ihres Interesses für das Bild gefragt hat. Sie beschließt, ihm den Link zu ihrer Praxis-Webseite zu schicken. Vielleicht würde er dadurch ihr Interesse an Franz Anton Mesmer verstehen.

Taunus
26. Dezember 2002

Wir kennen uns!
Dana starrt auf die kurze E-Mail aus Toulouse und versucht zu begreifen, was dies zu bedeuten hat.
Das kann nicht sein, erwidert sie. *Ich war noch nie in Toulouse und kenne Sie nicht.*
Wir kennen uns nicht aus Frankreich. Wir sind uns schon einmal in Tatarka begegnet. Du bist die Frau aus meinen Träumen.
Tatarka? Träume? Danas Verwirrung nimmt immer mehr zu, während sie seine E-Mail beantwortet. *Was meinen Sie mit Tatarka? Das sagt mir nichts. Tatarka ist ein russisches Dorf.*
Und wo liegt es?
Irgendwo zwischen Berlin und Moskau, antwortet er.
Sie müssen sich irren. Ich war in den letzten neun Jahren sehr oft in Russland, aber nicht in Tatarka. Das sagt mir wirklich nichts! Während Dana ihre Antwort abschickt, liest sie noch einmal seine letzte E-Mail und fragt sich, weshalb er ihr nicht genauer schreibt, was das alles zu bedeuten hat und wo Tatarka liegt. Ein Dorf zwischen Moskau und Berlin erscheint ihr doch sehr vage.
Das war nicht in diesem Leben, das ist schon länger her, antwortet er ihr umgehend. *Ich habe dein Foto auf deiner Webseite gesehen und dich erkannt, als Teil eines Wahrtraumes, der sich in meinem Leben häufig wiederholt hat. Doch das möchte ich dir lieber persönlich erzählen. Ich fühle mich von einer unsichtbaren Kraft geleitet, dir das zu offenbaren, obwohl dies sonst nicht meine Art ist und ich es selbst nicht verstehe.*
Dana ist völlig schockiert und versucht zu begreifen, was er ihr gerade geschrieben hat. Doch bevor sie antworten kann, trifft bereits die nächste E-Mail ein. *Ich werde im Januar nach Deutschland kommen und dir alles erzählen!* Dana wird von Panik ergriffen. Das kann doch nur ein schlechter Scherz und nicht ernst gemeint sein.

Ich möchte das nicht, antwortet sie ihm. *Ich kenne dich doch gar nicht. Außerdem habe ich im Januar keine Zeit, ich werde nach Russland fahren. Nach Russland?*

Ja, zu unserem Straßenkinderprojekt.

Ich werde nach Deutschland kommen, wenn du aus Russland zurück bist, schreibt er ihr und gibt zu verstehen, dass er so leicht nicht aufgeben werde. *Ich wünsche dir eine gute Reise. Versprich mir, dass du gut auf dich aufpasst und gesund zurückkehrst. Packe warme Pullover ein, in Russland ist es kalt. Und vergiss nicht, dass nur die Liebe und Zukunft wichtig sind. Das Beste ist heute und morgen. Gestern ist tot. Ich weiß, dass du geliebt und beschützt werden musst. Du brauchst keine Angst vor mir zu haben und ich werde dich nicht nach deiner Vergangenheit fragen.*

Während Dana den PC ausschaltet, versucht sie, Ordnung in ihre Gedanken zu bringen. Seine übertriebenen Sorgen und sein fühlbares Entsetzen gehen ihr zu weit und sie hofft, dass er seine absurden Reisepläne aufgeben wird. Er kann das nicht wirklich ernst meinen und unmöglich nach Deutschland kommen.

Taunus
Januar 2003

Du glaubst doch nicht etwa diesen Unsinn?

Dana starrt auf die E-Mail-Nachricht ihres Freundes Tom. Sie kann seine Reaktion verstehen, zu abwegig hört sich das an, was sie ihm nach Berlin geschrieben hat. *Er hat dir ein schönes Märchen aufgebunden. Das ist wohl die neueste Masche, jemanden kennenzulernen. Die Idee, vorzugeben, man kenne sich aus einem anderen Leben, ist gar nicht schlecht. Das muss ich schon sagen.*

Es hat keinen Sinn, er versteht es nicht, denkt Dana. Sie überfliegt den restlichen Brief und schließt enttäuscht das Mailprogramm. Sie hatte gehofft, wenigstens er würde ihr glauben.

Seit dem Mailwechsel mit Louis, dem Antiquar aus Toulouse, ging ihr das Wort »Tatarka« nicht mehr aus dem Kopf. Auch für sie erschien dies alles sonderbar, doch sie glaubt daran, dass man Menschen aus früheren Leben wiedertreffen kann. Bisher hatte sie nur immer Angst, sich näher damit zu beschäftigen. Vielleicht war es eine Masche von ihm, aber warum hatte sie dann selbst das Gefühl, ihn zu kennen, sogar über diese Distanz hinweg? Warum zog es sie fast zwanghaft nach Russland und warum hatte sie ihr Leben lang diese Albträume von russischen Wäldern und Lagern? Das konnte Louis nicht wissen. Leider weigert er sich noch immer, ihr mehr von seinen Träumen und Tatarka zu schreiben. Er sagte ihr nur, dass er sie auf ihrem Foto auf ihrer Webseite erkannt hat, und bestand darauf, nach Deutschland zu kommen, um ihr alles persönlich zu erzählen. Immer wieder schrieb er ihr, dass er sie unbedingt in Deutschland besuchen wolle, doch Dana lehnte dies jedes Mal ab. Sie versuchte vergeblich, ihm zu erklären, dass sie ihn nicht kennen würde und sich nicht einfach mit ihm treffen wolle. Doch Louis ist hartnäckig und gibt nicht auf. Er ignoriert Danas Misstrauen und erklärt ihr, dass er so lange warten würde, bis sie es sich anders überlegen würde. Und bis dahin solle sie auf sich aufpassen und ihm versprechen, dass sie gesund aus Russland zurückkehren würde.

Dana versucht, ihre Gedanken auf die bevorstehende Reise zu lenken, und beginnt, ihre Tasche für Kaliningrad zu packen. Doch immer wieder muss sie an Toulouse und Tatarka denken. Was hat er nur immer mit Russland, fragt sie sich. Was soll mir schon passieren? Wahrscheinlich liegt es nur daran, dass Kaliningrad von Südfrankreich aus gesehen so weit entfernt erscheint. Er hätte es sich sogar schon auf einer Landkarte angesehen und hat mir versichert, dass er in Gedanken mitreisen würde. Seine Sorgen sind völlig unbegründet und übertrieben. Ich werde morgen fahren und dabei vielleicht etwas über Tatarka erfahren.

Vielleicht hat einer meiner russischen Freunde den Namen schon einmal gehört und kann mir sagen, wo dieses Dorf liegt.

Die Reise ging viel zu schnell zu Ende. Wie Dana erwartet hat, war sie dieses Mal mit zwei netten Begleitern unterwegs gewesen, die wie sie nicht wegen Exportgeschäften nach Kaliningrad reisten, sondern um den Menschen zu helfen. Sie gehörten zu dem norddeutschen Hilfswerk, mit dem Danas Verein schon lange zusammenarbeitet und Straßenkinder unterstützt. Nun waren sie endlich gemeinsam in Russland unterwegs gewesen und konnten sich ansehen, was sie auf die Beine gestellt hatten. 22 Stunden dauerte die Reise, auf der sie sieben Mal auf deutsche, polnische und russische Züge umsteigen mussten. Doch sie haben ihr Ziel erreicht und durften die Freude erleben, die sie durch 700 Weihnachtstüten und Päckchen im Kaliningrader Gebiet verbreitet haben. Sie haben dabei nicht nur ihre verschiedenen Hilfsprojekte im Gebiet besucht, sondern auch Pläne für neue gemeinsame Hilfsaktionen geschmiedet.
Dana versuchte, während der Reise etwas über Tatarka in Erfahrung zu bringen, doch hatte keiner ihrer Freunde oder Bekannten den Namen jemals gehört. Schließlich gab sie es auf und konzentrierte sich auf die humanitären Projekte, zu denen eine Armen- und Schulspeisung sowie die Anlaufstellen der Straßenkinder zählten. Nun war sie zurück und fand eine Nachricht von Tom vor, die auch nicht ermutigend war:
Tatarka gibt es nicht. Obwohl ich wirklich keine Zeit habe, habe ich nächtelang im Internet danach geforscht und nichts gefunden. Der Ort existiert nicht und ich bleibe dabei, er hat die Geschichte erfunden, um nach Deutschland zu kommen und dich kennenzulernen. Ich glaube nicht an ein Leben nach dem Tod und da wird auch deine Tatarka-Geschichte nichts daran ändern.
Das ist es nicht, denkt Dana. Das ist keine Erfindung, nur damit ich mich mit ihm treffe.

Ich spüre, dass er die Wahrheit schreibt und er sie mir erzählen muss. Dann soll er doch nach Deutschland kommen.

Mein erster Gedanke war, das sind die falschen Augen, beginnt Dana die E-Mail an ihren Freund Tom, der ungeduldig darauf wartet, etwas über das Treffen mit Louis zu erfahren. *Ich erkannte seine Augen nicht! Ich kann mir selbst nicht erklären, warum ich das dachte, der Satz war einfach da.* »Es sind die falschen Augen.« *Ich kann dir nicht sagen, wen ich da erwartet habe, es war jedenfalls nicht Louis.*

Einen Tag vor seinem Besuch schrieb er mir noch, dass er aufgeregt wäre, mich zu treffen, doch gleichzeitig ruhig dem Treffen entgegensehen würde. Es sei, als wären wir seit Jahren oder Jahrhunderten getrennt gewesen, und er würde sich freuen, mich wiederzusehen. Es wäre in den Himmel geschrieben, dass wir uns treffen müssten. Er glaubte, dass wir eine gemeinsame Aufgabe zu erledigen hätten und dass sich unsere Wege kreuzen mussten.

Als ich ihn am Rhein-Main-Flughafen traf, hatte ich auch das Gefühl, ihn nicht das erste Mal zu treffen, wenn ich ihn mir auch anders vorgestellt hatte. Ich wusste schon in diesem Moment, dass er nicht der Mann meiner Träume werden würde. Ich versuchte, mir meine Enttäuschung nicht anmerken zu lassen, während ich ihn begrüßte, und doch spürte ich, dass er es wusste.

Ich sagte ihm, dass ich verwirrt sei, da ich ihn nicht erkannt habe, wie ich erwartet hätte.

Dann hat er meine Begrüßung ebenso reserviert erwidert und fragte noch in der Ankunftshalle, ob er wieder nach Hause fliegen solle. Ein Teil von mir wollte genau das und drängte darauf, mich bereits am Flughafen von ihm zu verabschieden, doch ein anderer Teil in mir fieberte darauf, die Geschichte von Tatarka zu hören. Meine Neugierde hat gewonnen, sodass wir uns erst einige Stunden später voneinander verabschiedet haben, dennoch früher, als er sich erhofft hatte. Ich konnte ihm diese Enttäuschung nicht ersparen und musste seine Träume schon nach so kurzer Zeit zerstören, die er so lange schon mit sich herumtrug.

Er kam doch wirklich mit der Absicht nach Deutschland, mich zu heiraten, obwohl er mich gar nicht kannte.

Du wirst ahnen, wie ich darauf reagiert habe, besonders da ich schon so viele Jahre alleine lebe und seit meiner Reise mit Erik sehr vorsichtig geworden bin. Das ginge mir alles viel zu schnell. Zumal er mir dies bereits per SMS mitteilte, als ich in Kaliningrad war, und wir uns in diesem Leben noch nicht einmal persönlich begegnet waren.

Dann hat er mir endlich von seinen Wahrträumen erzählt:

Wir hätten uns zuletzt 1942 in einem Lazarett in der russischen Stadt Tatarka gesehen. Dieser Ort läge irgendwo zwischen Berlin und Moskau. Wir wären beide Deutsche gewesen, er Soldat und ich Krankenschwester. Ich hätte ausgesehen wie heute, nur die Kleidung war natürlich anders. Er hätte dort im zweiten Weltkrieg seinen linken Unterschenkel verloren, sei fast verblutet und schließlich qualvoll gestorben. Ich hätte als Krankenschwester im Lazarett gearbeitet. Es wäre für ihn schrecklich gewesen, da er wusste, dass er sterben musste und mich nicht beschützen konnte. Er wusste, dass es mir als junge Frau im Krieg noch sehr schlecht ergehen würde. Er wollte nicht sterben. Er hatte Angst um mich, gewusst, was mich als Frau in den russischen Wäldern erwarten würde, und wollte mich beschützen. Doch er konnte es nicht. Ich wäre am Ende des Krieges in Gefahr gewesen und hätte mich lange in Sümpfen und Wäldern verstecken müssen. Mehr wollte oder konnte er nicht sagen. Dana zögert, weiterzuschreiben. Sie kennt Tom und ahnt, was er ihr antworten wird. Doch sie muss ihm dies alles schreiben, vielleicht würde er ihr endlich glauben.

Louis hat es sich offensichtlich über den Tod hinaus geschworen, mich zu beschützen, und ist deswegen nach Deutschland gekommen. Er hätte mir versprochen, auf mich aufzupassen und mich wiederzufinden. Und nun tauchte er nach 60 Jahren wieder auf und schien sein Versprechen einlösen zu wollen.

Er sagte, ich solle das alles ruhen lassen. Ich bräuchte nur einen Mann und Kinder, das würde mir helfen, dies alles zu vergessen. Und offensichtlich wollte er dieser Mann sein. In seinen E-Mails versprach er schon immer, mich zu beschützen, doch erst jetzt habe ich erkannt, dass er von diesem Wunsch regelrecht getrieben war. Auch war er davon besessen, dass ich meine traumatische Vergangenheit vergessen solle, und legte mir den Spruch von Nietzsche ans Herz: »Was mich nicht umbringt, macht mich stark.«

Aber ich will weder ihn als Mann, noch das einfach alles vergessen. Es ruht ja nicht, sondern strebt in meinen Träumen an die Oberfläche. Wie kann ich es da aus meinem Gedächtnis löschen? Ich möchte wissen, was passiert ist.

Wir haben uns dann sehr plötzlich voneinander verabschiedet. Louis hat sich dabei keine Mühe gegeben, seine Enttäuschung zu verbergen. Ich weiß nicht, wo er die nächsten Tage in Deutschland zubringen wird, bis er nach Frankreich zurückfliegt. Trotz aller Vertrautheit war ich einfach nur erleichtert, als er ins Taxi stieg und fortfuhr. So verschwand er so plötzlich aus meinem Leben, wie er in diesem aufgetaucht war. Als Letztes sagte er noch, dass ich von jemandem besessen sei, und er schien darüber sehr verärgert zu sein. Auch wenn ich seine Worte nicht verstanden habe und er mir nicht erklären wollte, was er damit meinte, musste ich an die Augen denken, die ich am Flughafen erwartet hatte.

Dana zögert nur einen Moment, bevor sie die Nachricht an Tom abschickt. Wie gut, dass es E-Mails gibt, denkt sie dabei. So muss ich seine Antwort nicht hören. Ich ahne, dass ihm meine E-Mail nicht gefallen wird und er wieder nichts von dem, was der Franzose erzählt hat, glauben wird. Doch ich weiß, dass er tief in seinem Inneren spürt, dass dies alles wahr sein könnte. Warum sonst ist er so sehr an dieser Geschichte interessiert und hat tagelang versucht, Tatarka im Internet zu finden. Vergeblich!

Taunus
Februar 2003

Der Wald ist dunkel und etwas Beängstigendes liegt in der Luft. Dana betritt eine kleine, einsame Lichtung. So weit sie blicken kann, ist der Waldboden schwarz, als wäre die Erde verbrannt, und sie wundert sich, warum den Birken die Äste und Blätter fehlen. Die langen, dünnen Stämme wirken, als wären sie unterhalb der Baumkrone abgeschnitten, und ragen wie Skelette in die Luft. Dana trägt schwarze, halbhohe Stiefel und ein hellgraues, dickes Leinenkleid mit weißer Schürze.

Ihre langen, schwarzen Haare sind zusammengebunden und von einer weiß-grauen Haube bedeckt. Sie arbeitet als Krankenschwester in einem Lazarett, das sich in dem düsteren Wald befindet. Ihr Schlafplatz ist in einem Zelt auf der Erde und besteht aus einer dünnen Unterlage mit einer grauen Decke. Doch sie hat kaum freie Zeit, um sich dort zu erholen, zu viele verwundete Soldaten warten auf Hilfe. Müde betritt sie ein großes Zelt mit einem großen, roten Kreuz auf dem Dach, in dem verletzte Männer in langen Reihen auf der Erde liegen. Sie bleibt vor einer Liege stehen, auf der ein etwa dreißigjähriger Soldat mit dunklen Haaren liegt, dessen linker Unterschenkel amputiert wurde. Behutsam tupft sie ihm den Schweiß von der Stirn und versucht, ihn zu beruhigen. Dabei weiß sie, dass er sich trotz seiner starken Schmerzen auch um sie sorgt. Er unterhält sich mit ihr über die Heimat und versucht, ihr Mut zu machen, dass der Krieg bald zu Ende sein werde und sie nach Hause zurückkehren könne. Er weiß, dass sie von anderen Soldaten, die weniger schwer verletzt sind, bedrängt wird, und versucht sie zu trösten. Er erklärt ihr, dass er daran glaube, dass mit dem Tod nicht alles vorbei sei und verspricht ihr, bei ihr zu bleiben und sie zu beschützen, selbst wenn er sterben sollte.

Dana muss mitansehen, wie er stirbt. Ein Arzt zieht ihm die Decke über den Kopf und zwei Sanitäter bringen seinen leblosen Körper aus dem Zelt. Sie spürt, wie das Gefühl der Einsamkeit und Verlassenheit immer mehr Besitz von ihr ergreift und es schwarz um sie wird.

Nachdem sich die Schwärze gelichtet hat, läuft Dana durch einen Birkenwald und sie weiß, dass sie in Russland ist. Sie ist auf der Flucht und rennt durch den Wald, der ihr endlos erscheint. Sie versucht, sich zu verstecken, kauert hinter Bäumen und Büschen und fragt sich, warum sie keine anderen Menschen sehen kann. Dann scheint sich alles im Kreis zu drehen, ihr wird schwindlig und sie verliert das Bewusstsein.

Nachdem sie wieder zu sich gekommen ist, befindet sie sich in einer weißen Winterlandschaft und blickt über eine weite, freie Fläche, die an einen Wald grenzt. Dana ist schwanger und sorgt sich um das Kind. Sie hat Angst und ihr Kopf schmerzt. So plötzlich, wie die Bilder gekommen sind, verlassen sie Dana wieder und es wird erneut schwarz um sie her.

Dana kommt zu sich und schaut die Rückführungstherapeutin verunsichert an. Habe ich mir das alles nur eingebildet, fragt sie sich. Habe ich diese Bilder nur gesehen, weil Louis mir davon erzählt hat, oder ist das wirklich geschehen?
Die Therapeutin versucht, ihr die Verunsicherung zu nehmen, doch Dana bleibt misstrauisch. Seit der Begegnung mit Louis hat sie seine Geschichte nicht mehr losgelassen. Sie wollte erfahren, ob etwas Wahres daran sei und ob dies ihre Träume erklären könnte. So hat sie ihre Angst überwunden und sich zu einer Rückführung entschlossen. Sie musste herausfinden, ob sie tatsächlich in Russland gelebt hat und Louis von dort kannte.
Die Bilder bestätigen es und doch bleiben ihre Zweifel. Sie hatte genau das gesehen, was Louis ihr erzählt hatte, und hat gewusst, dass er der sterbende Soldat war. Was zu erwarten war, würde Tom sagen. Und doch glaubt sie, dass sie sich diese Bilder nicht eingebildet hat, dafür waren die Gefühle, die sie begleitet haben, zu real. Außerdem hat er nicht erwähnt, dass sie schwanger war.
Während sie nach Hause fährt, fragt sie sich, was Tom dazu sagen würde, der in Berlin auf ihren Bericht der Sitzung wartet.

Taunus
März 2003

Dana startet ihren PC und findet eine E-Mail von Tom vor. Sie befürchtet, dass er wieder versuchen wird, ihre Zweifel an den Rückführungen zu nähren.

Natürlich war er davon überzeugt, dass sie sich die Bilder nur eingebildet hatte und sie zu sehr von dem Franzosen beeinflusst war. Sie öffnet seine E-Mail und liest Folgendes:

Liebe Dana,

ich war heute mit meinem Sohn im russischen Kriegsmuseum in Berlin-Karlshorst, in dessen Gebäude am 8. Mai 1945 die Kapitulation Deutschlands offiziell ratifiziert wurde.

Wir wollten schon seit Wochen hin, aber ... und das ist das Verrückte: Wir kommen in den Computerraum – ich werde von einem Computer wie magisch angezogen ... – und dort am Rechner ist – ich habe natürlich nicht daran gedacht – eine Seite aufgeschlagen mit TATARKA:

Kriegsgefangenenlager HBd Nr. 203a (Weißrussland). Unterstellt der Wehrmacht bis 1944.

100 Plätze.

Bahnlinie Nr. 7.

Auf der Karte an der Wand: Minsk – Sedtscha – ... – Talka – Ossipowitschi – TATARKA – Bobonisk.

An einer Wand ein Foto des Lagers von 1941 mit Krankenschwestern (?, sehr schlechte Qualität) an einem Steg.

Nebenher war Tatarka noch ein Getto für jüdische Zivilisten.

ES IST ALLES VERRÜCKT!

Jedenfalls habe ich dir jetzt damit wohl den letzten Beweis geliefert, dass der Franzose nicht gesponnen hat ... Oder?

Ganz liebe Grüße,

Tom

P.S. Ich hatte echte Gänsehaut im Museum, weil ich dachte, das darf doch nicht wahr sein!!!! Und habe mir von meinem Sohn versichern lassen, dass ich nicht spinne!!!!! Leider sind auf den Bildern die Gesichter nicht zu erkennen.

Dana kann ihren Blick nicht vom Bildschirm wenden. Immer wieder liest sie Toms Nachricht, mit der sie nicht gerechnet hat. Sie hatten Tatarka nicht in Weißrussland vermutet und nur deswegen nicht gefunden. Vielleicht ist es nun möglich, etwas über den Ort zu erfahren, und das, was sich dort im Krieg zugetragen hat.

Ruhe vor dem Sturm

»Was man mit Gewalt nimmt, kann man nur mit Gewalt halten.«
Mahatma Gandhi

Tatarka
Juni 1944

Der Sommer ist feucht und schwül. Marie-Luise ist nun das dritte Jahr in Weißrussland und hat sich noch immer nicht an das Grauen des Krieges gewöhnt und leidet darunter, dass sie in den vergangenen Monaten zur Untätigkeit verurteilt war. Sie traute sich nicht mehr, den jüdischen Menschen im Getto zu helfen. Doch sie ist erleichtert darüber, dass Fritz Wegener sie nicht mehr angerührt und bedroht hat. Er scheint ihr sogar aus dem Weg zu gehen. Doch wird ihr noch immer übel, wenn sie seine Gestalt in der Ferne sieht.

Sie hat nur den einen Wunsch, diesem Land und Krieg zu entkommen, auch wenn es in Tatarka etwas ruhiger wurde, als in den vergangenen Jahren. Es gab ja auch keine Kriegsgefangenen und keine Gettobewohner mehr, die man zu bekämpfen hatte. Die Juden wurden skrupellos ausgelöscht, die Gettos zerstört und auch die russischen Gefangenen wurden vollständig vernichtet oder als Zwangsarbeiter ins Deutsche Reich deportiert. Die Partisanenangriffe, an die man sich inzwischen gewöhnt hatte, ließen in den letzten Wochen etwas an Stärke nach und Marie-Luise vermutet, dass auch diese Gruppen stark geschwächt wurden. Doch von Tag zu Tag steigert sich ihre Ahnung, dass es nicht mehr lange dauern würde, bis der trügerische Frieden auch in dieser Gegend wieder ein Ende hätte.

Es ist ruhiger geworden, was die Vernichtungsaktionen angeht, aber etwas anderes scheint sich über diese einsame Landschaft zu legen: Seit Tagen zieht schwarzer Rauch über das Lager hinweg, der aus Richtung Swoboda zu kommen scheint, und dieser Rauch ist mit einem penetranten, süßen Geruch vermischt. Nachdem ein Soldat im Lazarett den Verdacht geäußert hat, er könne von verbranntem Fleisch stammen, beschließt Marie-Luise, der Ursache für die Rauchwolken, die immer dunkler über Swoboda zu hängen scheinen, auf den Grund zu gehen. Claire bestärkt sie darin und bietet Marie-Luise an, sie nach Swoboda zu begleiten.

»Es ist völlig unauffällig, wenn du mit mir das Lager verlässt«, sagt Claire zu Marie-Luise. »Von mir ist man es schließlich gewohnt.«

So verlassen die beiden jungen Frauen am selben Nachmittag entschlossen das Waldlager und laufen nervös den Waldweg Richtung Swoboda entlang. Kurz vor der steinernen Brücke, die das Torfgebiet mit dem Dorf verbindet, hören sie lautes Stimmengewirr.

»Los, wir verstecken uns dort hinten«, schlägt Marie-Luise vor. »Bis wir herausgefunden haben, was dort vor sich geht.«

Claire folgt Marie-Luise zu einer dichten Baumgruppe, in deren Schatten sie sich verbergen. Gerade rechtzeitig, da bereits zwei SS-Männer in grauer Totenkopfuniform auftauchen und Richtung Waldlager davonlaufen.

»Das war knapp«, seufzt Claire.

Sie setzen ihren Weg durch den Wald fort und erreichen unbemerkt die verlassene Ortschaft, in der eine geisterhafte Stille herrscht. Jegliches Leben wurde dort in den vergangenen Jahren ausgelöscht, nicht nur menschliches. Die Natur erscheint Marie-Luise völlig unbelebt, so tot wie die einstigen Bewohner. Der Wald um Swoboda ist so ganz anders als die Wälder ihrer Kindheit, die von Naturwesen belebt wurden.

Doch nicht nur die unsichtbaren Naturkräfte scheinen diesen Platz verlassen zu haben, auch Vögel und wilde Tiere haben sich von diesem Flecken Erde zurückgezogen.

»Schau mal, Marie-Luise, es kommt dort aus dem Birkenwald.«

Marie-Luise folgt Claires Handbewegung. Tatsächlich, dicke, schwarze Wolken steigen aus dem Wald auf und werden vom Wind Richtung Swoboda und Tatarka geweht.

»Ich sehe es jetzt auch. Aber was ist das?«

»Das sieht jedenfalls nicht nach einem Waldbrand aus«, antwortet Claire. »Vielleicht hat das etwas mit den Gruben zu tun, in denen die Juden und russischen Kriegsgefangenen hingerichtet und vergraben wurden.«

»Ich fürchte, das könnte einiges erklären«, flüstert Marie-Luise, während sie sich dichter an den Birkenwald heranschleichen. Marie-Luise hält sich ein Tuch vor die Nase, um sich gegen den süßen Geruch zu schützen, der immer intensiver wird. Aber es will ihr nicht so recht gelingen.

Der Wald ist nicht sehr dicht gewachsen, sodass die beiden Frauen beobachten können, was sich darin ereignet. Sie haben jedoch nicht mit dem gerechnet, was sie zu sehen bekommen.

»Hedwig. Das kannst du dir einfach nicht vorstellen«, redet Marie-Luise verstört auf die Freundin ein. »Sie graben die Leichen in den Wäldern aus. Tausende Tote, die sie in den letzten drei Jahre ermordet und in den Gruben zugeschüttet haben.«

»Und was machen sie mit den Leichen?«, fragt Hedwig fassungslos.

»Sie errichten meterhohe Scheiterhaufen. Scheiterhaufen an Scheiterhaufen«, redet Marie-Luise weiter. »Auf diesen Scheiterhaufen werden die jüdischen und russischen Leichen gestapelt.«

Entsetzt presst sich Hedwig eine Faust vor den Mund, um nicht laut aufzuschreien.

»Dann begießen sie alles mit Benzin und zünden es an. Es ist eine unvorstellbare Hitze dort. Das kannst du dir nicht vorstellen. Wir haben sie bis in unser Versteck gespürt. Und der Gestank«, Marie-Luise erbleicht. »Das hält kein Mensch aus.«

Hedwig lässt nur ein leises Schluchzen vernehmen.

»Ich glaube, sie wollen ihre Spuren verwischen«, spricht Marie-Luise leise weiter, »und ich frage mich, warum?«

Die Front rückt unaufhaltsam näher. Das Grollen der Geschützfeuer und das Getöse der Maschinengewehre sind auch im Waldlager unüberhörbar. Die drei jungen Frauen schauen ängstlich in den weiten Horizont und bangen, was die nächsten Stunden oder Tage bringen werden. Sie versuchen, sich gegenseitig Mut zuzusprechen, doch fällt es ihnen von Stunde zu Stunde immer schwerer. Von ihren männlichen Kollegen haben sie keinen Trost und Schutz zu erwarten. Wie in den vergangenen drei Jahren sind die Krankenschwestern auch jetzt auf sich allein gestellt. Sie sind völlig im Unklaren, wie es weitergehen wird. Sie hatten gehofft, dass das Lager aufgelöst und nach Westen verlegt wird. Aber davon ist nichts zu spüren. Sie beobachten nur, dass immer mehr Spuren der deutschen Gräueltaten verwischt werden. Dann sollen sie doch wenigstens zu ihren Grausamkeiten stehen, denkt Marie-Luise nachts, wenn ihre Seele keinen Schlaf finden kann.

Sie graben Tausende von Toten in den Wäldern aus und verbrennen die halb verwesten Körper. Ein Grauen überfällt Marie-Luise, doch sie kann diese Gedanken nicht abschütteln. Die Asche wird dann in kleineren Erdlöchern vergraben und mit Sand und Torf bedeckt. Sie pflanzen Bäume auf diesen Friedhöfen, damit die Nachwelt nichts von ihren Hinterlassenschaften findet. Sie werden alles daran setzen, diese Massaker zu vertuschen, alles. Es gibt ja genug davon. Sie werden versuchen, alles zu verheimlichen, das ganze Leid, das sie über das Land gebracht haben. Das ist nicht zu übersehen.

Aber sie werden es nicht schaffen, uns mundtot zu machen, das nicht. Sie denken, dass sie an alles gedacht haben. Alles für die bevorstehende Flucht gerichtet haben. Sie haben die Spuren verwischt ... glauben sie. Aber wie soll ihnen das tatsächlich gelingen?

Marie-Luise hat es inzwischen aufgegeben, gegen diese Gedanken anzukämpfen, die ihr den Schlaf in so vielen Nächten rauben. Im fernen Wald Richtung Tatarka hört sie die Wölfe heulen, die ebenfalls zu spüren scheinen, dass sich ein weiteres Unheil ankündigt.

Ja, sie haben die Spuren im Äußeren sorgsam vernichtet. Nahezu perfekt. So vollkommen wie ihre Mordmaschinerie funktioniert hatte. Doch sie glauben vergeblich, dass sie vollkommen ist. Denn sie haben ihre Spuren nur im Äußeren beseitigt, nicht im Inneren, in den Seelen der Menschen. Dort ist nichts gesäubert worden, tiefe Narben sind geblieben, als wäre alles gerade passiert. Das können sie nicht ungeschehen machen, es wird die Herzen der Menschen weiter bewohnen.

Eine Träne der Hilflosigkeit bahnt sich ihren Weg, so wie die Gedanken, die Marie-Luise nicht aufhalten kann.

Ja, in den Seelen der Menschen sind alle Spuren noch zu finden. Daran denken sie nicht. Aber es wäre auch nicht zu erwarten, dass sie darüber nachdenken, für sie existieren offensichtlich keine Seelen.

Die Träne fließt inzwischen Marie-Luises Wange hinunter.

Ja, das kommt ihnen nicht in den Sinn, was sie den Menschen, dem Volk, diesem Land angetan haben. Nein, das interessiert sie nicht. Sie sind dafür zu gefühllos und kalt.

Eine weitere Träne folgt und Marie-Luise weiß, dass sie die nachfolgenden wieder nicht aufhalten kann.

Sie fühlen sich im Recht und glauben, dass sie nichts verbrochen haben, und werden es niemals einsehen, wie gewissenlos sie sind. Dieses Leid werden sie nicht rückgängig machen können. Wie soll es jemals heilen?

Marie-Luise schluchzt verzweifelt auf und vergräbt ihr Gesicht in ihrem Kopfkissen.

»Marie-Luise, Marie-Luise! Hörst du das?« Hedwig kommt verstört über den Lagerplatz gerannt. Ihr Gesicht ist leichenblass.

»Ja, ich höre es auch. Bestimmt schon seit zwei Stunden. Es muss ganz in der Nähe sein.« Marie-Luise schaut in den Himmel, in dem sie nach einem Zeichen für das gerade Vorgefallene sucht. Und tatsächlich erkennt sie in der Ferne schwarze Rauchwolken, die westlich über das Land wehen, in die Richtung, in die es auch die deutschen Soldaten zieht. Seit Tagen kommen immer mehr zerlumpte, hungrige Landser im Waldlager an, die von dem berichten, was sich weiter östlich, jenseits des Flusses Beresina ereignet. Inzwischen versucht man auch nicht mehr, das Unheil, das sich unaufhaltsam anbahnt, vor den drei Krankenschwestern zu verheimlichen. Die Soldaten, die sich auf das Essen und Wasser im Lazarett stürzen, erzählen pausenlos, was sie erlebt und gesehen haben und wovor sie auf der Flucht sind.
»Die Rote Armee dringt unaufhörlich voran.
Nichts scheint sie aufzuhalten«, erzählt ein blonder Soldat, der fast noch ein Kind ist. »Sie sind stärker als wir und haben uns bald in ihrer Gewalt. Wir mussten alles stehen und liegen lassen und hatten nur den einen Wunsch, ihnen nicht in die Hände zu fallen. Sie sind in der Überzahl und stark bewaffnet. Sie rückten mit ihren Panzern durch die unwegsamen Sümpfe vor, über Knüppeldämme, die sie dort errichtet haben. Es schien, als kämen sie aus dem Nichts. Plötzlich hatten sie uns aus der Luft und auf dem Landweg eingekreist.« Seine Augen spiegeln die Angst der letzten Tage wider, während er hastig weiterredet. »Sie haben uns regelrecht eingekesselt. Ich musste an Stalingrad denken, was sich dort vor etwa 16 Monaten ereignet hat, und befürchte, dass es nun uns, der 9. Armee, so ergehen wird und sie den festen Platz Bobruisk einnehmen werden.

Doch es ist nicht nur unsere Armee bedroht, nicht nur eine Armee wie in Stalingrad.« Er macht eine bedeutungsvolle Pause und starrt dabei ins Leere. »Ich habe gehört, dass es auch der 4. und 2. Armee ähnlich ergehen soll, eine ganze Heeresgruppe mit drei Armeen wird hier vernichtet. Es ist ein gewaltiger Überraschungsangriff, der die Front auf über 500 km Breite betrifft. Damit hat in Berlin niemand gerechnet, dort ging man bis zuletzt davon aus, dass der Angriff in der Nord-Ukraine erfolgen würde. Doch das wurde von den Russen nur vorgetäuscht. Sie hatten sich längst für Belorussland entschieden.«

Die Frauen versuchen, seinen Worten zu folgen und das Ausmaß der Katastrophe zu begreifen.

»Ein Teil unserer Kompanie konnte sich noch rechtzeitig in Sicherheit bringen. Das heißt, wir sind ihnen gerade noch entkommen, doch sicher werden wir vor ihnen nicht mehr sein.«

Marie-Luise spürt, wie sich ihr Magen verkrampft und es ihr übel wird.

»Ja. Sie sind hier auch nicht mehr sicher. Die Russen werden bald hier sein, das ist nicht mehr zu verhindern. Auch wenn es unsere Führung nicht wahrhaben will. Die russischen Panzer rücken jede Stunde näher.« Er schweigt für einen Augenblick und sieht das erste Mal die drei Frauen etwas genauer an. »Ich möchte mir nicht vorstellen, was gerade Ihnen blühen wird.« Er verstummt einen Augenblick und betrachtet nachdenklich eine nach der anderen. »Wie kann man überhaupt zulassen, dass sich hier noch Frauen aufhalten? Jeder weiß doch, was mit ihnen geschehen wird. Ja, ich bin mir sicher, dass es keinen Weg mehr gibt, hier herauszukommen. Sie sind überall, einfach überall.« Erschöpft lässt er sich in sein Kissen fallen und hüllt sich in düsteres Schweigen.

Die drei Schwestern sind vor Angst erstarrt und schauen sich schweigend an.

Claire findet zuerst ihre Sprache wieder. »Lass uns zu unserem Stabsarzt gehen und fragen, was er dazu sagt und wie lange wir hier noch ausharren müssen.«

»Du hast recht«, schließt sich Hedwig an. »Ich kann hier auch nicht länger untätig zusehen, wie wir immer mehr in Gefahr geraten.«

Ich fürchte, dass es für alle Fluchtversuche längst zu spät ist, denkt Marie-Luise, während sie den beiden stumm folgt.

»Sei nicht albern und steig endlich ein.« Fritz Wegener schaut Marie-Luise eisig an.

»Ich werde bestimmt nicht mit dir im selben Auto flüchten, ich werde eine andere Möglichkeit finden«, entgegnet Marie-Luise.

»Die gibt es nicht und das weißt du. Die anderen Autos sind überfüllt und die russischen Partisanen haben sämtliche Eisenbahnknotenpunkte und Flughäfen zerstört. Selbst die Pferde und Panjewagen sind bereits unterwegs nach Westen. Sei froh, dass ich dich überhaupt mitnehme. Oder willst du hier auf deine Russenfreunde warten?«

Marie-Luise zuckt zusammen und wehrt sich noch immer gegen die plötzliche Abfahrt. »Wir können doch nicht einfach die unzähligen Verwundeten zurücklassen, stündlich werden es mehr.«

»Doch, wir müssen das. Wir werden ansonsten mit ihnen gemeinsam in Gefangenschaft geraten oder sterben. Ich weiß nicht, was schlimmer wäre. Die Sanitäter, die sich von den Feldlazaretten bis hierher zurückgekämpft haben, werden bei den nicht transportfähigen Verletzten bleiben. Nur ihnen und ihrer Sorge um euch Frauen hast du es zu verdanken, dass du hier mitfahren kannst. Sie haben Furchtbares von der Front erzählt, was ich nicht erleben möchte«, er macht eine vielsagende Pause, bevor er fortfährt. »Fast alle Verwundeten-Gespanne sind auf der Flucht vor den Russen zerstört worden oder in den Sümpfen versunken. Nur die Sanitäter sind durchgekommen.

Sie bestehen darauf, dass wir euch Frauen mitnehmen. In dem Sanka, mit dem Hedwig und Claire Richtung Ossipowitschi aufgebrochen sind, war leider kein Platz mehr für dich.«

Marie-Luise wundert sich, wie gefühllos er selbst jetzt noch sein kann und seine Macht genießt. Widerwillig steigt sie in den Kübelwagen ein. Auf der Rückbank stapeln sich Kisten mit Schokolade, Zigaretten und Schnaps, sodass sie kaum Platz zum Sitzen findet.

»Na, dachte ich es mir doch. Du wirst noch dankbar dafür sein, durch mich in Sicherheit zu kommen.« Eisig blickt er sie über die Schulter hinweg an. »Es wird Zeit, dass wir hier verschwinden, auch wenn die Führung noch so sehr befiehlt, den Standort Bobruisk weiter zu halten. Sie sind dabei, unsere 9. Armee zu zerschlagen und Bobruisk einzukesseln. Durch diese unerwartete Sommeroffensive der Russen, die am 22. Juni begann, droht eine Katastrophe, die Stalingrad in den Schatten stellen wird. Du wirst noch an meine Worte denken.«

Marie-Luise starrt aus dem Fenster und versucht, seine Worte zu ignorieren. Sie spürt eine leichte Übelkeit aufkommen, die nicht nur an seiner Anwesenheit liegt.

Welch eine Ironie des Schicksals, denkt sie. Genau drei Jahre nachdem unsere Armee Russland überfallen hat, droht uns ein ähnliches Schicksal.

Sie fährt zusammen, als SS-Unteroffizier Möller sich mit einem Seufzer der Erleichterung auf den Beifahrersitz fallen lässt. Marie-Luise war so sehr in ihre Gedanken versunken, dass sie sein Kommen nicht bemerkt hat.

»Wie ist es gelaufen, Möller?«, fragt Wegener.

»Ich habe alles verbrannt, wie Sie es befohlen haben. Die ganzen Papiere«, antwortet Möller.

»Auch die Listen der Kriegsgefangenen und Toten?«

»Ja, sicher. Wie besprochen.«

Marie-Luise merkt, wie Wegener zu ihr hinüberschaut und Möller zu verstehen gibt, er solle lieber schweigen.

Dieser verstummt augenblicklich und nickt Wegener verschwörerisch zu. Während Wegener sichtlich zufrieden das Auto startet, fragt sich Marie-Luise wieder einmal, was in diesen Männern vor sich geht und was sie noch zu verheimlichen haben.

Der Wagen verlässt bereits nach kurzer Fahrt die Hauptstraße nach Ossipowitschi, um dem Bombenhagel aus der Luft zu entgehen. Doch auch auf dem sandigen Waldweg sind sie nicht sicher, die Einschläge kommen immer näher.

Marie-Luise starrt ängstlich auf die vorbeiziehenden Birken und den immer schmaler werdenden Weg.

Das kann doch nicht gut gehen, denkt sie erschrocken, wagt jedoch nicht, Wegener anzusprechen. Er fährt viel zu schnell. Ich werde hier noch verrückt. Hinter und über uns ist die russische Armee und vor mir diese gefühllosen, eiskalten Männer. Aber ich hatte keine andere Wahl, ich musste in dieses Auto steigen.

Der Wagen nimmt noch immer an Tempo zu, so wie die angstvollen Gedanken in Marie-Luises Kopf. Die Bäume ziehen immer schneller an ihnen vorbei und Marie-Luise hat Angst, dass sie ihnen irgendwann nicht mehr ausweichen können. Wegener muss wahnsinnig sein.

Fritz Wegener rast unbeeindruckt weiter durch den dichten Birkenwald und scheint jegliche Vorsicht außer Acht zu lassen.

Mit einem lauten Krachen schlägt neben ihnen eine Granate ein und lässt das Auto für kurze Zeit ins Schwanken geraten. Wegener macht noch immer keine Anstalten, das Tempo zu verringern. Schließlich hält es Marie-Luise nicht mehr aus und fordert ihn lautstark auf, die Geschwindigkeit zu reduzieren. Doch er antwortet ihr nur mit einem ironischen Lachen und setzt die Fahrt unbeirrt fort.

Mit einem trockenen Knall platzt plötzlich ein Reifen des Kübelwagens und lässt das Auto außer Kontrolle geraten. Marie-Luise beobachtet voller Panik, wie die Bäume noch schneller an ihr vorbeizurasen scheinen und sich alles um sie herum dreht.

Dann sieht sie nur noch diesen alten Baum, der unaufhörlich auf sie zuzurasen scheint. Oder wir auf ihn, denkt sie entsetzt, bevor es um sie herum dunkel wird.

»Willst du nicht endlich aussteigen?« Eine frostige Stimme reißt Marie-Luise aus ihrer Ohnmacht.

Sie öffnet die Augen und sieht Wegener, der an ihrer Tür steht und ungeduldig auf sie einredet.

Sie muss bewusstlos gewesen sein und hat jegliches Zeitgefühl verloren. Nach seinen Blicken und Worten zu schließen, muss er schon eine Weile mit ihr gesprochen haben.

»Nun steig endlich aus, oder auf was wartest du?«

Marie-Luise zuckt zusammen und versucht, aus dem stark beschädigten Wagen zu steigen. Doch ihr Bein will ihr nicht gehorchen. Sie spürt erst jetzt den unerträglichen Schmerz, der von ihrem rechten Unterschenkel und Knie ausgeht. Schmerzerfüllt schaut sie Wegener an und hofft, dass er ihr helfen würde. Doch sein Gesicht gefriert immer mehr und er blickt sie nur vorwurfsvoll an. Schließlich öffnet er mit einiger Kraftanstrengung die zerbeulte Tür, packt Marie-Luise grob am Arm und fordert sie zum wiederholten Male auf, endlich auszusteigen.

»Ich kann nicht«, antwortet Marie-Luise. »Mein Bein ist verletzt, vielleicht sogar gebrochen. Ich habe solche Schmerzen.«

Fritz Wegener starrt sie unbeeindruckt an. »Das ist egal, wir müssen zu Fuß weiter. Entweder du nimmst dich zusammen und kommst mit oder du bleibst hier zurück.«

»Aber ich kann nicht«, wiederholt Marie-Luise verzweifelt.

Wegener schaut sie sekundenlang hasserfüllt an, bevor er mit eisiger Stimme antwortet: »Das interessiert mich nicht. Wir gehen auch ohne dich.«

»Das meinst du doch nicht ernst?«

»Warum nicht? Hast du jemals Wert auf meine Gesellschaft gelegt? Ich kann mich an keine Gelegenheit erinnern.«

Marie-Luise starrt ihn entsetzt an und kann nicht glauben, was sie da gerade gehört hat. »Dann bleibst du eben hier und wartest auf die russischen Soldaten. Sie werden dir schon helfen. Du hast ja immer so getan, als seien es deine Freunde ... die Russen.« Voller Verachtung schaut er sie an. »Du bist doch eine Russenfreundin, warum willst du dann vor ihnen fliehen? Vielleicht kommen dir auch ein paar Partisanen zu Hilfe.«

»Aber du weißt genau, was passiert, wenn mich die Rote Armee in die Hände bekommt«, schluchzt Marie-Luise verzweifelt.

»Und? Was geht das mich an?« Wegener wirft ihr einen letzten mitleidslosen Blick zu, bevor er mit Möller seine Flucht zu Fuß fortsetzt und Marie-Luise weinend zurücklässt.

Es kommt Marie-Luise vor, als habe sie stundenlang im Auto ausgeharrt, während die Schmerzen nicht weniger wurden. Sie hat jegliches Zeitgefühl verloren und weiß, dass sie unmöglich in dem Auto sitzen bleiben kann. Ihr Körper scheint durch die Schmerzen und Angst wie gelähmt zu sein, und doch ergreift sie immer mehr eine innere Ruhelosigkeit und Panik, da sie befürchtet, dass russische Soldaten sie hier finden könnten.

Ich muss weiter, denkt sie besorgt. Sie dürfen mich hier nicht finden.

Verzweifelt schaut sie auf ihr verletztes Bein, das bei der kleinsten Bewegung schmerzt. Doch es hat keinen Sinn, sie muss aus dem Auto hinaus, egal, wie qualvoll es werden würde.

Jede Bewegung wird von unerträglichen Schmerzen begleitet. Sie betet darum, dass sie nicht wieder ohnmächtig werden möge, denn sie weiß, dass sie hier nicht länger bleiben kann.

Endlich steht sie vor dem Auto und schaut sich um. Die Männer sind fort. Marie-Luise weiß, dass sie sie nicht mehr einholen kann, sie muss alleine weiter. Vor ihr erstreckt sich ein weites Sumpfgelände, umgeben von einem tiefen Birkenwald. In der Ferne hört sie das Donnergrollen der näher rückenden Front und das Brausen von Flugzeugen. Weiter, denkt sie, nur weiter.

Jeder Schritt schmerzt und ihr verwundetes Bein versagt immer wieder seinen Dienst.

Ich schaffe es nicht, denkt sie verzweifelt, ich schaffe es einfach nicht.

So beschließt sie, zum Lager zurückzukehren, um die Sanitäter im Lazarett um Hilfe zu bitten. Vielleicht findet sich dort auch eine neue Möglichkeit, im Auto nach Westen mitgenommen zu werden. Eine Flucht zu Fuß ist mit dem verletzten Bein aussichtslos.

Mühsam humpelt sie durch den Wald zurück Richtung Waldlager. Wegen der russischen Tiefflieger traut sie sich nicht, auf dem Waldweg zu laufen, sondern kämpft sich mitten durch das Moor und Gestrüpp.

Sie erreicht einen kleinen, geschützten Weg, der sie durch das sumpfige Gelände Richtung Waldlager führt. Der Morgen dämmert bereits, als sie endlich in der Ferne das Lager erblickt. Betäubt vor Schmerzen schleppt sie sich weiter und bemerkt nicht den Rauch, der in der Luft liegt, und die Stille, die sie umgibt.

Waldlager
27. Juni 1944

»Nein, das kann doch unmöglich wahr sein«, entfährt es Marie-Luise. »Das muss ein schrecklicher Albtraum sein!«

Sie hat das Lager erreicht, doch das, was sie dort erwartet, ist mehr, als sie verkraften kann.

Die Sanitätsbaracken sind von Panzern zerschossen, ihre Wohnbaracke ist abgebrannt. Noch schlimmer ist der Anblick der vielen Toten. Die zurückgelassenen Verwundeten und Sanitäter sind bestialisch umgebracht worden. Hunderte verstümmelte Leichen liegen über den Sanitätsplatz verstreut und lassen nur erahnen, was in den letzten Stunden geschehen sein muss.

Die Rote Armee muss kurz nach Marie-Luises Flucht über das Lager hergefallen sein. Hier gibt es kein Leben mehr, niemand, der auf sie wartet, der ihr helfen kann.

Was nun? Sie kann unmöglich hierbleiben. Vielleicht sind die Russen noch in der Nähe. Sie muss fort, wieder fort. Nach Westen, sie muss nach Westen, nur weg von hier.

Gedankenfetzen überschlagen sich in ihrem Kopf und ihr ganzes Wesen ist erfüllt von tiefstem Entsetzen und unerträglicher Angst.

Marie-Luise verlässt das Lagergelände und läuft zurück ins Moor, durch das sie gerade gekommen ist. Sie muss wieder zurück, zurück nach Nordwesten, Richtung Minsk, wohin sich die deutschen Truppenteile zurückzogen. Nur, wie soll sie das mit dem verletzten Bein schaffen?

Die Angst ist größer als die Schmerzen und treibt sie voran. Während sie in das Moorgebiet eintaucht, versucht sie, das Grollen zu ignorieren, das wie ein nicht enden wollendes Gewitterdonnern aus dem Osten herannaht. Die Front rückt unaufhaltsam näher und hat Bobruisk bereits hinter sich gelassen.

Mühsam stolpert Marie-Luise über unwegsame Wege durch den Sumpf, der mit Birken und Büschen bewachsen ist. Jeder Schritt schmerzt und sie kommt nur sehr langsam voran.

Wie zur Warnung sieht sie ganz in ihrer Nähe ein Pferdefuhrwerk, das halb aus dem Sumpf hervorragt. Sie weiß, wie gefährlich es ist, die Wege zu verlassen, und schleppt sich weiter über den Pfad voller Schlamm und Morast. Die ständige Angst, auf russische Soldaten oder Partisanen zu treffen, begleitet ihre Flucht.

Marie-Luise quält unerträglicher Durst, den sie an schmutzigen Tümpeln im Sumpf zu stillen versucht. Doch nicht nur der Durst plagt sie, sondern auch die Mückenschwärme, die sich hungrig auf sie stürzen.

Immer wieder sackt Marie-Luise müde zusammen, ihre Beine wollen nicht mehr, können nicht mehr. Sie ignoriert weiter die Schmerzen und hat nur den einen Gedanken: Weiter! Ich muss weiter!

Die Sonne steht schon recht hoch und brennt unerträglich heiß, als Marie-Luise endlich das Moorgebiet verlassen kann.

In der Ferne sieht sie einen dichten Kiefernwald, den sie noch vor Einbruch der Dunkelheit zu erreichen hofft. Im Schutz eines dichten Getreidefeldes flüchtet sie weiter. Immer wieder schwinden ihre Kräfte und sie muss Pausen einlegen. Die Todesangst treibt sie weiter, lässt sie Kräfte mobilisieren, mit denen sie selbst nicht gerechnet hat.

Sie hat jegliches Zeitgefühl verloren und versucht, sich am Stand der Sonne zu orientieren. An das Feld schließt sich im Norden ein kleines, abgebranntes Dorf an, um das Marie-Luise einen weiten Bogen macht. Mit letzter Kraft erreicht sie den Kiefernwald und lässt sich schweißgebadet auf den Sandboden sinken. Sie kann nicht mehr. Sie kann unmöglich weiter. Der Durst wird immer quälender, den Hunger konnten die Walderdbeeren, die sie überraschend gefunden hat, auch nicht stillen.

Müde humpelt sie weiter durch den Wald. In der Ferne hört sie vereinzelte Schüsse und Gefechte und russische Tiefflieger Bomben abwerfen. Nachdem sie den Wald verlassen hat, erreicht sie einen größeren Weg mit Kopfsteinpflaster und sieht in der Ferne ein kleines, halb zerstörtes Bauernhaus. Ihr rechtes Bein versagt immer wieder seinen Dienst und sie ist mit ihren Kräften am Ende. Langsam schleppt sie sich zu der Hütte und hofft, dass sie verlassen ist und ihr Schutz vor der Kälte der einbrechenden Nacht bieten wird. Sie muss dieses Risiko eingehen. Die Schmerzen werden immer schlimmer und nehmen ihr den Atem.

Hoffentlich ist es so verlassen, wie es aussieht, denkt sie verzagt, während sie sich langsam weiter auf das Holzhaus zubewegt.

Mit letzter Kraft kommt sie an der kleinen Eingangstreppe an, schleppt sich die ersten beiden Stufen hoch, als ihr schwarz vor Augen wird und sie das Bewusstsein verliert.

Als Marie-Luise wieder zu sich kommt, sind die Schmerzen unverändert stark, doch wird ihre Aufmerksamkeit von etwas anderem gefangen genommen. Vor ihr stehen zehn bewaffnete Russen, die sie feindselig mustern. Sie haben düstere, bärtige Gesichter und tragen lange, dunkle Mäntel. Sie haben sich um das Haus postiert und ihre Gewehre auf Marie-Luise gerichtet.

Marie-Luise starrt sie mit weit aufgerissenen Augen an.

Ich habe es nicht geschafft, schreit es in ihrem Inneren. Ich habe es einfach nicht geschafft. Es waren doch nur noch drei Stufen, drei Stufen bis in dieses Haus. Aber wahrscheinlich hätten sie mich auch dort gefunden.

Noch immer stehen die Männer bewegungslos vor ihr und bedrohen sie mit ihren Waffen. Was machen sie jetzt mit mir? Was wird nur werden? Ich werde für sie eine Deutsche sein, mehr nicht. Ich mache mir da nichts vor. Und natürlich wissen sie, was die Deutschen mit ihren Landsleuten gemacht haben, denkt sie verzweifelt und ihre Tränen verschleiern den Blick auf die beängstigenden Soldaten. Ihre Gesichter und Augen sehen asiatisch aus, auch das hatten die flüchtenden Soldaten uns erzählt. Sie warnten uns vor diesen Truppen, da sie besonders brutal seien.

Marie-Luise beginnt vor Angst zu zittern und bemerkt plötzlich wieder die unerträglichen Schmerzen, die von ihrem Bein ausgehen. Aber wie soll man sich vor ihnen schützen? Ich bin allein und ihnen ausgeliefert. Bestimmt wissen sie das inzwischen.

Langsam setzt sich einer der Männer in Bewegung und geht auf Marie-Luise zu. Er ergreift ihre Hände und zerrt sie die Treppe hinunter, die sie sich mühsam hochgeschleppt hatte. Sie versucht aufzustehen, doch kann sie sich kaum auf ihren Beinen halten.

Mit letzter Kraft bewegt sie sich zu dem bereitstehenden Mannschaftswagen, in dem weitere russische Soldaten sitzen und sie gnadenlos anstarren.

Marie-Luise wagt es nicht, ihre Augen zu öffnen.

Sie liegt bereits eine Stunde regungslos auf der Pritsche und zuckt bei jedem Geräusch, das an ihre Ohren dringt, zusammen. Sie unterdrückt sogar ihre Tränen, um nicht die geringste Aufmerksamkeit auf sich zu lenken.

Ihr Bein schmerzt noch immer, jedoch nicht mehr so stark wie in den vergangenen Tagen.

Vielleicht lassen sie mich in Ruhe, wenn sie denken, dass ich schlafe, versucht sie sich selbst zu beruhigen. Aber das wird sie auch heute nicht stören. Für sie bin ich eine willkommene Beute. Ja, eine deutsche Beute, mit der man machen kann, was man will. Ich kann und will nicht mehr daran denken. Es ist so erniedrigend.

Sie haben keine Rücksicht auf meine Verletzungen genommen, auf mein verletztes Bein. Sie waren so voller Hass und Wut. Ich habe es befürchtet, was sie mit mir machen, aber ich habe es mir nicht so schlimm vorgestellt. Die Vergewaltigungen und Erniedrigungen nahmen gar kein Ende, besonders nachts haben sie mich stundenlang gequält. Noch immer kämpft sie gegen die Tränen an und hängt verzweifelt ihren Gedanken nach. Dann brachten sie mich hierher, in »unser« Lager. Sie haben dabei gelacht und sich gefreut, dass nun eine Deutsche dort festgehalten wird. Sie nahmen mir sogar das Foto von Johannes weg und haben es hämisch angesehen und zerrissen. Das war doch alles, was ich von ihm hatte. Man sah ihnen an, wie sie es genossen, sich nun endlich rächen zu können für das, was unsere Leute ihnen angetan haben.

Mit letzter Kraft unterdrückt sie die Tränen, die sich in den letzten Tagen immer mehr aufgestaut haben.

Ja, sie wissen bestimmt alles, alles, was hier vorgefallen ist. Ich spürte, wie ihr Hass jeden Tag größer wurde. Und das haben sie uns spüren lassen, besonders uns Frauen.

Nun kann sie es nicht länger verhindern und die Tränen fließen ungebremst aus ihren Augen. Ich weiß nicht, wie lange ich das durchstehen werde. Immer mehr Tränen rinnen ihr über das schmerzerfüllte Gesicht und können doch nicht ihren Kummer mildern.

Es ist auch kein Trost, dass ich Hedwig und Claire hier wiedergefunden habe. Nein, natürlich nicht. Ich bin froh, nicht allein zu sein, aber es wäre mir lieber gewesen, wenn wenigstens ihnen die Flucht gelungen wäre. Aber sie haben es auch nicht geschafft und wurden einige Tage nach mir hierhergebracht. Auch sie müssen nun den Hass der Soldaten über sich ergehen lassen.

Tagsüber müssen wir auf den Feldern arbeiten, obwohl ich mit meinem Bein kaum laufen kann, und nachts kommen die angetrunkenen mongolischen Soldaten. Sie grölen hasserfüllt, bedrohen uns mit ihren Maschinenpistolen und holen uns nacheinander mit vorgehaltener Maschinenpistole aus unseren Zellen, um uns zu vergewaltigen. Fritz Wegener ist die Flucht auch nicht gelungen. Ich habe gesehen, wie sein fast lebloser Körper zusammen mit weiteren verletzten deutschen Soldaten in dieses Lager zurückgebracht wurde. Er ist nach einem Tag gestorben und so bleiben ihm die Qualen, die er in den vergangenen Jahren so vielen Russen und Juden in diesem Lager angetan hat, erspart. Nicht dass ich es ihm gewünscht hätte, doch warum müssen in diesem Krieg wieder einmal die Unschuldigen leiden, so viele unschuldige, junge Soldaten, die nicht wie Wegener in der Waffen-SS gewütet haben. Manche Nacht habe ich mir selbst gewünscht, dass sie mich doch endlich umbringen und endlich diese Qualen beenden mögen. Und doch gebe ich nicht auf und glaube daran, dass ich nach Hause zurückkehren werde, sobald dieser Albtraum erst vorbei ist.

Plötzlich werden Marie-Luises Gedanken durch das Schlagen einer Tür unterbrochen. Sie liegt weiter wie erstarrt da und wagt es noch immer nicht, ihre Augen zu öffnen. Die Eiseskälte, mit der er sich auf sie zu bewegt, versetzt sie in Todesangst, ebenso die Worte, die sie bis in ihre Träume verfolgen: »Frau, komm mit!« Voller Angst und Ekel folgt sie ihm aus der Baracke und hat nur den einen Wunsch, dass der Boden sich auftäte und sie verschlingen würde, sie unsichtbar würde, um dieser Hölle zu entkommen.

Die Front verlagert sich unaufhaltsam weiter in den Westen, sodass die asiatischen Truppen beginnen, das Waldlager zu verlassen. Durch den Abzug der Soldaten wird die Lage der deutschen Gefangenen in dem Lager ein wenig leichter, insbesondere für Marie-Luise und ihre beiden Kolleginnen. Sie dachten manches Mal, dass sie diese vergangenen drei Monate der Angst und Erniedrigung nicht überstehen würden, doch haben sie sich in den dunkelsten Stunden gegenseitig immer wieder Mut gemacht und aufgerichtet. Außerdem gab es unter den russischen Soldaten auch einzelne Männer, die Mitleid mit den drei jungen Frauen hatten und sie, wann immer es ihnen möglich war, vor den Erniedrigungen schützten. Ein älterer Soldat erzählte Marie-Luise, dass er selbst Kinder hätte und Angst habe, sie zu verlieren. Dieses Leiden müsse endlich beendet werden. Die russischen Armeeangehörigen haben das Waldlager systematisch in ein deutsches Straflager umfunktioniert. Marie-Luise kommt es so vor, als würde sich die Geschichte wiederholen. Die deutschen Soldaten, die den russischen Streitkräften in die Hände fielen, wurden nun in die Baracken gesperrt, die zuvor den russischen Gefangenen zum Verhängnis wurden. Aber auch in anderer Weise ereilt sie ein ähnliches Schicksal. Sie werden zur Zwangsarbeit gezwungen, in dem Torfgebiet, in dem zuvor die deutschen Besatzer ihre russischen Gefangenen arbeiten ließen.

Auch die Arbeitsbedingungen für die Inhaftierten ähneln sich, sodass die deutschen Soldaten bei der schweren Zwangsarbeit nun hungern müssen und nur schmutziges Torfwasser zu trinken bekommen. Sie sind diese schwere Arbeit und schlechte Nahrung nicht gewohnt und viele Gefangene sterben an Unterernährung und Vergiftungen. Ihre Leichen werden in den Wäldern, in denen schon so viele russische Menschen ihr Ende gefunden haben, namenlos vergraben. Marie-Luise fragt sich immer wieder, wann dieser Wahnsinn ein Ende nehmen würde. Nachdem die Frontsoldaten weitergezogen waren und eine russische Kommandantur eingerichtet wurde, wurden sie dort tagelang verhört. Man hat den drei deutschen Frauen schließlich geglaubt, dass sie keine Soldaten, sondern Krankenschwestern seien und dass sie im Krieg keine Menschen getötet haben. Sie wurden als politische Gefangene bezeichnet und nach Artikel 58 zu 15 Jahren Zwangsarbeit verurteilt. Für die Frauen waren das Urteil und die Aussicht auf 15 Jahre Zwangsarbeit unbegreiflich. Doch waren sie erleichtert, dass sie als politische Gefangene zumindest dem Straflager entkommen konnten, in dem sie die ersten Monate den mongolischen Truppen so schutzlos ausgeliefert waren. Sie wurden in einem kleinen Holzhaus untergebracht, bei einer alten russischen Frau, die sich als sehr mildherzig erwies. Sie empfand keinen Hass auf die deutschen Frauen, obwohl ihr Mann im Krieg von Deutschen erschossen wurde. Sie brachte sehr viel Mitgefühl und Verständnis für das Schicksal der Schwestern auf. Die Babuschka bemerkte auch, dass Marie-Luise noch immer von Schmerzen geplagt wurde. Das alte russische Mütterchen fragte sie, was ihr denn widerfahren sei, und hörte sich schweigend ihre Geschichte an. Marie-Luise war froh, dass sie in den letzten Jahren Russisch gelernt hatte. Der Schuster aus dem Getto in Jasen war ihr auch in dieser Hinsicht ein guter Lehrer gewesen. Sie hat so vieles von diesem gütigen und gebildeten Mann gelernt.

Während die alte Frau Marie-Luises Erzählungen von ihrer Flucht und der Gefangenschaft im Waldlager still folgte, schienen ihre warmherzigen Augen in Marie-Luises Seele zu lesen.

Marie-Luise hatte Vertrauen zu ihr und war dankbar für das Quartier und die Fürsorge. Sie war erleichtert, dass sie dort in der Dachwohnung wohnen durften und das eingezäunte Todeslager verlassen konnten.

Die Stube, in der das Mütterchen lebte, war sehr arm und kärglich eingerichtet und strahlte doch viel Wärme und Liebe aus, so dass Marie-Luise sich dort sofort geborgen fühlte. Am meisten faszinierten sie die Gottesmutter-Ikonen, die, liebevoll mit einem gestickten Vorhang verziert, eine Zimmerecke schmückten.

Die Babuschka hatte sie ihr eines Abends gezeigt, als sie wieder einmal Marie-Luises Verzweiflung und Einsamkeit spürte. »Ich bete und spreche jeden Tag zu unserer Gottesmutter«, sagte sie daraufhin zu Marie-Luise und führte sie in ihren kleinen Wohnraum zu den Ikonen. »Ich weiß, wie du dich fühlst und was du erlitten hast, Marie-Luise. Ich bete jeden Tag zur Mutter Gottes und bitte sie um Hilfe und Schutz für dich.« Marie-Luise schaute die alte Frau dankbar an und spürte, wie es ihr warm ums Herz wurde. Sie lauschte gerührt den Worten der Großmutter. »Ich weiß, dass du unter dem Schutz der Gottesmutter stehst und dass deine Engel dich immer beschützen werden und an deiner Seite sind. Du musst nur daran glauben.« Mit warmen Augen betrachtete sie Marie-Luise und sprach weiter zu ihr:

»Du wirst deinen Glauben brauchen in dieser Zeit. Es wird noch Furchtbares passieren, doch du wirst von Mutter Maria geschützt. Glaube mir. Du wirst immer von ihr Hilfe erhalten, wenn du darum bittest.«

Marie-Luise wagte nicht nachzufragen, was sie mit diesen Worten meinte, und fragte sich, was denn noch Schlimmeres auf sie warten sollte. Sie dachte nicht weiter darüber nach, während die alte Frau in den folgenden Wochen Marie-Luises Wunden pflegte. Nicht nur die körperlichen, auch die seelischen.

Durch den Schleier

»Es wartet vielleicht um die Ecke ein Tor, ein Durchschlupf in der Hecke. So oft ging ich daran vorbei. Doch kommt der Tag, da geh ich frei den Weg, der ins Geheimnis führt. Wo West die Sonne und Ost den Mond berührt.«

J. R. R. Tolkien

Taunus
Mai 2004

Dana läuft durch den kahlen Birkenwald und spürt die sich nähernde Gefahr. Hoffentlich finden sie mich nicht, denkt sie verzweifelt, sie dürfen mich nicht finden! Sie läuft weiter und schaut sich dabei immer wieder ängstlich um. Danas Bein schmerzt und macht jeden Schritt zu einer unerträglichen Qual. Sie weiß, sie darf nicht stehen bleiben, sie muss weiter, immer weiter.

Während sie in der Ferne das Einschlagen von Bomben vernimmt, verlässt sie den Wald und betritt eine alte Kopfsteinstraße. Da sieht sie in der Ferne eine kleine Holzhütte, die vom Krieg unversehrt zu sein scheint. Vielleicht kann sie ihr Schutz bieten? Mühsam bewegt sie sich in Richtung des dunklen Blockhauses. Bestimmt wohnt da niemand mehr, versucht sich Dana selbst Mut zu machen. Ich habe es fast geschafft. Langsam geht sie weiter und versucht dabei, den Schmerz in ihrem rechten Bein zu ignorieren, der ihr den Atem nehmen will. Endlich hat sie die Hütte erreicht. Nur noch drei Stufen, denkt sie. Nur noch drei Stufen, bevor ihre Beine versagen und Dunkelheit sie umgibt.

Dana schlägt die Augen auf und wird sich ihrer Umgebung wieder voll bewusst. Sie weiß nicht, wovor sie in der Rückführung auf der Flucht war und was es mit dieser Hütte auf sich hatte. Es war eindeutig ein Erlebnis während des Krieges. Sie trug die Krankenschwestertracht und auch die Wälder glichen den Wäldern aus ihren Träumen und früheren Rückführungen. Die kahlen Birkenwälder, vor denen sie ihr Leben lang eine enorme Abneigung hatte. Sie hatte schon als Kind Angst vor Wäldern, was niemand verstand. Auch heute würde sie noch nicht alleine durch solch einen Wald gehen. Was war dort im letzten Leben geschehen und hat diese starke Angst ausgelöst?

Da Dana noch immer nichts über Tatarka herausfinden konnte, versucht sie weiter, etwas durch Rückführungen über ihr letztes Leben in Erfahrung zu bringen. Nicht nur aus Neugierde beschäftigt sie sich mit den Rückführungen, sondern auch, da sie spürt, dass es ihr hilft, sich von alten Lasten zu befreien. Sie glaubt nicht, dass sie dadurch etwas an die Oberfläche holt, was ruhen sollte, sondern sie schaut sich das an, was längst an der Oberfläche ist und sie in ihren Träumen und Ängsten seit Jahren unkontrollierbar quält. Manches davon schon ihr Leben lang. Als wolle ihr Unterbewusstsein ihr zeigen, was aus diesem anderen Leben anzusehen und zu heilen ist.

Dana hat sich schon sehr lange vorstellen können, dass es ein Leben nach dem Tod gibt und man sicher nicht nur einmal auf die Welt kommt. Es war jedoch nur ein Gefühl und sie hat sich darüber nie viele Gedanken gemacht. Bis zu ihrem schweren Autounfall, bei dem sie dem Tod gerade so entkommen war und ihren Schutzengel gesehen hat. Schon kurze Zeit nach diesem Erlebnis las sie Berichte über Nahtoderlebnisse und Bücher über das Leben nach dem Tod. Das Thema ließ sie seitdem nie mehr ganz los, wenn auch alles sehr theoretisch und nicht greifbar war. Dies hat sich durch die Begegnung mit dem Franzosen schlagartig geändert, sodass sie inzwischen sogar eine Ausbildung zur Rückführungstherapeutin begonnen hat.

Ob sie ohne Louis' Erzählungen je den Mut aufgebracht hätte, eine Rückführung durchzuführen und diesen Weg zu gehen?

Wieder nichts! Dana lässt den Brief des Bundesarchivs sinken. Sie hatte noch einmal versucht, in den Bundesarchivbeständen etwas über das Lager in Tatarka herauszufinden, doch auch hier war nichts darüber bekannt.

Sie hat alles probiert, was möglich war. Briefe an kirchliche und staatliche Suchdienste geschrieben, im Internet geforscht und war sogar für zwei Tage ins Bundesarchiv nach Ludwigsburg gefahren, um selbst zu recherchieren, doch alles ohne Erfolg. Nirgends war etwas über das Lager in Erfahrung zu bringen, das Tom in Berlin entdeckt hatte. Da Dana dies äußerst merkwürdig fand, weckte es eher noch ihr Interesse daran. Auch bei der Suche nach Informationen über eine Krankenschwester, die in dem Gebiet in einem Kriegslazarett gearbeitet haben könnte, blieb sie erfolglos. Man konnte ihr bei den Suchdiensten nicht weiterhelfen, da sie weder den Familiennamen noch das genaue Geburtsdatum der Schwester angeben konnte. Es ist zwecklos, denkt sie. Wie soll ich den zuständigen Stellen erklären, warum ich derart viel von der Schwester weiß, nur ausgerechnet nicht ihren Namen, Geburtsort und ihr Geburtsdatum. Auch bei den Rückführungen steckt sie fest. Es zeigen sich nur noch Bilder von kahlen Birkenwäldern, die von starkem Herzrasen und Angst begleitet werden. Was verbirgt sich in den Wäldern, was sie nicht sehen kann? Tom sagt, sie solle alles ruhen lassen, es gelingt ihr jedoch nicht. Sie weiß, dass es noch immer etwas anzusehen und zu heilen gibt, sonst würde sie nicht von diesen Albträumen gequält. Immer häufiger wacht sie nachts mit Herzrasen auf und bildet sich ein, dass jemand ins Haus eingedrungen ist. Sie hat sogar bei einer Rückführungssitzung ihre Geistführer um Hilfe gebeten, diese letzten Ängste und Bilder bewusst an die Oberfläche zu holen und zu heilen.

Wieder zeigte sich nur der verlassene Wald und sie konnte keine Ursache für ihre Angst finden.

»Ich habe über ein Hilfswerk Kontakt nach Tatarka herstellen können«, überrascht eine Bekannte Dana am Telefon.

Dana hatte vor Wochen auch bei ihr angefragt, ob ihr der Name Tatarka schon einmal begegnet sei, da Anna trotz ihrer 79 Jahre noch immer als Dolmetscherin arbeitet und viele Kontakte nach Russland und Weißrussland hat.

»Aber wieso haben Sie den Kontakt hergestellt? Sie glauben doch nicht an meine Geschichte?«

»Tue ich auch nicht, aber es kann Ihnen ja auch einmal jemand etwas Gutes tun.«

Dana ist verblüfft und weiß nicht, was sie darauf erwidern soll. Es ist auch nicht nötig, Anna redet bereits unbeirrt weiter.

»Ein Pfarrer aus Luninez ist nach Tatarka gefahren und hat dort für uns geforscht. Heute habe ich sein Fax mit folgenden Informationen bekommen:

In Tatarka leben nur noch wenige Menschen, die sich an den Krieg erinnern können. Diese Leute waren damals Kinder, ungefähr zehn bis vierzehn Jahre alt, und wissen nicht mehr viel. Doch sie erinnern sich daran, dass es während der Besatzungszeit von 1941 bis 1944 in Tatarka Kasernen mit deutschen Soldaten gab. Sie hatten jedoch keinen Kontakt zu den Soldaten, da es zu gefährlich war. Die deutschen Kommandeure wären sehr streng gewesen und bei den Menschen nicht beliebt.«

Dana lauscht fasziniert Annas Worten. Sie kann nicht glauben, dass sie tatsächlich von sich aus diesen Kontakt hergestellt hat, da Anna eine überzeugte Atheistin ist und nicht an frühere Leben glaubt.

»Ein Mann wusste jedoch noch, dass es in Tatarka eine Kommandantur gab, die in einem großen, zweistöckigen Gebäude untergebracht war. Im Keller dieses Gebäudes gab es ein Lazarett, doch haben dort keine Krankenschwestern gearbeitet, sondern nur Sanitäter.

Das Gebäude steht heute noch und der Pfarrer wird uns Fotos schicken.«, erklärt Anna. »Im Archiv des Torfbetriebes Tatarka hat er die Papiere von 34 deutschen Kriegsgefangenen gefunden, die dort 1944 bis 1946 arbeiten mussten. Frauen waren nicht darunter. Das ist alles, was er herausfinden konnte, doch er wird weiter forschen.«

Dana ist enttäuscht, dass man in Tatarka nichts von deutschen Krankenschwestern und dem Lager wusste, nach dem sie sucht. Sie kann nicht glauben, dass sie sich alles nur eingebildet hat.

Taunus
Juni 2004

Der Regen peitscht gegen das Fenster, als Dana voller Panik aus dem Schlaf hochschreckt. Mit klopfendem Herzen lauscht sie in die Dunkelheit. Doch sie hört nur das Prasseln des Regens. Ihr Blick streift den Wecker, der neben ihrem Bett steht. Verwundert stellt sie fest, dass es wieder zwei Uhr nachts ist. Zitternd steht sie auf und schaut aus dem Fenster in die Dunkelheit. Da war bestimmt nichts, das bilde ich mir nur wieder ein, versucht sie sich zu beruhigen, während sie das Schlafzimmer verlässt. Lautlos schleicht sie durch das Haus, das im Mondschein gespenstisch erleuchtet ist, und vergewissert sich, dass sie allein ist.

Regen, das war nur Regen und kann unmöglich eine Tür gewesen sein, denkt sie, während sie das Wohnzimmer betritt und nach dem Lichtschalter tastet. Doch auch hier empfängt sie nur Einsamkeit und Stille.

Und wenn wirklich jemand eingedrungen ist? Ich habe ganz deutlich das Zuschlagen einer Tür gehört?! Es war so nah, das war keine Autotür, es hörte sich an, als hätte jemand die Haustür zugeworfen.

Sie verlässt die Küche und läuft weiter in ihr Badezimmer, in dem sie aber auch nichts Auffälliges entdecken kann.

Sie kehrt in den Flur zurück, schleicht auf Zehenspitzen in das Untergeschoss und kontrolliert, ob die Haus- und Terrassentür unversehrt und geschlossen sind. Diese Schritte ... Ich habe doch ganz deutlich diese Schritte gehört, erinnert sie sich an das gerade Erlebte. Sie kontrolliert jedes Zimmer. Selbst in der Abstellkammer kann sie nichts Ungewöhnliches entdecken.

Hier ist niemand, stellt sie erleichtert fest. Müde kehrt sie in ihr Bett zurück. Das Herzrasen lässt nicht nach, sodass sie erst in den frühen Morgenstunden erschöpft in den Schlaf fällt.

Langsam wird es hell und die Bilder der Nacht verblassen. Dana ist es unerklärlich, warum sie noch immer nachts voller Panik erwacht. Nachdem sie sich im vergangenen Jahr auf ihre innere Reise begeben hatte, haben ihre Albträume und das Herzrasen nachgelassen. Doch dieser eine Albtraum, in dem sie sich einbildet, es sei jemand ins Haus eingedrungen, tritt immer noch regelmäßig auf. Dana versteht zwar nicht, was er bedeutet, aber sie spürt, dass es noch etwas in diesem früheren Leben gibt, was sie nicht loslässt und zu heilen ist. Vielleicht muss sie dafür nach Tatarka fahren? Denn genau das hat sie geplant. Sie wird diesen Monat mit Anna nach Weißrussland reisen, obwohl man noch immer nichts über das Lager und die Krankenschwester in Erfahrung bringen konnte. Anna hat diese Reise in die Wege geleitet und Dana damit überrascht. Nur, was soll sie den Menschen dort erzählen? Wie soll sie ihr Interesse an dem Lager und der Krankenschwester erklären?

Anna hat sich geweigert, ihren Kontaktpersonen in Tatarka die Wahrheit zu schreiben. Sie betont immer wieder, dass sie selbst nicht glauben könne, dass es diese Krankenschwester und das Lazarett wirklich gegeben habe, und dass sie sich nicht vorstellen könne, dass man ihr in Tatarka mehr Glauben schenken würde.

Dana kann die alte Frau sehr gut verstehen. Sie weiß, dass Anna aus einem jüdischen Elternhaus stammt und selbst viel im Krieg ertragen musste.

Sie leidet noch heute an den Folgen des Krieges und an Verletzungen, die sie sich in einem Gulag in Sibirien zugezogen hatte. Nicht nur körperlich. Bestimmt waren die grausamen Kriegsjahre daran beteiligt, dass Anna ihren Glauben verloren hat, den Glauben an einen gerechten Gott. Dana ist dankbar, dass Anna dennoch mit ihr nach Tatarka fahren wird, um ihr als Dolmetscherin bei der Spurensuche zu helfen. So hat Dana Annas Vorschlag zugestimmt, dass sie den Menschen dort erst einmal erzählen würden, dass sie nach einer Cousine von Danas Großmutter suchen, die als Rotkreuzschwester an die Ostfront gegangen sei und vermisst werde. Sie hoffen, dass sie nicht fragen würden, woher Dana wusste, dass diese Schwester möglicherweise in einem geheimen Lager gearbeitet hat und schwanger war.

Kassel
18. Juli 2004

»Wann kommen wir denn in Hannover an?«, fragt Dana den Schaffner.

»Um 23:00 Uhr. Der Zug hat trotz der Unwetterschäden nur 15 Minuten Verspätung.«

»Unser Nachtzug nach Brest-Litowsk geht schon um 23:08 Uhr von Gleis 9. Meinen Sie, wir bekommen ihn?«

Der Schaffner studiert seine Unterlagen. »Natürlich«, erklärt er. »Der Nachtzug nach Moskau, in dem Sie weiterreisen, fährt auf dem gleichen Gleis ab, auf dem wir ankommen. Sie brauchen also nur auf dem Bahnsteig zu warten und werden Ihren Zug rechtzeitig erreichen.«

Die drei Reisenden sind beruhigt. Sie sind nun tatsächlich unterwegs nach Tatarka. Nicht nur Anna begleitet Dana auf dieser Spurensuche, sondern auch Danas Vater Heinrich.

Auch wenn er ebenso skeptisch ist wie Anna, was Danas Geschichte betrifft, wollte er die beiden Frauen nicht alleine reisen lassen. Nicht nur wegen Annas fortgeschrittenem Alter.

Wie angekündigt, erreichen sie um 23:00 Uhr Hannover. Sie verlassen den ICE, stellen ihre Koffer auf dem Bahnsteig ab und warten, dass ihr Zug aufgerufen wird. Eine Gleisnummer können sie nicht sehen, doch man hatte ihnen ja versichert, dass ihr Zug von diesem Bahnsteig abgehen werde. Plötzlich steht eine Frau vor ihnen und spricht sie an: »Sie wollen doch nach Brest-Litowsk?«

»Ja«, bestätigt Dana.

»Ich habe Ihr Gespräch im Zug gehört. Dies ist nicht Gleis 9, der Moskauer Nachtzug fährt nicht von diesem Gleis ab, sondern auf einer anderen Ebene, am anderen Ende des Bahnhofes.«

Dana ist schockiert. Wieso hatte der Schaffner ihnen das nicht gesagt? Sie haben nur noch fünf Minuten zum Umsteigen. Wie sollen sie das mit Anna in so kurzer Zeit schaffen?

Dana greift eilig nach ihrem Koffer und steuert mit ihren Reisebegleitern auf die Rolltreppe zu.

»Nehmen Sie nicht die Rolltreppe, das wäre ein Umweg«, bremst sie die Unbekannte. »Ich komme aus Hannover und kenne mich hier aus. Ich zeige Ihnen einen Fahrstuhl, mit dem Sie schneller sind.« Sie zögert nur einen Moment und fügt dann hinzu: »Wissen Sie was, ich bringe Sie zu Ihrem Zug.«

Noch bevor sie ihr Schlafwagenabteil gefunden haben, setzt sich der Nachtzug bereits in Bewegung. Dana ist sich bewusst, dass sie den Zug in Hannover nur dank ihres unerwarteten Schutzengels rechtzeitig erreicht haben, und kann ihr Glück kaum fassen. Sie hätten die Reise nicht einfach auf einen späteren Zeitpunkt verschieben können, da man ihnen nur ein Kurzvisum für zehn Tage bewilligt hat, von dem bereits vier Tagen abgelaufen sind.

So müssen sie spätestens in sechs Tagen Belarus wieder verlassen haben, nicht gerade viel Zeit für ihre Forschungen. »Hier ist unser Abteil«, murmelt Anna müde.

Dana folgt ihr ins Innere und blickt sich um. Das Abteil ist eng und bietet gerade genug Platz für die drei Liegen, die übereinander an einer Wand befestigt sind, und einen kleinen Tisch gegenüber, unter dem sich eine Waschgelegenheit befindet. Doch das Schlimmste sind die Decken und Kissen. Diese mit der bereitliegenden Bettwäsche zu beziehen, ist allein schon eine Zumutung. Dana sieht ihrem Vater an, dass er am liebsten schon in Hannover wieder aus dem Zug gestiegen wäre. Doch dazu ist es zu spät, der Zug rollt bereits gen Osten.

»Wenn man wenigstens die Fenster öffnen könnte«, seufzt er, während er sich auf eine Liege sinken lässt. »Ich bin ja viel gewöhnt von meiner Arbeit im Kongo, aber solch einen Schmutz, wie er aus diesen Kopfkissen rieselt, habe ich noch nicht erlebt.«

Es ist eine schwüle Sommernacht. Der Zug bleibt auf unzähligen polnischen Bahnhöfen stehen und kommt nur langsam voran. Da die Klimaanlage bei den Aufenthalten nicht funktioniert, wird das Abteil immer stickiger. Auf dem schmalen Gang herrscht ebenso schlechte Luft, da man die Fenster auch dort nicht öffnen kann.

Nach fast 18 Stunden Fahrt erreichen sie nachmittags Brest-Litowsk und werden von Viktor, dem Pfarrer aus Luninez, der bei Danas Recherchen geholfen hatte, abgeholt. Viktor hat sie eingeladen und sich bereit erklärt, mit ihnen gemeinsam nach Tatarka zu fahren.

Doch zunächst müssen sie sich um Schlafwagenplätze für die Heimfahrt kümmern, da es nicht möglich war, diese von Deutschland aus zu reservieren. Dort bekamen sie nur die Rückfahrkarte ohne Platzkarte. Diese ist jedoch ohne Schlafwagenreservierung wertlos, da aus Brest nur Nachtzüge in den Westen fahren, für die man eine Schlafwagenkarte benötigt.

»Es tut uns leid, aber es ist Urlaubszeit und daher gibt es keine Plätze mehr. Es ist alles ausverkauft. Ich kann Ihnen nicht sagen, mit welchem Zug Sie zurückfahren könnten.«

Ausverkauft? Das kann doch nicht wahr sein, denkt Dana. Wieso ist es schon wieder so schwer, aus dem Osten heimzureisen? Sie spürt, wie das Gefühl des Nichtheimkommens in ihr hochsteigt, das sie aus Kaliningrad und von ihren inneren Bildern kennt. Doch hier ist sie nicht hilflos und ausgeliefert und wird einen Weg finden, das Land zu verlassen. Auch wenn es in diesem Leben keine Veranlassung für Verzweiflung und Einsamkeit gibt, spürt sie, wie stark das Gefühl, nicht aus dem Land herauszukommen, sie berührt. Vielleicht muss sie das noch einmal erleben? Aber sie weiß, dass sie das unmöglich ihren Reisegefährten erzählen kann. Ihr weißrussischer Reisebegleiter Viktor wundert sich nicht über die Platzkartenprobleme und kommentiert sie mit: »Weißrussland ist ein gemütliches Land.« Er verspricht, sich von Luninez aus um die Rückfahrt zu kümmern. »Hier können wir erst mal nichts ausrichten.«

So setzen sie ihre Reise in Viktors Auto in das 110 Kilometer entfernte Luninez fort, ohne zu wissen, wie sie nach Hause kommen werden.

Verlorene Seelen

»Humanität besteht darin, dass niemals ein Mensch einem Zweck geopfert wird.«

Albert Schweitzer

Jasen
Herbst 1947

Ein lauter Knall erschüttert die Bahnstation Swoboda, an der Marie-Luise zum Torfschippen eingeteilt wurde. Erschrocken zuckt sie zusammen und blickt sich ängstlich um. In der Ferne sieht sie dunkle Rauchwolken aufsteigen.

Das wird wohl nie aufhören. Die Minen werden noch viele Menschen töten, warum kann man nichts dagegen tun? Es ist unvorstellbar, wie viele Tote in dieser Gegend vergraben liegen. Der Krieg hat so viel Unheil in dieses Land gebracht und hier zurückgelassen. Die Minen sind nur der sichtbare Teil davon.

Marie-Luise wischt sich den Schweiß von der Stirn und wendet ihren Blick vom rauchgeschwärzten Himmel ab. Sie starrt auf den Torfberg vor sich, der nicht kleiner zu werden scheint, und versucht, Ruhe in ihre Gedanken zu bringen. Aber auch heute will ihr das nicht gelingen.

Während sie weiter müde den Torf in den bereitstehenden Eisenbahnwaggon schippt, hängt sie ihren Gedanken nach.

Es liegt noch immer so viel Leid über diesem Land, obwohl der Krieg nun schon so lange beendet ist. Aber das, was man den Seelen der Menschen angetan hat, ist noch nicht geheilt. Die Menschen sind voller Angst und Trauer. Fast jede Familie hat jahrelang gelitten und Angehörige und Freunde verloren.

Der Schweiß kehrt unaufhörlich auf ihre Stirn zurück und es fällt ihr immer schwerer, den Torf in den Waggon zu schippen.

Ich weiß selbst nicht, was ich auf ihre Fragen antworten soll. Mir fehlen die Worte und die Erklärungen für das, was meine Landsleute hier verbrochen haben. Ich weiß, dass ich es selbst niemals vergessen werde.

Nur mühsam füllt sich langsam der Waggon weiter mit Torf und sie hofft, dass sie nicht wieder im Dunklen zu ihrem Quartier zurückgehen muss. Traurig beobachtet sie, wie die ersten Arbeiter bereits das Gelände verlassen.

Hedwig und Marie-Luise wohnen noch immer bei der alten Babuschka. Claire wurde zwischenzeitlich zu einer anderen Arbeitsstelle gebracht, doch sehen sich die drei Frauen trotzdem von Zeit zu Zeit wieder. Als politische Gefangene können sie sich etwas freier bewegen als die inhaftierten deutschen Soldaten, doch dürfen sie den Ort Swoboda nicht verlassen.

Das Leben in Swoboda ist schwer und einsam. Marie-Luise ist erleichtert darüber, dass sie nicht im Zwangsarbeitslager bei Tatarka arbeiten muss, doch auch hier ist die Arbeit für sie kaum zu bewältigen. Außerdem fühlt sie sich häufig von den Einheimischen bedroht und beobachtet. Es gibt sehr viele Menschen, die Verständnis, sogar Mitleid mit den beiden deutschen Frauen haben, doch es gibt auch die anderen, die sie hasserfüllt ansehen, da sie nicht vergessen können, was ihren Familien in den Kriegsjahren angetan wurde.

Was treibt Menschen dazu, andere Menschen so zu quälen, zu erniedrigen und schließlich zu töten? Wenn sie es doch vergessen könnten, dann könnten sie endlich wieder normale Leben führen. Aber wie kann man so etwas vergessen? Es verfolgt sie jeden Tag und nachts sogar in ihren Träumen. Sie wischt sich erneut den Schweiß von der Stirn, während sie weiter ihren Gedanken nachhängt.

Diese Menschen haben eine solche Angst erlitten. Tag für Tag, über viele Jahre hinweg.

Wie sollte man diese Mordaktionen auch je erklären können? Wie diese kaltherzigen Männer zu so etwas fähig waren. Nicht nur ihre Vorgesetzten, die alles befohlen haben, sondern auch wie die SS-Männer und Schutzpolizisten dies alles ausführen konnten. Sie haben nicht nur Pläne und Vorschriften befolgt. Nein, das können sie nicht so einfach behaupten. Schließlich habe ich sie erlebt und beobachtet. Sie waren von ihren Aufträgen überzeugt, sie haben es gerne und sorgsam gemacht. Sie haben jegliches Gewissen vermissen lassen, was nötig gewesen wäre, um dies zu verhindern.

Mühsam kämpft sie sich durch den Torfberg und ihre nicht weniger schweren Gedanken.

Ja. Gewissenlos waren sie, alle. Damit meine ich nicht die einfachen Soldaten, die häufig ahnungslos waren. Nein, ich meine die Männer in ihren Totenkopfuniformen. Diese Männer waren von ihrem Auftrag und ihrem Tun überzeugt. Und das jede Sekunde, jede, ich habe es erlebt.

Langsam nimmt der Torfhaufen an Volumen ab, aber nicht die Macht ihrer quälenden Gedanken. Alle haben es gewusst. Ja, alle. Sicher, es gab Soldaten, die nie etwas davon gehört haben, aber das war die Ausnahme. Es waren zu viele Massaker und zu viele Schikanen, denen die Menschen ausgesetzt waren, und eine zu lange Zeit. Mir kann niemand erzählen, dass sie alle nichts davon gewusst hätten.

Die Sonne hat sich inzwischen von der Bahnstation abgewendet, so wie die anderen Arbeiter, die ihr Tagespensum bewältigt und das Gelände inzwischen verlassen haben. Marie-Luise ist wieder einmal allein. Doch ihre Gedanken finden einfach keine Ruhe.

Die Vernichtungsaktionen der Juden sind nur anfangs heimlich geschehen. Während der grausamen vier Jahre Besatzungszeit hat man gar nicht mehr den Versuch gestartet, es zu verheimlichen, zu vertuschen. Wenn ich nur allein an das Getto bei Jasen denke. Von dort wurden die Menschen in den Wald gebracht, die jüdische Bevölkerung, die für sie keine Menschen waren.

Sie wurden zusammengetrieben und in zwei Häusern im Dorf eingesperrt, zwei lange Tage lang. Dann bildete man Kolonnen und trieb sie aus dem Dorf.

Marie-Luise erschaudert auch heute noch bei der Erinnerung an diese Mordaktion. Es waren Hunderte jüdische Familien, mit so vielen unschuldigen, kleinen Kindern. Man hat sie aus dem Dorf getrieben, eine endlos erscheinende Menschenschlange, die in den Wald gebracht wurde. Die restliche Bevölkerung, die nichtjüdischen Bewohner dieser Gegend, schauten ohnmächtig zu. Alle waren in den Zeiten zuvor so bedroht und eingeschüchtert worden, dass niemand wagte, sich dagegen aufzulehnen. Sie schauten aus Angst einfach zu. Die deutschen Soldaten unternahmen auch nichts dagegen, aus Furcht vor der Waffen-SS. Dann brachte man sie zu den Gruben im Wald ... Wenn die Erinnerung daran doch endlich verblassen würde.

Mühsam wirft Marie-Luise die letzte Schaufel Torf in den Waggon und ist erleichtert darüber, dass nun auch sie den Heimweg antreten kann.

Der riesige, graue Hund schaut misstrauisch zu dem Wasser, das Hedwig ihm neben die Treppe gestellt hat. »Du brauchst keine Angst zu haben. Wir tun dir nichts«, redet sie seit geraumer Zeit auf das verängstigte Tier ein. Wie eingeschüchtert muss er sein, dass er sich trotz der Hitze und dem Durst nicht an den Napf wagt.

Marie-Luise beobachtet die beiden von ihrer Gartenbank aus, auf der sie sich von der schweren Arbeit erholt. »Hedwig, lass ihn einfach. Er wird sich schon irgendwann hin trauen, wenn sein Durst groß genug ist. Am besten gehst du etwas weiter weg und lässt ihm Zeit.«

Hedwig verlässt zögernd die Treppe, die zu ihrem Quartier führt, das sie bewohnen.

»Wo kommt er nur her?«, fragt sie Marie-Luise. »Er sieht aus wie einer der scharfen Schäferhunde, die man zur Bewachung der Lager und Gettos eingesetzt hat. Erinnerst du dich daran?«

Natürlich, wie könnte sie das vergessen. Und wieder holen Marie-Luise die Bilder ihrer Zeit als Rotkreuzschwester in Russland ein. Mit den Hunden wurde viel Angst verbreitet, wie mit so vielem anderen auch. Sie bewachten die Lager und Gettos und wurden bei Plünderungen auf unschuldige Menschen gehetzt. Marie-Luises Blick entfernt sich von dem Hund und verliert sich in der Weite des Horizontes. Es war unerträglich anzusehen, wie die Menschen von den Hunden angefallen oder gar zerfleischt wurden. Sie war als Krankenschwester zur Untätigkeit verurteilt. Marie-Luise wollte häufig verletzten Juden oder russischen Zivilisten helfen, doch man ließ sie nicht zu ihnen. Bei diesen Erinnerungen wird ihr Blick immer undurchdringlicher, wie das Netz der Grausamkeiten, das damals über diesem Land lag. Ich habe geschrien und geweint vor Zorn, aber vergeblich. Man lachte uns nur aus. Sie sagten, dass es nicht unsere Aufgabe sei, uns um die kranken und verletzten Feinde zu kümmern. Man brauche uns für Wichtigeres. Marie-Luise erzittert bei diesen furchtbaren Erinnerungen. Ja, Wichtigeres, wir durften uns nur um die eigenen Soldaten kümmern. Wie kann man da einen Unterschied machen? Wie kann man Menschen hungern und sterben lassen, nur weil sie einer anderen Nation, Rasse oder einem anderen Glauben angehören? In Gedanken versunken bemerkt sie nicht, wie Hedwig sich schweigend neben sie gesetzt hat. Ungeduldig reißt sie Marie-Luise in die Gegenwart.

»Nun sag schon. Was meinst du denn, wo der Hund herkommt?«

Erst jetzt erinnert sich Marie-Luise wieder an den Grund ihrer schwermütigen Gedanken. »Ach, der Hund! Ich weiß es nicht. Er sieht sehr abgemagert und hungrig aus. Vielleicht ist er aus dem Waldlager hierhergekommen.

Ich habe gehört, dass man die Hunde nach Kriegsende weiter zur Bewachung von Gefangenen eingesetzt hat, wenn es auch dieses Mal Deutsche sind, die bewacht werden.«

»Dann muss er da sehr gehungert haben«, sagt Hedwig besorgt und betrachtet das abgemagerte Tier.

In diesen Lagern wird nur gehungert, denkt Marie-Luise. Erst haben dort russische Gefangene unter deutschen Bewachern gehungert und nun hungern deutsche Gefangene unter russischen Bewachern. Welche Ironie des Schicksals. Die deutschen Soldaten erleiden nun die Rache für das, was den Russen angetan wurde. Es war zu viel und zu grausam. Das können sie nicht vergessen und verzeihen. Doch so trifft es wieder einmal die Unschuldigen. Für sie sind alle Deutschen für die Verwüstung dieses Landes verantwortlich. Aber warum müssen sie Gleiches mit Gleichem vergelten?

Marie-Luise zittert, wenn sie daran denkt, was man in so kurzer Zeit in dieser Gegend und in den Seelen der Menschen verwüstet hat. Die Wälder sind für mich keine Zufluchtsmöglichkeit mehr. Nein. Sie machen mir nur noch Angst. Ich weiß, was sich darin jahrelang zugetragen hat und dass sie nun riesige Gräber sind.

Nachdenklich schaut sie zu Hedwig hinüber, die schweigend in die weite Waldlandschaft schaut, doch sie wagt nicht, mit ihr darüber zu sprechen, da sie weiß, wie sehr auch Hedwig unter der Vergangenheit leidet.

Gräber. Ja, es gab überall diese Gruben. In fast jedem Dorf gibt es inzwischen Denkmäler für die unzähligen Toten. Anfangs wollte es kein Mensch glauben wie hier in Swoboda. Der Übersetzer des deutschen Kommandeurs erfuhr als Erster davon. Er warnte die jüdische Bevölkerung und erzählte ihnen, dass man schon ihre Gräber im Wald ausheben würde, dass man plante, sie zu erschießen. Keiner wollte ihm glauben und keiner brachte sich in Sicherheit. Sie haben das nicht wahrhaben wollen, konnten es sich nicht vorstellen. Natürlich war das unvorstellbar, auch für mich.

Zunächst, aber wenn man es miterleben musste, so weiß man es. Ja, man muss es mit den eigenen Augen sehen, m es zu glauben. Die Juden, die schließlich die Realität sahen, hatten keine Möglichkeit mehr zu fliehen. Da war es zu spät.

Der blaue Fluss

»Die schönste Hilfe der Engel sind die guten Einfälle, die sie uns zukommen lassen – oft in entscheidenden Augenblicken des Lebens: etwa eine völlig neue Idee oder die Lösung eines schwierigen Problems oder unter Umständen eine richtige Inspiration.«

Dan Lindholm

Weißrussland
Montag, 19. Juli 2004

Der Nachmittag ist heiß und schwül. Das flache, waldreiche Land, durch das sie fahren, scheint kein Ende nehmen zu wollen. Seit sie Brest-Litowsk hinter sich gelassen haben, schmerzen Danas Augen, wenn sie in die vorbeiziehenden Birken- und Nadelwälder blickt, und es erscheinen vor ihrem geistigen Auge Soldaten, die die einsamen Wälder bewachen und nach Partisanen durchkämmen. Was verbirgt sich dort noch, was sie nicht sehen kann und ihr diese Schmerzen bereitet?
Während der eintönigen Fahrt erfahren Dana, Anna und Heinrich von Viktor etwas über das Leben in Weißrussland, das von steigender Arbeitslosigkeit und hohen Steuern bestimmt wird. Viele Bewohner würden bis nach Kaliningrad und Moskau fahren, um dort zu arbeiten. Die Stadt Luninez, in der Viktor wohnt, liegt 200 Kilometer östlich von Brest und hat 24.000 Einwohner. Da Tschernobyl nur 200 Kilometer entfernt sei, seien auch sie durch die radioaktiven Niederschläge sehr belastet worden. Noch mehr hätten die Menschen jedoch im Krieg leiden müssen.

In den Jahren 1941 bis 1944 wären allein im Gebiet von Luninez 19.000 Menschen erschossen worden. Fast jede Familie hätte jemanden im Krieg verloren und könne diese Zeit nur schwer vergessen.

Die Landschaft ist durch große Waldgebiete und ausgedehnte Hochmoore geprägt. Bereits im Krieg hätte man damit begonnen, die früheren Moorgebiete zwischen Brest und Luninez trockenzulegen. In der Nachkriegszeit sei dies fortgesetzt worden. So gäbe es vielerorts nur noch in den unzugänglichen Wäldern Moor. Während Viktor die Reisegruppe weiter zu unterhalten versucht, betrachtet Dana das flache Land, in dem es nur wenige Dörfer zu geben scheint. Nur einzelne ärmliche Holzhäuser liegen auf ihrem Weg.

Wie gut, dass wir nicht mit leeren Händen gekommen sind, denkt Dana. Das, was sie sieht, bestätigt Viktors Erzählungen von der Armut der Menschen. Sie ist erleichtert darüber, dass der Vorstand ihres Hilfswerkes zugestimmt hat, bedürftige Menschen durch Geld- und Lebensmittelspenden zu unterstützen.

Während ihr Weg sie weiter nach Osten führt, wird das Land immer einsamer und Dana fragt sich, wie man hier leben kann. Wenigstens die vielen Storchennester mit den bereits großen Jungvögeln sorgen für etwas Leben in dieser trostlosen Landschaft und erinnern Dana an Masuren. Der Abend bricht bereits an, als sie Luninez erreichen.

Luninez
Dienstag, 20. Juli 2004

»Wir können heute leider noch nicht nach Tatarka fahren«, verkündet Viktor beim Frühstück. »Ihr müsst euch erst registrieren lassen, bevor ihr weiter durchs Land reisen dürft. Das kann jedoch schwierig werden, da wir heute in Belarus Feiertag haben und der zuständige Beamte frei hat.«

Dana schaut ihn entsetzt an. Das kann doch nicht wahr sein. Sollte die polizeiliche Anmeldung ebenso kompliziert werden wie die Planung ihrer Rückfahrt, für die sie noch immer keine Schlafwagenkarten bekommen haben? Es ist Dienstag und am Sonntag müssen sie wegen ihres kurzen Visums bereits wieder das Land verlassen haben. Auch wenn sie nicht wissen, wie.

Viktor schaut in die Runde und spricht zögernd weiter: »Es gibt noch ein weiteres Problem. Man sagte mir gerade am Telefon, dass es möglich sei, dass ihr eine Strafe zahlen müsst, da ihr bereits gestern um 16 Uhr in Belarus eingereist seid und damit bereits ein Tag vergangen sei, an dem ihr euch nicht registriert habt.«

»Ich werde mich darum kümmern und hoffe, dass wir die Stempel trotz des Feiertages bekommen können«, erklärt Igor, ein Freund Viktors. »Gebt mir eure Pässe, ich werde sehen, was ich erreichen kann.«

Während Igor mit der Anmeldung beschäftigt ist, versucht Viktor noch einmal, Platzkarten für die Heimreise zu bekommen. Wieder erfolglos. Man teilt ihm mit, dass sämtliche Züge in den Westen belegt seien und es keine einzige Karte gäbe. Viktor gibt seine Bemühungen auf und sie beschließen, den Vormittag zu nutzen, um Landkarten zu studieren und ihre Fahrt nach Tatarka vorzubereiten. Wären wir nur schon unterwegs dorthin, denkt Dana, während sie ungeduldig auf die Wohnzimmeruhr schaut, deren Zeiger sich kaum von der Stelle zu bewegen scheinen. »Ich habe den Ort Dunowen nicht gefunden«, lenkt Viktor Danas Gedanken zurück auf die Landkarte, die auf dem Boden ausgebreitet ist. »Als ich für dich nach Tatarka gefahren bin, habe ich mit einem Mann aus Ossipowitschi gesprochen, der den Namen Dunowen schon einmal gehört hat. Doch er kann sich nicht erinnern, wo der Ort lag.« Viktor reicht Dana die Lupe, bevor er fortfährt und ihr dabei die Reiseroute auf der kyrillischen Karte zeigt.

»Wir werden über Slusk und Ossipowitschi nach Tatarka fahren. Das sind ungefähr 280 Kilometer.«

»Ihr könnt ab sofort nach Tatarka fahren«, verkündet Igor, der unbemerkt die Wohnung betreten hat. »Ich habe die Stempel und Papiere.«

»Warum hat das so lange gedauert?«, fragt ihn Danas Vater. »Es ist fast 13 Uhr.«

»Wir mussten mehr Anträge stellen und Formulare ausfüllen als üblich«, übersetzt Anna Igors Antwort, während er ihnen zur Verdeutlichung einen Stapel Papiere zeigt.

»Und warum?«

»Der zuständige Mann hat sich trotz des Feiertages bereit erklärt, die Registrierung für uns zu machen. Dafür muss er jedoch nachweisen, dass es wichtig war, dass er an seinem freien Tag gearbeitet hat. Und das kann er nur durch möglichst viele Papiere belegen, die ich ausfüllen musste, und zwar in doppelter Ausfertigung.«

»Und ich habe auch eine erfreuliche Neuigkeit«, unterbricht ihn Viktor. »Ich habe wegen der Fahrkarten eben einen Anruf bekommen. Nachdem sich herumgesprochen hat, dass ihr mit humanitärer Hilfe aus Deutschland gekommen seid, waren plötzlich drei Schlafwagenkarten zu bekommen. Ihr könnt mit einem Nachtzug von Brest nach Berlin fahren, allerdings geht der Zug schon am Freitag.«

Freitag, denkt Dana. Dann haben wir ja noch einen Tag weniger für unsere Forschungen in Tatarka. Wie sollen wir das schaffen?

Das mit Gras bewachsene Hügelgrab ragt gespenstisch in die Höhe.

»Der Berg ist mit mehr als 4.000 Einwohnern dieses Ortes angefüllt«, übersetzt Anna die Gedenktafel am Rande des Grabes. »Die Menschen wurden hier in der Zeit von 1941 bis 1943 gequält und ermordet. Man hat sie 1967 hier beigesetzt.«

Es ist das dritte Massengrab, das sie an diesem Nachmittag besichtigen. Da es zu spät war, um noch nach Tatarka aufzubrechen, haben sie beschlossen, sich Luninez anzusehen und die kinderreichen Familien und Rentner zu besuchen, die sie unterstützen möchten. Auf diese Gräber waren sie nicht vorbereitet. Ganze Familien waren im Zweiten Weltkrieg ausgerottet und in den Gräbern beigesetzt worden. Nur ihre Namen sind auf den schwarzen Grabsteinen noch zu finden und zeugen von dem Leid Tausender. Die Menschen wurden von den deutschen Einsatzgruppen auf die Marktplätze getrieben und dort erschossen oder wurden in ihren Häusern verbrannt.

Dana versteht, dass man die unzähligen Toten mit diesen Gräbern ehren möchte. Doch wie können die Menschen diese grausame Geschichte ruhen lassen, wenn es in fast jedem Dorf solche monumentalen Gräber gibt, die an die Verbrechen und das unvorstellbare Leid erinnern? Nicht nur Dana sucht vergeblich nach passenden Worten für diese Qualen, während sie das meterhohe Grab betrachtet. Nur Viktors Stimme unterbricht immer wieder die beklemmende Stille, mit der er tief bewegt die Namen der vielen Toten vorliest, die auf den Gedenktafeln verewigt sind.

»Das machen nur Menschen, die keinen Gott in ihrem Herzen haben«, erklärt er, während sie zu seinem Auto zurückkehren.

Trotz der unermesslichen Kriegsgräuel, die sich in das Bewusstsein der Bevölkerung eingebrannt zu haben scheinen, schlägt der kleinen deutschen Reisegruppe nirgends Hass oder Feindseligkeit entgegen. Die Menschen begegnen ihnen herzlich und lassen sie ihre Gastfreundschaft spüren. Sie freuen sich über den Besuch der Deutschen, nicht nur wegen der humanitären Hilfe, die sie vielerorts erhalten. Dana ist sich bewusst, dass ihre materielle Hilfe nicht ausreichend ist, da sie damit nicht den Seelenschmerz lindern kann, unter denen die Menschen weit mehr zu leiden haben.

Ein altes, weißrussisches Ehepaar erzählt ihnen von ihren Erlebnissen im Krieg, die auch sie nicht vergessen können. Der Vater des Mannes wird seit 1943 im Gebiet Bobruisk vermisst und die Mutter der Frau wurde von den Deutschen verbrannt. Es war eine schwere Zeit mit harter Arbeit. Ihre Pferde wurden ihnen abgenommen und sie hätten aus Verzweiflung Gras gegessen. Der alte Mann, der von 1947 bis 1948 als Soldat in Königsberg über die dortigen Kriegstrümmer laufen musste, sucht nach versöhnenden Worten: »Es gab auf beiden Seiten Soldaten, die unter dem Krieg litten. Wir wussten, dass auch sie vieles nicht freiwillig taten, sondern mussten.«

»Wenn man an all die Jahre denkt, muss man weinen«, fügt seine Frau hinzu und wischt sich mit dem Kopftuch die Tränen aus den Augen.

Luninez
Mittwoch, 21. Juli 2004
6:00 Uhr

Am frühen Mittwochmorgen startet die kleine Gruppe in Viktors Auto Richtung Tatarka. Endlich, denkt Dana. Es liegen 280 Kilometer vor ihnen und die Ungewissheit, ob sie in den zwei verbleibenden Tagen etwas erreichen können. Am Freitag um Mitternacht wird ihr Nachtzug in Brest starten und sie dürfen den Zug nicht verpassen, mahnt Anna immer wieder. Obwohl die alte Dolmetscherin schon viel in Russland erleben musste, war auch sie nicht auf das vorbereitet, was sie hier erwartete. Anna sehnt die Heimreise herbei, nicht nur um den schlechten Sanitäranlagen und der quälenden tropischen Hitze zu entkommen. Ihr Weg führt über endlos gerade Straßen weiter nach Osten. Sie fahren an weiten, flachen Feldern entlang und durchqueren tiefe Wälder, auf deren Sandboden Kiefern und Birken wachsen. Das karge Land wirkt trostlos und einsam.

Zwischen Slusk und Bobruisk machen sie eine kurze Rast und erfahren von Viktor, dass sie sich in dem berühmten Waldgebiet von Naliboki befinden, in dem sich zwischen 1941 und 1944 die jüdischen Bielski-Partisanen versteckt hielten. Der Name der Partisanengruppe geht auf jüdische Brüder zurück, die aus dem Getto von Nowogrodek geflohen waren und sich im unzugänglichen Naliboki-Wald versteckten, den Viktor als heilig bezeichnet. Sie verhalfen Hunderten weiterer Juden zur Flucht aus dem Getto, sodass die Gruppe bis 1944 auf 1200 Partisanen anwuchs. Da es unter den geretteten Juden auch viele Frauen und Kinder gab, entstand mit der Zeit ein ausgedehntes Lager mit zahlreichen improvisierten Einrichtungen wie einem Krankenhaus, einer Schule, verschiedenen Werkstätten und einer Synagoge.

Während sie nach dieser bedrückenden Pause ihre Fahrt wieder fortsetzen, realisiert Dana, dass sich zwischen Ossipowitschi und Tatarka die Vegetation auffällig verändert. Es wachsen in den Wäldern nicht mehr vorwiegend nur Birken und Kiefern, sondern auch andere Baumsorten wie Erlen und Weiden. Viktor begründet dies mit dem Moorboden um Tatarka, doch Danas Aufmerksamkeit wird inzwischen von etwas anderem gefangen genommen. Sie bemerkt, dass ihre Augenschmerzen wieder beginnen, wenn sie in diese Wälder blickt. Gab es hier etwas, was es für sie zu entdecken gab? Sie wird es vielleicht bald wissen, denn in der Ferne erkennt sie das Ortsschild von Tatarka.

Tatarka
Mittwoch, 21. Juli 2004
14:00 Uhr

»Wo sollen wir mit der Suche beginnen?«, fragt Viktor nach dem Mittagessen. »Es kennt hier niemand das Lager Dunowen, das du suchst.«

Dana schaut unschlüssig auf die Umgebungskarte, die ihr Lydia geschenkt hat, in deren Haus sie diese Nacht übernachten werden. Viktor hat diesen Kontakt vermittelt und Dana ist Lydias Familie dankbar, dass sie ihre Forschungen unterstützen wird. Wie ein Traum kommt es ihr vor, dass sie nun wirklich in Tatarka angekommen sind und der letzte Abschnitt ihrer Suche beginnen kann.

»Das heißt aber nicht, dass es dieses Lager und Lazarett nicht gab«, erklärt Lydia. »Viele Dörfer wurden im Krieg zerstört und sind auf den heutigen Karten nicht mehr eingezeichnet. Ich schlage vor, dass wir uns als erstes Tatarka anschauen und Dana das Gebäude zeigen, in dem die Kommandantur und das Lazarett untergebracht waren. Auf dem Weg dorthin werde ich euch etwas über die Geschichte unseres Ortes erzählen.«

Während sie das Haus verlassen und durch Tatarka laufen, lauschen Dana und ihre zwei Reisegefährten gespannt Lydias Worten. Sie erfahren, dass das Schicksal der 1.000 Einwohner Tatarkas während der Besatzungszeit von dem nur 36 Kilometer entfernt liegenden Ort Bobruisk beeinflusst wurde. Mit 100.000 Juden war Bobruisk bei Kriegsausbruch die Stadt mit der größten jüdischen Einwohnerzahl in Weißrussland, sodass die jüdische Bevölkerung nicht Minsk, sondern Bobruisk als ihre Hauptstadt bezeichnet hätte. Im Juni 1944 wurden zahlreiche deutsche Soldaten überraschend in Bobruisk von der Roten Armee umringt, wodurch das Gebiet auch der ›Kessel‹ genannt wurde. Ihr Schicksal glich dem der eingeschlossenen Soldaten von Stalingrad, wenn auch das Ausmaß der deutschen Opfer die Tragödie von Stalingrad weit übertraf. Wegen des Attentatsversuchs auf Hitler durch Oberst Graf von Stauffenberg im Juli 1944 nahm man im Westen jedoch nicht viel Notiz davon. Dabei hingen diese Ereignisse eng zusammen, da Stauffenbergs Entschluss zum Widerstand während seines Einsatzes im Russlandfeldzug keimte, als er erfahren musste, wie brutal die deutschen Einsatzgruppen hinter der Front wüteten.

Die deutschen Soldaten, die im Juni 1944 dem Kessel von Bobruisk entkommen konnten, versuchten, weiter nach Westen zu flüchten, und durchquerten barfuß oder auf zerfetzten Strümpfen Tatarka. Erschöpft und ausgehungert haben sie bei der weißrussischen Bevölkerung, die sie zuvor jahrelang gequält hatten, um Essen gebettelt und wurden dabei von russischen Soldaten gnadenlos erschossen.

Nachdem die Rote Armee weiter Richtung Berlin gezogen war, wurden im Gebiet Bobruisk Ende Juni 1944 zwei große Lager für deutsche Kriegsgefangene eingerichtet, eines davon in Tatarka. Im Lager von Tatarka wurden 500 deutsche Kriegsgefangene inhaftiert, die im Torfgebiet Zwangsarbeit leisten mussten. Da sie die schweren Arbeiten und das schlechte Wasser nicht gewohnt waren, sind alle diese Gefangenen in den folgenden Monaten gestorben und wurden ohne Särge anonym in Moorgebiet vergraben.

»Und was ist hier im Krieg geschehen?«, fragt Dana, während sie die Bahngleise überqueren und vor dem hölzernen Bahnhofsgebäude kurz stehen bleiben.

»Die Deutschen sind bereits am 28. Juni 1941 in Tatarka eingetroffen, sechs Tage nach dem Angriff auf die Sowjetunion, und haben die Arbeiter, die auf den Torffeldern gearbeitet haben, mit Bomben angegriffen. Es wurde schon bald eine deutsche Kaserne in Tatarka eingerichtet, dabei wurde der Kindergarten eingezäunt und abgeriegelt. Man weiß bis heute nicht, was dort hinter den Zäunen passiert ist ... Hier ist das Kommandanturgebäude«, unterbricht Lydia sich selbst, »in dessen Keller das Lazarett untergebracht war.«

»Das ist nicht das Lazarett, das ich suche«, erklärt Dana, während sie das zweistöckige, beigefarbene Haus mit den blauen Fensterrahmen betrachtet, das ihr schon auf den Fotos, die ihr Viktor geschickt hatte, fremd vorkam.

»Das Lazarett sah anders aus und war nicht in solch einem Wohnhaus mitten in einer Stadt untergebracht. Es waren Zelte im Wald, die große, rote Kreuze auf dem Dach hatten.«

»Dann weiß ich wirklich nicht, wo diese Krankenschwester, nach der du forschst, gearbeitet haben könnte«, antwortet Lydia. »Lasst uns zurückgehen. Dabei kann ich euch noch die Schule zeigen, die euer Verein unterstützen möchte, und die alte Kaserne.«

In Gedanken versunken folgt Dana Lydia durch den einsamen Ort und fragt sich, warum Lydia sich nicht gewundert hat, woher sie dies alles weiß.

»Das Lazarett muss an einem Fluss gewesen sein!«

»Wie kommst du darauf?« Viktor lässt seine Kaffeetasse sinken und schaut Dana überrascht an.

»Ein Freund hat ein Foto des Lagers in einem Museum gesehen. Die Qualität des Bildes war sehr schlecht, doch meinte er, darauf Krankenschwestern zu erkennen, die an einem Steg stehen.«

»Und was war das für ein Steg?«, fragt Lydia interessiert.

»Irgendeine Brücke, die 1941 bei Tatarka aufgenommen wurde.«

»Es gibt zwischen Tatarka und Ossipowitschi den Fluss Wolschinko, den ›Blauen Fluss‹. Wir können gerne heute Nachmittag dorthin fahren«, schlägt Lydia vor. »Dort gibt es auch noch einige alte Menschen, die den Krieg überlebt haben und vielleicht etwas wissen. Wir werden versuchen, mit ihnen zu sprechen.«

»Wieso versuchen?«

»Es ist sehr schwer, Menschen zu finden, die über den Krieg sprechen wollen. Die meisten Weißrussen möchten nicht daran erinnert werden. Selbst in den Archiven habe ich kaum jemanden gefunden, der bereit war, etwas über diese Zeiten zu erzählen. Selbst wenn man mir dort Auskunft gegeben hätte, wäre es schwierig geworden, da der Großteil der Dokumente von damals in der Sowjetzeit vernichtet wurde. Auch im Archiv des Torfbaubetriebes Tatarka ...«

»Lasst uns trotzdem zum ›Blauen Fluss‹ fahren«, unterbricht Lydias Mann Sergej den Redeschwall seiner Frau. »Vielleicht findet Dana dort die Brücke, in deren Nähe das Lazarett war.«

Während Dana nicht nur ihren Rucksack und ihre Kamera, sondern auch diese neue Hoffnung ergreift, streift ihr Blick die alte Dolmetscherin.

»Das hat doch alles keinen Sinn, Dana. Das Lazarett gab es nicht und auch nicht diese Krankenschwester«, brummt Anna. »Willst du wirklich zu diesem Fluss fahren?«

»Natürlich. Vielleicht war das Lazarett dort.« Und während Dana mit Sergej das Holzhaus verlässt, fügt sie entschlossen hinzu: »Ich werde nicht nur den Steg, sondern auch den Beweis finden, dass es das Lager gab.«

Wieder nichts, denkt Dana enttäuscht. Sie sind nun seit Stunden den Fluss Wolschinko entlanggefahren und haben in den Dörfern mit den wenigen Überlebenden des Holocaust gesprochen. Doch niemand konnte sich an deutsche Krankenschwestern und ein deutsches Lager erinnern. Die Menschen erzählten widerwillig, dass es in Ossipowitschi ein Getto und in Bobruisk ein Konzentrationslager gab, denen nur sehr wenige Menschen entkommen konnten. Ein Waldlager mit Lazarett und Kriegsgefangenenlager kannten sie nicht. Auch Dana kommt diese Landschaft fremd vor. Das ist nicht die Gegend aus ihren Träumen und Rückführungen, denkt sie, während sie aus dem Auto den ›Blauen Fluss‹ betrachtet, der sich friedlich durch die weite, flache Landschaft schlängelt. Hier kann es nicht sein, der bedrohliche Wald fehlt! Auch einen alten Steg haben sie nicht gefunden, nur moderne, nichtssagende Betonbrücken.

Während sie mit den alten Menschen sprachen, musste Dana erkennen, dass auch in dieser Gegend fast jeder Bewohner jemanden verloren hatte. Viele waren im Krieg Kinder, haben ihre Eltern verloren und wollen nicht mehr daran erinnert werden.

Als Dana nicht mehr damit gerechnet hatte, begannen einige alte Menschen zögernd, von ihren Kriegserlebnissen zu erzählen. So erfuhr sie, dass sämtliche Einwohner des Dorfes Presalovitschi zusammengetrieben und ermordet wurden. Nur drei Menschen überlebten. Den Sterbenden und Überlebenden wurde Blut entnommen, um die eigenen deutschen Soldaten zu stärken. Im nächsten Dorf, das sie besuchten, wurde 1942, einen Tag vor Weihnachten, die gesamte Bevölkerung in ihren Häusern erschossen. 300 Menschen starben. Die Partisanen hätten die Bevölkerung unterstützt, indem sie ihnen Lebensmittel wie Mehl brachten, aus dem Brot gebacken wurde. Vieles von dem, was die Partisanen in den Dörfern verteilt hätten, nahmen die Deutschen den Menschen jedoch wieder ab. Sie sollten dafür bestraft werden, dass die Partisanen die Eisenbahnlinien und Telefonleitungen sabotierten.

Dana ist noch immer von diesen Erzählungen schockiert, während sie weiter am ›Blauen Fluss‹ entlangfahren und den Steg im Wald suchen. Sie bedauert es, dass sie die alten Menschen mit diesen Erinnerungen gequält hat, ohne etwas über das Lazarett in Erfahrung gebracht zu haben. Keiner kann sich an Krankenschwestern erinnern. Ein alter Mann erzählte von einer Sanitätsabteilung, die in seinem Dorf im oberen Stockwerk eines zweistöckigen Gebäudes untergebracht war. Dies hätte er noch genau im Gedächtnis, da er Ende 1943, als er zehn Jahre alt war, von Sanitätern auf der Straße angesprochen wurde. Sie sahen, dass er einen Hautausschlag hatte. Sie zeigten Mitleid mit ihm und hätten ihn in ihrem Sanitätszimmer behandelt. Er fügte hinzu, dass die SS die Erschießungen durchgeführt hätte, die anderen Soldaten wären ruhiger und menschlicher gewesen. Es hätte noch ein zweites Haus gegeben, in dem die deutsche Armee war. An Krankenschwestern konnte auch er sich leider nicht erinnern, nur an deutsche Sanitäter.

Während Dana enttäuscht ihre Aufmerksamkeit zu einer alten Marienikone lenkte, die liebevoll hinter einem gehäkelten, weißen Vorhang hing, fügte er seinen Erzählungen abschließend hinzu, dass zwischen Tatarka und der Bahnstation Jasen ein Wachturm gewesen wäre, auf dem deutsche Soldaten und Polizeieinheiten untergebracht waren. Die Deutschen hätten von dort die Bahnstrecke überwacht und Partisanen bekämpft.

»Es hat keinen Sinn«, erklärt Anna. »Wir finden hier nichts. Es ist spät und wir müssen zurück nach Tatarka. Ich bin müde und morgen müssen wir fast 300 Kilometer nach Luninez zurückfahren.«

»Vielleicht finden wir noch einen Weg vor eurer Abreise, etwas über das Lazarett herauszufinden«, versucht Viktor Dana zu trösten. »Euer Zug geht erst übermorgen Nacht in Brest ab, sodass es ausreichend wäre, wenn wir morgen Nachmittag von hier nach Luninez aufbrechen.«

Auf der Suche nach Hoffnung

»Die Hoffnung aufzugeben bedeutet, nach der Gegenwart auch die Zukunft preiszugeben.«

Pearl S. Buck

Jasen
April 1953

»Marie-Luise, das ist doch viel zu schwer für dich.« Aljoscha betrachtet besorgt, wie sich Marie-Luise auch heute wieder auf der Bahnstation Jasen quälen muss. »Ich helfe dir!« Entschlossen nimmt er ihr die Schaufel aus der Hand und fährt fort, den Torf aus einem der vielen Waggons, die täglich in Jasen eintreffen und in andere Wagen umgeladen werden müssen, zu schippen.

Marie-Luise schaut ihn dankbar an, während sie sich erschöpft die Schweißperlen von der Stirn wischt. »Du bekommst wieder Ärger wegen mir«, seufzt sie und versucht, ihm die Schaufel abzunehmen.

»Das ist mir egal«, erwidert er lächelnd. »Ich kann nicht mit ansehen, dass man dich weiterhin so schwer arbeiten lässt, obwohl du schwanger bist.«

Marie-Luise ist durch seine Worte tief gerührt, da sie sie daran erinnern, wie viel Sorgen sie sich selbst um das Kind macht und wie sehr er ihr in den vergangenen Monaten beigestanden und geholfen hat.

»Ich werde noch verrückt, wenn ich das weiter mit ansehen muss«, seufzt Aljoscha. »Wenigstens konnte ich dir ein paar warme Stiefel organisieren. Wie können sie dich Tag für Tag in dieser feuchten Erde arbeiten lassen?«

Marie-Luise schaut in seine warmen Augen und ist glücklich, ihm hier begegnet zu sein. Sie ist nun schon seit fast zehn Jahren in Kriegsgefangenschaft. Zunächst hatte sie mit Hedwig und Claire in Swoboda gelebt und dort gearbeitet, doch dann brachte man sie unerwartet nach Jasen. Hier erwartete die Frauen ebenso schwere Arbeit wie in Swoboda, doch dürften sie sich nun freier bewegen. In Jasen hatte man ihnen in den letzten Jahren oft genug voller Hass zu verstehen gegeben, dass sie sich keine Hoffnung zu machen brauchten, dieses Land jemals lebend zu verlassen. In dieser Einsamkeit traf sie vor einigen Monaten auf Aljoscha. Der erste Mann, der seit ihrer Gefangenschaft gut zu ihr war und sich um sie sorgte, dem sie vertrauen konnte und vor dem sie keine Angst hatte. Aljoschas Sorge und seine Herzlichkeit wärmten sie in dieser kalten, einsamen Welt. Während Aljoscha für sie weiter Torf schaufelte, muss sie an die vergangenen Monate denken und daran, wie sie sich kennengelernt hatten. Es war auf dieser Bahnstation. Aljoscha hatte selbst eine Zeit lang hier gearbeitet und wurde auf Marie-Luise aufmerksam. Er verbrachte viel Zeit mit ihr, auch wenn er wusste, dass dies von der Kommandantur nicht gerne gesehen wurde. Aljoscha wurde sogar einmal in die Behörde einbestellt, um ihn darauf hinzuweisen, dass Marie-Luise eine politische Gefangene sei und ihr der engere Umgang mit Einheimischen verboten sei. Aljoscha wollte sich diesem Zwang nicht fügen und so trafen sie sich heimlich, meistens bei Marie-Luise in dem einsam gelegenen Holzhäuschen. Wegen des Schäferhundes, der bei den Frauen lebte, trauten sich viele nicht in die Nähe der Behausung, da sie Angst hatten, der Hund wäre trotz des weit fortgeschrittenen Alters noch immer gefährlich. So waren die drei Deutschen wenigstens dort ungestört, aber nicht unbeobachtet.

Um ihren Umgang zu unterbinden, versetzte man Aljoscha auf eine andere Arbeitsstelle. Seine Sehnsucht trieb ihn jedoch immer wieder zur Bahnstation Jasen, um Marie-Luise zu sehen, wie heute.

»Aljoscha, wenn dich hier jemand sieht«, redet Marie-Luise wieder verzweifelt auf ihn ein. »Ich möchte nicht, dass du wegen mir irgendwelchen Schikanen ausgesetzt wirst.«

»Und ich möchte nicht, dass du dich ständig mit dieser unmenschlichen Arbeit quälst«, entgegnet Aljoscha und setzt seine Arbeit unbeirrt fort.

Marie-Luise ist gerührt über seine Fürsorge, durch die er sich in Gefahr bringt. Und sie erinnert sich an den Tag, an dem er sie seiner Mutter vorgestellt hat. Marie-Luise war erleichtert und hat sich mit der alten Frau gleich gut verstanden. Und dann der Tag, an dem sie herausfand, dass sie schwanger ist. Sie hatte Angst davor, was Aljoscha dazu sagen würde, da sie ihn damit noch mehr in Gefahr brachte. Aber er hat so wunderbar reagiert und sich über diese Nachricht gefreut. Er schenkte mir Ohrringe, um mir zu zeigen, wie stolz er darauf war, Vater zu werden. Wie glücklich war auch ich damals. Sie wischt sich den Schweiß von der Stirn und unterbricht ihre Gedankenflut, um nochmals verzweifelt auf Aljoscha einzureden. Doch Aljoscha lässt sich noch immer nicht beirren und schaufelt weiter. Dann kam der Tag, an dem ich wusste, dass ich Wassersucht habe. Es war ein Schock für mich. Ich bin Krankenschwester und habe gewusst, was dies bedeutet, dass das Kind in Gefahr war und ich es nicht ohne Hilfe zur Welt bringen konnte. Hedwig versprach, mir bei der Geburt zur Seite zu stehen, aber wie konnte sie mir bei der Wassersucht helfen? Da brauchte ich ärztliche Hilfe. Nicht nur für mich, sondern auch besonders für das ungeborene Kind. Ich wollte nicht, dass ihm etwas passierte. Ich bin zu der russischen Ärztin im Dorf gegangen und habe versucht, mich als Polin auszugeben, da ich in Masuren Polnisch gelernt habe. Ich hoffte, das würde helfen. Doch die Ärztin hat es durchschaut und nur laut gelacht. Gelacht hat sie und sich geweigert, mich überhaupt anzuhören. Als Deutsche hat sie mich beschimpft.

Tränen fließen über Marie-Luises Wangen, doch ihr fehlt die Kraft, sie aufzuhalten, und zieht damit ungewollt wieder Aljoschas Aufmerksamkeit auf sich. »Aber was kann ich denn dafür, dass ich eine Deutsche bin«, schluchzt sie verzweifelt. Sie vergräbt ihr Gesicht in ihren Händen, während Aljoscha sie in den Arm nimmt und tröstend auf sie einredet.

Jasen
Ende Mai 1953

»Das habe ich dir gleich gesagt«, sagte Hedwig zu Marie-Luise. »Ich habe euch seit Langem gesagt, dass ihr vorsichtiger sein müsst. Ich kann ja verstehen, dass du einsam bist und dich verliebt hast und dir Aljoscha hilft, dies alles hier zu ertragen, aber das sehen die russischen Aufseher überhaupt nicht gern.«
Marie-Luise versucht, Hedwigs Worte zu ignorieren, und starrt schweigend aus dem Fenster.
»Verstehe mich nicht falsch. Mir blutet auch das Herz, wenn ich mir vorstelle, dass sie dich nun von ihm trennen wollen und du mit dem Kind weggeschickt wirst. Auch weil ich sehe, wie glücklich du mit ihm bist. Aber ich habe das schon lange kommen sehen.«
Wie soll ich das nur durchstehen, denkt Marie-Luise, während sich ihr Blick im düsteren Garten verliert. Wieso wollen sie uns Frauen nun plötzlich nach Hause zurückschicken. Warum jetzt? Ich kann nicht nach Masuren zurück, nicht zu meinem Vater, nicht mit dem unehelichen Kind. Das interessierte die Milizionäre nicht. Sie sagten nur kurz angebunden, dass es in den nächsten Tagen schon nach Deutschland gehen könne und ich mich bereithalten solle. Sie wollen uns auseinanderreißen, indem sie mich plötzlich nach Hause zurückschicken wollen. Aber ich möchte hierbleiben, was soll ich dort ohne Aljoscha?

Ihre Gedanken werden immer schwärzer, wie die Landschaft, in die sie blickt. Ich hatte immer gehofft und davon geträumt, nach Hause zurückzukehren. Aber sie hätten sich keinen schlimmeren Zeitpunkt ausdenken können, um mich damit zu quälen. Ich bin sogar zur Kommandantur gegangen, habe sie angefleht, dass man mich nicht wegschickt. Aber sie haben nur hämisch gelacht und es abgelehnt. Aljoscha habe ich zunächst nichts davon gesagt. Ich wollte ihn nicht beunruhigen. Wie damals mit der Ärztin. Doch dann musste ich es ihm erzählen und seine Verzweiflung miterleben. Selbst der Raum, in dem Marie-Luise ihren Gedanken nachhängt, erscheint an diesem Abend dunkler als sonst. Wir lieben uns, bekommen ein Kind und träumen von unserer gemeinsame Zukunft. Und ausgerechnet jetzt soll ich das Land verlassen. Das überlebe ich nicht. Nach dem, was mir die Männer der Roten Armee angetan hatten, hätte ich nicht erwartet, dass ich jemals wieder einem Mann vertrauen könnte. Doch dann bin ich Aljoscha begegnet, habe mich in ihn verliebt und mein Vertrauen wiedergefunden. Aber warum quälen sie uns nur so sehr? Warum müssen sie uns voneinander trennen? Ich habe ihm versprochen, dass ich wiederkommen und ihn nie vergessen werde. Und dass er sein Kind sicher bald in seinen Armen halten darf. Ich werde bis dahin für unser Kind sorgen und versuchen, so schnell wie möglich zurückzukehren.

Bei diesem Gedanken erscheint ein kleines, hoffnungsvolles Lächeln auf Marie-Luises Gesicht. Ihr wird bewusst, dass sie dann keine politische Gefangene mehr wäre und man sie nicht mehr von Aljoscha trennen könnte.

Mit diesen Gedanken versucht sie, sich zu trösten, während sie schweren Herzens beginnt, ihre wenigen Habseligkeiten für die bevorstehende Reise zu packen.

Im Moor

»Bäume sind Heiligtümer. Wer ihnen zuzuhören weiß, der erfährt
die Wahrheit.«

Kaonde

Tatarka
Donnerstag, 22. Juli 2004
7:00 Uhr

»Ihr habt Glück mit dem Wetter. Die Hitze hat erst zwei Tage
vor eurer Ankunft begonnen«, erklärt Igor, während er Dana auf
einer Landkarte das Moorgebiet zeigt, das Tatarka umgibt. »Bei
dem vorherigen Dauerregen wäre es unmöglich gewesen, durch
dieses Sumpfgebiet zu laufen.«

»Wahrscheinlich hätte selbst das Dana nicht von ihrem
unsinnigen Vorhaben abgebracht«, murmelt Anna. »Ich
bezweifle, dass ihr dort etwas finden werdet. Wenn es nach mir
ginge, würden wir schon heute Vormittag nach Luninez
zurückfahren.«

Dana ignoriert Annas entmutigende Worte und betrachtet die
Karte. Nachdem ihre gestrige Suche am ›Blauen Fluss‹ erfolglos
geblieben war, hat sie nun mit Igor während des Frühstücks
beschlossen, zum Dorf Dubovoje zu gehen, das fünf Kilometer
von Tatarka entfernt im Moor liegt. Der Ort erweckte Danas
Interesse, nachdem sie von Viktor erfahren hatte, dass Dubovoje
nach einer alten Eiche benannt worden war und die Bewohner im
Krieg Verbindung zu den Partisanen hatten. Das Dorf bestand
aus zehn Häusern und lag in einem waldreichen Sumpfgebiet, in
dem sich Partisanen versteckt hielten.

Nachdem die deutschen Einsatzkräfte davon erfahren hatten, dass es Verbindungen zwischen den Dorfbewohnern und Partisanen gab, erschossen sie zunächst acht Männer und hängten dann einen Teil der Einwohner auf. Die Erhängten durften zur Abschreckung lange Zeit nicht abgenommen werden. Dies trug dazu bei, dass die Bevölkerung immer mehr Angst vor den deutschen Truppen bekam. Die wenigen Bewohner, die den Krieg überlebt haben, zogen von dort weg und gaben das Dorf dem Verfall preis.

»Was sind das für Eisenbahnschienen, die hier eingezeichnet sind?«, fragt Dana, während sie weiter die Umgebungskarte von Tatarka studiert.

»Im Krieg gab es zum Torfabbau eine Spezialeisenbahn mit besonders kleinen Schienen und Waggons. Damit wurde während und nach dem Krieg der Torf abgefahren«, erklärt Igor. »Doch auch Ochsenkarren kamen hier zum Einsatz. Im Krieg mussten hier im Torfbetrieb russische Gefangene Zwangsarbeit leisten, nach dem Krieg deutsche Soldaten.«

»Ich würde lieber Richtung Bobruisk fahren«, schlägt Viktor vor, während er sich über die Karte beugt. »Vielleicht erfahren wir dort etwas über das jüdisches Getto, das du suchst. Außerdem sollten wir in das Archiv des Torfbetriebes von Tatarka fahren, von dem Lydia gesprochen hat.«

»Ich dachte, in dem Archiv gäbe es keine Informationen über ein Waldlager und deutsche Krankenschwestern? Lydia sagte, dass alle Unterlagen vernichtet worden seien außer der Liste mit den deutschen Soldaten, die in Tatarka in Kriegsgefangenschaft gerieten und starben. Dann macht das keinen Sinn. Ich möchte lieber zu der alten Eiche nach Dubovoje fahren. Vielleicht finden wir dort etwas.«

»Dir ist sicher nicht bewusst, dass der Ort mitten im Sumpf liegt«, gibt Viktor zu bedenken. »Wir können nur ungefähr zwei Kilometer mit dem Auto fahren, den Rest müssen wir zu Fuß gehen.«

»Das macht nichts«, erwidert Dana entschlossen, während sie die Karte zusammenfaltet. »Vielleicht finden wir dort etwas.«

»Die sind für dich.« Lydia reicht Dana grüne Gummistiefel. »Sie sind leider etwas zu groß, doch du wirst sie brauchen. Anna kann bei mir in Tatarka bleiben, der Weg durchs Moor wäre zu beschwerlich für sie.«

»Seid aber bitte rechtzeitig zurück«, mahnt Anna. »Wir haben heute noch vier Stunden Fahrt nach Luninez vor uns und sollten wie geplant um 14 Uhr aufbrechen. Ich möchte vor Einbruch der Dunkelheit zurück sein.«

Torfgebiet bei Tatarka
Donnerstag, 22. Juli 2004
8:45 Uhr

»Hier kommen wir nicht weiter«, erklärt Viktor. »Für diese Sandpisten bräuchten wir einen Jeep.«

Während die Reifen immer wieder durchzudrehen scheinen, lenkt er das Auto zu einer Kiefer am Rand des Weges.

Dana steigt erleichtert aus. Sie hatte schon befürchtet, dass sie auf den unbefestigten Wegen stecken bleiben würden.

»Wie weit ist es noch bis Dubovoje?«, fragt sie Igor, der neben sie getreten ist und ihr eine Wasserflasche reicht.

»Noch etwa sieben Kilometer.«

»Sieben Kilometer? Wieso? Ich dachte, das Dorf liege nur fünf Kilometer von Tatarka entfernt, und wir sind doch bestimmt schon zwei Kilometer mit dem Auto gefahren.«

»Wir können von hier aus nicht direkt nach Dubovoje laufen, da die Kanäle, durch die das Gebiet trockengelegt wurde, zerstört sind und der Wald wieder versumpft ist. Lasst uns losgehen, solange es noch nicht so heiß ist.« Bei diesen Worten verlässt er den Sandweg und taucht in den dichten Birkenwald ein.

»Ich werde hier warten und das Auto bewachen«, erklärt Viktor.

Während Dana Igor in den dunklen Wald folgt, versucht sie, die heftigen Kopf- und Augenschmerzen zu ignorieren, die immer stärker werden. Die Schmerzen, die sie von der Fahrt nach Luninez kennt, begannen am gestrigen Tag wieder fünf Kilometer vor Tatarka und hielten in diesem Umkreis um Tatarka an. Bei ihrer Fahrt durch die Dörfer am ›Blauen Fluss‹ spürte sie nichts davon. Viel quälender als die Augenschmerzen sind jedoch die aggressiven Bremsen und Stechmücken, die sie umschwirren. Igor lässt sich auch davon nicht beirren und führt sie immer tiefer in das sumpfige Torfgebiet hinein. Während sie zugewachsene Torfgleise überqueren und trübe Sumpflöcher passieren, erinnert sich Dana an das, was Viktor ihnen auf der Fahrt über die furchtbaren Schlachten, die im Juni 1944 auf den Feldern bei Tatarka stattgefunden haben, erzählt hat. Unzählige deutsche Soldaten seien mit ihren Pferden auf der Flucht Richtung Westen im Sumpf stecken geblieben und qualvoll gestorben. Auch wenn viele flüchtende Soldaten dem Moor entkommen konnten, wurde es einigen von ihnen auch noch nach dem Krieg zum Verhängnis. Wie Dana bereits von Lydia erfahren hatte, mussten die deutschen Kriegsgefangenen das Moor trockenlegen und waren dabei nicht nur den Moskitos und Bremsen schutzlos ausgeliefert. Wie die russischen Kriegsgefangenen unter den deutschen Besatzern zuvor mussten auch sie metertiefe Gräben ausheben und starben dabei an Schwäche und Durst.

Dana versteht nicht, wie grausam Menschen sein können. Warum mussten sie sich gegenseitig quälen, sei es aus Hass oder Rache? Wie viel Leid musste noch auf diesem Land liegen und in den Seelen der Menschen vergraben sein?

Der Boden gibt bei jedem Schritt nach und Dana schaut sich verunsichert um. Seit über zwei Stunden sind sie nun bei schwül-warmer Tropenhitze in dem unwegsamen Moorgebiet unterwegs und von Dubovoje ist noch immer nichts zu sehen.

Die Wanderung durch das sumpfige Torfgebiet ist nicht nur wegen der weiten Gummistiefel beschwerlich und scheint kein Ende nehmen zu wollen. Ihr Weg führt immer häufiger durch dichtes Gestrüpp und Dana fragt sich, ob wenigstens Igor noch weiß, wo sie sind. Sie kann nicht glauben, dass er in diesem unwegsamen Gelände den Weg nach Dubovoje finden wird. Während Dana unter dem aufdringlichen Surren von Moskitos weiter durch den dichten Kiefernwald läuft, wird der Druck auf ihre Augen immer stärker. Außerdem spürt sie eine seltsame Brustbeklemmung, die von Herzklopfen begleitet wird.

»Schau mal Dana, hier wächst büschelweise Rosmarin und Himbeeren gibt es auch.« Danas Vater bleibt auf einer mit Heidekraut bewachsenen Lichtung stehen. »Hast du die Wildschweinspuren gesehen? Viktor meinte, es gäbe hier auch Elche.«

»Hier ist Dubovoje«, unterbricht ihn Igor in gebrochenem Deutsch und zeigt auf die Lichtung. Mehr kann Dana nicht verstehen. Sie bedauert, dass Viktor nicht als Dolmetscher mitgekommen ist.

»Und wo ist der Ort?«, fragt Dana, während sie die einsame Lichtung betrachtet.

»Viktor hatte gesagt, dass nicht mehr viel davon zu sehen ist«, antwortet ihr Vater.

Dana schaut sich um. Nicht viel zu sehen, war wirklich untertrieben. Nichts erinnerte mehr an den Ort, der sich hier im Krieg befand. Enttäuscht betrachtet sie den freien Platz, auf dem kein Haus mehr steht. Nur ein alter Birnbaum lässt ahnen, dass hier einmal Menschen gelebt haben. Sogar Danas Augenschmerzen sind plötzlich verschwunden.

»Das müsste die Eiche sein«, reißt Danas Vater sie aus ihren Gedanken. Dabei zeigt er auf einen alten, zusammengewachsenen Baum, der am Rand der Lichtung liegt.

»Das soll die Eiche sein?«, fragt Dana. »Das ist doch nur noch ein Baumskelett.« Dana ist entsetzt über den Anblick.

Der Baum wirkt so leblos wie der Ort, der dem Krieg zum Opfer fiel. Nicht ein Ziegel lässt darauf schließen, dass hier einmal ein Dorf war.

Hier ist es nicht, ist sie sich sicher. Hier werden wir nichts finden, auch keine Anzeichen für das Lager. Zweieinhalb Stunden sind wir durchs Moor gewandert zu einem Ort, an dem nichts weiter ist als eine vom Blitz getroffene Eiche. Dana schaut auf ihre Uhr. Es ist bereits 11 Uhr. Die Zeit läuft ihnen davon.

»Wir sollten zurückfahren«, erklärt Viktor, während er die Türen des Autos weit öffnet und die Fenster herunterkurbelt. »Ich wüsste nicht, wo wir noch suchen sollten. Außerdem haben wir Anna versprochen, nicht so spät in Tatarka aufzubrechen. Wir haben noch eine lange Fahrt vor uns.«

Während Dana ins Auto steigt, spürt sie, wie ihr die Hitze entgegenschlägt. Sie kann nicht glauben, dass ihre Forschungen nun so plötzlich zu Ende gehen sollen. Der Rückweg durchs Moor schien kein Ende nehmen zu wollen und doch waren sie zeitiger am Auto als gedacht.

»Gibt es hier denn wirklich keinen Steg im Wald, der uns entgangen ist?«, fragt Dana, während sie die Umgebungskarte von Tatarka aus ihrem Rucksack nimmt. »Und was ist mit Swoboda, dem Dorf, das das alte Ehepaar am ›Blauen Fluss‹ erwähnt hatte? Wo es den Wachturm gab? Ich dachte, das sei auch hier im Moor gewesen?«

»Nein, Swoboda liegt hier nicht. Es liegt im Wald zwischen Tatarka und Jasen, an der alten Bahnstrecke Richtung Bobruisk.«

»Lass mal sehen.« Igor beugt sich über die Karte. »Swoboda existiert nicht mehr, so, wie es diese Bahnstrecke nicht mehr gibt. Es ist auf der Karte nicht abgebildet, aber ich kann dir die Stelle zeigen, wo das Dorf einmal lag.«

Nachdem er den Ort auf der Karte eingezeichnet hat, schaut er überrascht auf. »Warum fällt mir das jetzt erst ein?

Das Dorf lag an einem alten, schmutzigen Flüsschen und in der Nähe gibt es Überreste eines alten, verfallenen Stegs aus deutscher Zeit.«

Dana bekommt Gänsehaut. Ist dies die Brücke, die Tom im Museum gesehen hat?

»Es ist kein natürlicher Fluss, sondern ein Entwässerungsgraben, der zur Trockenlegung des Torfgebietes angelegt wurde«, erklärt Igor. »Deswegen habe ich nicht daran gedacht. Es gibt dort viele Heidelbeeren.«

»Können wir noch dorthin fahren?«, fragt Dana.

»Vielleicht war dort das Waldlager?«

»Das schaffen wir heute nicht mehr. Es ist bereits 12 Uhr und Anna wartet«, gibt Viktor zu bedenken.

»Wie weit ist denn Swoboda von Tatarka entfernt?«

»Luftlinie müssten es zwei Kilometer sein.«

»Dann müssten wir es doch noch schaffen.«

»Igor meint, dass man nicht bis zu dem Steg laufen kann. Wir werden bestimmt drei Kilometer durch das Moor laufen müssen.«

»Es wäre der letzte Versuch«, bettelt Dana. »Unser Zug fährt doch erst morgen Nacht.«

»Okay. Wir müssen aber noch kurz in Tatarka vorbeifahren, und ich hoffe, dass Anna keine Schwierigkeiten macht.«

Dunkle Stunde

»Der Krieg hat einen langen Arm. Noch lange nachdem er vorbei ist, holt er sich seine Opfer.«

Martin Kessel

Jasen
Juni 1953

Um zwei Uhr früh schreckt Marie-Luise durch ein lautes Poltern aus dem Schlaf.

Es kam ihr vor wie das Zuschlagen einer Tür und sie hat das Gefühl, nicht allein im Haus zu sein. Doch das kann nicht sein. Claire und Hedwig sind seit ein paar Tagen auf einer anderen Arbeitsstelle eingeteilt und übernachteten dort. Vielleicht kamen sie früher zurück? Aber warum mitten in der Nacht?

Während sie mit diesen Gedanken beschäftigt ist, wird plötzlich die Schlafzimmertür aufgerissen und zwei Männer stürmen ins Zimmer. Sie sind in lange Mäntel gehüllt und schwer bewaffnet.

»Anziehen!«, ertönt es in frostigem Ton. »Anziehen und mitkommen!«

»Wieso? Wieso soll ich mitkommen?«, fragt Marie-Luise. »Geht es schon heute Nacht nach Deutschland?«

Die Männer betrachten sie stumm mit eisigen Augen.

»Warum so plötzlich? Und warum mitten in der Nacht?«

Die Männer schweigen noch immer.

Marie-Luise beschleicht eine unfassbare Angst, während sie in die teuflisch wirkenden Augen der Männer blickt. Widerwillig steht sie auf.

»Dawai! Beeil dich!«

Unter den aufdringlichen Blicken der Milizionäre zieht sie sich an. Dann packt sie eilig ein paar letzte Sachen in ihren bereits vorbereiteten Reisekoffer und schnürt ihn fest.

»Dawai! Dawai!«, fahren die Männer sie ungeduldig an. »Raus hier!«

Marie-Luise ergreift den Koffer und folgt den Männern aus dem Schlafzimmer.

Ohne ein weiteres Wort der Erklärung treiben sie Marie-Luise aus dem Haus. Dabei erkennt sie den Grund für den Lärm, der sie geweckt hatte. Die Männer haben die Haustür zertrümmert und waren gewaltsam ins Haus eingedrungen.

Vor der Tür wartet ein weiterer uniformierter Mann in einem Militärfahrzeug auf sie.

»Einsteigen!«, ertönt es frostig hinter ihr. Erschrocken dreht sie sich um und sieht, dass einer der Männer sein Gewehr auf sie gerichtet hat und ihr damit ungeduldig Zeichen gibt, endlich einzusteigen.

»Nein, ich kann nicht abreisen. Ich muss mich von Aljoscha verabschieden, dem Vater des Kindes. Das müssen Sie doch verstehen.«

Die Männer machen mit einem kalten Lachen deutlich, dass es sie nicht interessiert.

»Aber die Abfahrt kommt so überraschend. Ich muss ihm Bescheid geben! Er weiß nicht, dass ich heute schon nach Deutschland abreisen werde.«

»Dawai!«

Mit Tränen in den Augen steigt Marie-Luise in das Fahrzeug ein und presst beim Hinsetzen verzweifelt den kleinen Koffer an sich.

Schweigend fahren sie durch den um diese frühe Zeit noch stillen Ort.

Während sie sich Aljoschas Haus nähern, bittet Marie-Luise die Männer, kurz anzuhalten, damit sie sich von ihm verabschieden kann.

Sie konnte nicht glauben, dass man ihr dies verwehren wollte. Doch auch jetzt bekommt sie nur ein gehässiges Lachen zur Antwort. Sie kann nicht verstehen, warum diese Männer so hartherzig sind, und fleht sie noch einmal an, vor Aljoschas Haus zu halten.

»Ich kann unmöglich abreisen, ohne mich zu verabschieden. Wer weiß, wann wir uns wiedersehen.«

Die Männer verspotten sie nur und fahren unbeirrt an seinem Haus vorbei.

Weinend hält Marie-Luise nach ihm Ausschau. Doch er ist, wie es zu erwarten war, in diesen frühen Morgenstunden nicht zu sehen. Sie schaut dennoch zu seinem Fenster hinauf und hofft, dass er es spüren und zufällig hinaussehen würde. Vergeblich, die Fenster bleiben dunkel. Er wusste ja nicht, dass sie in dieser Nacht abgeholt würde.

Marie-Luise ist verzweifelt.

»Warum tut ihr uns das an?«, fragt sie die Milizionäre. »Wir haben nichts verbrochen. Wir lieben uns und haben doch nur auf ein kleines Stück Glück gehofft, gemeinsam mit dem Kind.«

Auch darauf antworten die Männer nur mit einem kalten Lachen.

»Warum wird uns dieses Glück missgönnt? Warum will man es zerstören und uns auseinanderreißen?«

»Du bist eine Deutsche«, bricht der Fahrer sein Schweigen. »Und hast dich mit einem Russen eingelassen. Das ist strengstens verboten und das weißt du!«

»Aber wir lieben uns.«

»Liebe«, antwortet er verächtlich. »Wen interessiert das? Es gibt Gesetze und die habt ihr gebrochen.«

Marie-Luise schweigt. Sie weiß, dass es aussichtslos ist, sich gegen diese Männer zu wehren. Sie ist ihnen wieder einmal ausgeliefert.

»Wir können nicht zulassen, dass sich einer unserer Männer mit einer Politischen einlässt«, bricht nun auch der Milizionär neben ihr sein Schweigen.

»Und dann auch noch mit einer Deutschen«, bekräftigt der Fahrer in eisigem Ton.

»Wie du siehst, ist es ein Leichtes für uns, euch zu trennen.«

Während sie schweigend die Fahrt durch die Dunkelheit fortsetzen, ist Marie-Luise über den Hass erschüttert, der aus diesen Worten spricht.

So, wie der Tag sich nur langsam von der Nacht trennen kann und zu Leben erwacht, können auch Marie-Luises Gedanken sich nur schwer von Jasen und dem erzwungenen Abschied von Aljoscha trennen. Was wird Aljoscha nur von ihr denken, wenn er erfährt, dass sie abgereist ist? Abgereist, ohne sich zu verabschieden. Aber sie durfte doch nicht!

Sie steht mit ihrem kleinen, grauen Reisekoffer, der von den Lederriemen zusammengehalten wird, auf einem verlassenen Bahnsteig in Bobruisk. Es ist dunkel und kalt und regnet seit Stunden. Marie-Luise zittert und hält vergeblich Ausschau nach weiteren Reisenden. Sie fragt sich, wo der Zug nach Deutschland bleibt, und versteht nicht, warum keine anderen Menschen zu sehen sind außer den zwei düsteren Gestalten, die sie von einem Nachbargleis aus mustern. Die Anwesenheit dieser Männer verstärkt Marie-Luises Unbehagen. Wie sie diese Blicke kennt. Sie kann sich vorstellen, was in ihren Köpfen vor sich geht, aber sie tröstet sich mit dem Gedanken, dass sie nun nach Deutschland fahren und damit vor diesen Männern in Sicherheit sein würde.

Sie fragt sich, warum nicht auch Claire und Hedwig hier sind. Bestimmt wussten die Milizionäre, die sie hierherbrachten, dass sie vor ein paar Tagen zu einem anderen Arbeitsplatz gebracht wurden.

Marie-Luise versteht nicht, warum man sie vor der Abfahrt auseinandergerissen hatte. Warum durften sie nicht gemeinsam nach Deutschland fahren? Was war mit Hedwig und Claire geschehen?

Während sie an ihre Freundinnen denkt und das, was sich in den letzten Stunden ereignet hat, streift ihr Blick die dunklen Gestalten, die sie unbeirrt finster anstarren.

Marie-Luise erschaudert bei dem Gedanken an die Blicke der Milizionäre, die sie hierherbrachten und ihr befahlen, auf den Zug zu warten und diesen Bahnsteig nicht zu verlassen, während sie selbst im Inneren des Bahnhofgebäudes verschwanden. Wie gerne würde sie sich dort auch aufwärmen und vor dem Regen schützen, doch sie wagt es nicht, sich vom Bahnsteig zu entfernen.

Marie-Luise setzt sich auf ihren Koffer, auf dem das aufgemalte rote Kreuz kaum noch erkennbar ist, und vergräbt ihr Gesicht in ihren Händen. Er hat sie nicht gesehen und sie durfte ihn nicht sehen. Warum nur? Ihr letzter Gedanke geht in ein heftiges Weinen über und sie bemerkt nicht, dass sich die zwei dunklen Gestalten langsam auf sie zu bewegen.

»Dawai!«

Marie-Luise schreckt auf und starrt in die Gesichter zweier bewaffneter Wachposten, die einen scharfen Wachhund bei sich haben. Es regnet noch immer und ein kalter Wind weht über den Bahnsteig.

Während einer der Russen sie mit seiner Waffe bedroht und zur Eile antreibt, fährt ein langer, roter Güterzug auf dem Bahnsteig ein. Marie-Luise ist schockiert und fragt sich, was dies zu bedeuten hat.

Während der Zug zum Stehen kommt, entreißt der Mann ihr den Koffer und stößt sie mit seinem Gewehr zu dem Güterzug.

»Dawai! Dawai!«, brüllt er.

»Was soll das? Das ist ein Güterzug. Es soll doch nach Deutschland gehen. Das ist sicher der falsche Zug!«

Die Männer lachen nur und treiben Marie-Luise vorwärts.

»Aber es geht doch nach Deutschland?«

»Das kannst du vergessen. Es geht für dich nach Sibirien.«

Dabei öffnet er die Schiebetür eines mit Stacheldraht gesicherten Waggons und stößt Marie-Luise hinein.

Marie-Luise stockt der Atem. Sibirien, sie bringen mich doch nicht wirklich nach Sibirien! Soweit sie es in der Dunkelheit erkennen kann, ist der Waggon leer. Da es keine Bänke gibt, kauert sie sich auf den kalten Boden, der mit schmutzigem Stroh bedeckt ist.

Durch die kleinen, vergitterten Fenster dringen die ersten zaghaften Strahlen der aufgehenden Sonne ins Innere. Es ist nicht schwer zu erkennen, dass es ein Viehwaggon ist. Marie-Luise wird übel von dem Geruch, der dort herrscht. Ihre Gedanken wandern nach Jasen und zu Aljoscha. Er wird sie bei der Arbeit vermissen und glauben, dass sie krank sei, dass es ihr vielleicht wegen des Kindes nicht gut gehe. Wenn er heute Abend nach ihr sehen wird, wird sie nicht mehr da sein. Er wird sie nicht finden und nicht wissen, wo sie ist. Und er wird denken, dass sie einfach gefahren ist, einfach ohne ihn nach Deutschland abgefahren ist. Wie sollte er auch wissen, was wirklich passiert ist?

Er freut sich so sehr auf das Kind und nun wird er glauben, dass ich mit dem Kind nach Deutschland gefahren bin, ohne mich zu verabschieden.

Während sie an Aljoscha denkt, betritt einer der uniformierten Russen den Waggon und fesselt ihre Hände und Füße. Dabei verdreht er ihr unter Schmerzen die Arme und Beine, doch sie wagt es nicht, sich dagegen zu wehren. Mürrisch verlässt der Wachmann den Waggon, schiebt die Tür hinter sich zu und lässt Marie-Luise allein zurück. Marie-Luise kann sich kaum rühren und liegt hilflos auf dem Boden. Sie fragt sich, warum die Männer sie gefesselt haben. Sie kann doch in ihrem Zustand nicht fliehen, nicht aus dem fahrenden Zug springen. Langsam gewöhnen sich ihre Augen an die Dunkelheit und sie erkennt in der Mitte des Waggons einen rostigen Kanonenofen, dessen dürftige Wärme vergeblich gegen die Kälte ankämpft.

Sie ist dankbar für die warmen Stiefel, die ihr Aljoscha geschenkt hat und sie ein wenig vor der Kälte schützen.

Plötzlich setzt sich der Zug mit einem Ruck in Bewegung und beginnt seine Fahrt ins Ungewisse.

Der Güterzug ist seit zwei Tagen unterwegs nach Osten, zwei Tage, in denen es nichts zu essen und zu trinken gab.

Marie-Luise liegt noch immer auf dem eisigen Boden. Sie hat Angst um das ungeborene Kind, furchtbare Angst, und befürchtet, dass das Kind diese spürt. Immer wieder redet sie mit ihm und hofft, es damit zu beruhigen.

Warum hassen sie uns so sehr, brütet Marie-Luise. Wir lieben uns, das ist alles, was wir getan haben.

Wenn Aljoscha mich so sehen müsste, es würde ihm das Herz zerreißen. Es ist viel zu kalt für das Kind. Es hat Hunger und wird meine Angst spüren. Ich hoffe, dass ich das Kind schützen und gesund zu Aljoscha zurückbringen kann, das ist alles, was ich mir wünsche.

Der Zug hält auf einem kleinen Bahnhof und die Waggontür öffnet sich. Ein Wachmann betritt mit einer Aluminiumschüssel den Wagen. Er entfernt Marie-Luises Handfesseln und reicht ihr eine dampfende Kartoffelsuppe und eine rostige Schüssel mit Wasser. Endlich, sie hatte sich wegen des Kindes solche Sorgen gemacht. Aber es ist so wenig für sie beide, viel zu wenig für Marie-Luise und das ungeborene Kind, das doch auch Hunger hat. Verzweifelt verschlingt sie die wenige Suppe, die ihre Seele jedoch nicht zu wärmen vermag.

Nachdem der Wachmann die leeren Schüsseln eingesammelt und die Waggontüren verriegelt hat, setzt sich der Zug wieder in Bewegung, weiter nach Osten.

Marie-Luise kauert auf dem kalten Boden. Wenigstens hat er sie nicht mehr gefesselt. Sie versucht, etwas durch die kleinen Schlitze in den Wänden zu erkennen, und sieht nur tiefe, dunkle Wälder.

Tagelang durchquert ihr Zug die endlose russische Weite. Sie haben Moskau schon lange hinter sich gelassen. Auch an den ständig sinkenden Temperaturen erkennt Marie-Luise, dass es tatsächlich nach Osten geht.

Einmal täglich hält der Zug auf offener Strecke und Marie-Luise erhält etwas Suppe, hartes Brot oder Salzheringe. Wasser gibt es nur sehr wenig, obwohl der Durst durch den salzigen Fisch immer unerträglicher wird.

Stundenlang stehen sie auf kleinen Bahnhöfen, um für den Zug Wasser und Kohle zu fassen, oder scheinbar grundlos vor größeren Ortschaften. So kommen sie nur langsam voran.

Marie-Luise spürt, dass das Kind immer ruhiger wird, sich kaum noch bewegt und sie hat Angst, dass es ihr unter dem Herzen verhungern wird. Wie könnte sie das Aljoscha erklären? Sie hat doch nur den einen Wunsch, ihm das Kind zurückzubringen, so, wie sie es ihm versprochen hatte. Doch sie befürchtet, dass sie es nicht schützen kann.

Die Wachmänner, die ihr das Essen zuteilen, zeigen keinerlei Mitgefühl. Sie entgegnen auf Marie-Luises Sorge, dass es nicht schlimm wäre, wenn das Kind verhungern würde. Dann gäbe es einen Bastard weniger. Sie beschimpfen sie und sagen ihr, dass sie sich in Zukunft von den russischen Männern fernhalten solle.

Die Fahrt scheint kein Ende zu nehmen und es wird täglich kälter. Durch die Schlitze in den Waggonwänden sieht Marie-Luise immer tiefere Fichten- und Kiefernwälder, die an vielen Stellen noch mit Schnee bedeckt sind. Sie vermutet, dass sie bereits den Nord-Ural erreicht haben und Europa verlassen. Sibirien! Sie bringen mich wirklich nach Sibirien.

Der Steg nach Tatarka

»Der Verstand sucht, aber das Herz findet.«

George Sand

Swoboda
Donnerstag, 22. Juli 2004
13:00 Uhr

»Von hier aus müsst ihr wieder zu Fuß weiter«, verkündet Viktor. »Der Kanal dürfte aber nicht mehr weit sein.«
Noch müde von der Wanderung nach Dubovoje, macht sich Dana mit Igor und ihrem Vater Heinrich auf den Weg. Das Wetter ist unerträglich schwül. Kaum waren sie aus dem Auto gestiegen, wurden sie wieder von Moskitos umschwirrt. Wieso war das Lazarett ausgerechnet in einem solchen Sumpfgebiet, fragt sich Dana. Sie wäre gerne in einer anderen Gegend auf Spurensuche gegangen, doch nur noch hier besteht die Hoffnung, einen Hinweis auf das Lager zu finden. Sie ist sich bewusst, welch unwahrscheinlich großer Glücksfall es war, dass Anna gerade ihren Mittagsschlaf hielt, als sie bei Lydia in Tatarka kurz haltmachten. Dana schlich auf Zehenspitzen an Anna vorbei, um sich aus ihrem Rucksack noch einen Film für ihren Fotoapparat mitzunehmen. Sie war erleichtert darüber, dass Anna davon nicht aufwachte und damit nicht auf eine baldige Heimfahrt drängen konnte. So konnten sie ungestört nach Swoboda aufbrechen, um noch ein letztes Mal zu versuchen, das Lager zu finden.
Nun sind sie tatsächlich wieder im Moor unterwegs, auf sandigen Wegen, die sie durch verlassene Kiefer- und Birkenwälder führen, zu dem Kanal, von dem Igor gesprochen hat.

Das Torfgebiet um Swoboda ist hügelig und an vielen Stellen mit Wacholderteppichen bedeckt. Dana bemerkt, dass ihre Augenschmerzen wieder aufgetaucht sind. Dies lässt sie hoffen, dass sich hier vielleicht das verbirgt, was sie bisher nicht sehen konnte.

»Da ist der Steg«, hört Dana ihren Vater rufen.

Tatsächlich. Ein Steg aus Birkenstämmen führt über einen trüben Kanal, der wie ein schmaler, gerader Fluss wirkt. Igor hatte ihnen erzählt, dass es in diesem Torfgebiet vier solcher Gräben geben würde, die acht bis neun Meter tief seien. Dies könnte der Platz sein, den Tom auf dem Foto im Museum gesehen hat, denkt Dana, während sie sich der Brücke nähert.

Dana läuft über den Birkensteg und bemerkt, dass die Landschaft genauso aussieht wie in ihren Träumen und Rückführungen. Es wachsen um den Kanal nicht nur Kiefern und Birken, sondern auch andere Baumsorten wie Weiden und Erlen. Vielleicht liegt es am Boden, der sich geändert hat, seit sie über den Steg gelaufen ist. Es ist kein Sandboden mehr, sondern schwarzer Moorboden, wie in den Rückführungsbildern. Dana versteht erst heute, warum der Boden in ihren Bildern schwarz war. Er war nicht verbrannt, wie sie gedacht hatte, sondern die Schwärze lag am Torf. Auf der ganzen Reise hatte sie nur Sandboden gesehen und nun wurde sie hier von schwarzer Erde überrascht. Da sieht sie einen See mit Schilf, Seerosen und Libellen, in den ein Arm des Kanals mündet. Kleine Moosteppiche glitzern im Sonnenlicht wie Elfenteppiche zwischen Heidelbeeren, Stachelbeeren, Blaubeeren und Wasserkresse. Dana ist von der Schönheit dieser Gegend überrascht. Doch noch mehr über die Birken, die am Ufer des künstlichen Flusses wachsen. Sie haben keine Krone und ragen wie Baumskelette in den Himmel. Auch dieses Bild ist ihr bekannt. Die Äste sind durch das hohe Grundwasser im Moor, in dem die Bäume stehen, abgestorben. Dana geht den Weg weiter und bleibt nach wenigen Schritten überrascht stehen.

Eine Jugendgruppe, die an Pfadfinder erinnert, ist gerade dabei, ein großes Zelt aufzubauen. Sie kann es nicht glauben, das hellgraue Zelt erinnert sie an die Lazarettzelte aus ihrer Rückführung. Es fehlt nur das Rote Kreuz.

Igor gibt durch Handzeichen zu verstehen, dass dies nicht der Steg sei und sie ihm folgen solle. Sie gehen am Ufer des Kanals entlang, doch schon nach wenigen Metern bleibt Igor stehen und zeigt auf rote Ziegel. Dies sind die Reste des alten, gemauerten Steges, von dem er gesprochen hat. Die Brücke ist vollständig zerfallen, nur ein paar Steine, die zwischen blühendem Johanniskraut am Ufer liegen, erinnern an sie. Dies ist der Steg nach Tatarka, den sie gesucht hat. Hier war es.

»Und wo lag Swoboda?«

Igor zeigt in die Richtung, aus der sie gekommen waren, und fordert Dana und Heinrich auf, ihm zu folgen.

Nach einer kurzen Wanderung über unbefestigte, sandige Wege erreichen sie Swoboda beziehungsweise das, was noch davon übrig ist. Dana stellt fest, dass sich der Platz ganz in der Nähe ihres Autos befindet, und vermutet, dass sie auf dem Hinweg daran vorbeigefahren sind. Er war ihr nicht aufgefallen, da nur noch ein paar Grundmauern, Ziegel, Kacheln und Teile von Schornsteinen im Gestrüpp zu finden sind. Sie erinnert sich daran, dass ihnen Viktor auf der Fahrt erklärt hatte, dass der Ort abgebrannt sei und in der Nachkriegszeit vollständig abgerissen wurde. Die Wiese, auf der Swoboda einst lag, scheint zunehmend vom Wald überwuchert zu werden, nur ein einsamer, alter Baum auf der Mitte des Platzes zeugt von den alten Zeiten. Dana fühlt sich zu dem Birnbaum hingezogen, doch Igor gibt ihr zu verstehen, dass es Zeit ist, zu Viktor zurückzukehren.

»Und, habt ihr etwas entdeckt?«, fragt Viktor neugierig, als sie am Auto ankommen.

»Ja«, antwortet Dana. »Wir haben den Steg gefunden.«

»Das freut mich! Nun müssen wir aber zurück. Es ist fast 15 Uhr, Anna wird warten.«

Sie steigen ins Auto und fahren den unbefestigten Weg zurück Richtung Tatarka. Doch bereits nach wenigen Metern stoppt Viktor das Auto auf der Höhe von Swoboda und wendet sich an seine deutschen Gäste: »Igor hat mich gebeten, kurz zu halten. Er möchte euch noch etwas zeigen.«

Dana, Viktor und Heinrich folgen Igor auf die Wiese, auf der er unter Trümmerteilen eine große Kabelrolle hervorzieht. Er schaut Heinrich und Viktor vielversprechend an und lässt Viktor übersetzen, dass dies ein altes Telefonkabel sei.

Dana wundert sich, was daran so interessant sein soll und warum er sich so angeregt mit Viktor und Heinrich darüber unterhält. Ihre Aufmerksamkeit wird längst von etwas anderem angezogen, von dem alten Baum in der Mitte des Platzes. Nun hat sie Zeit, ihn sich von der Nähe anzusehen. Dana läuft zu dem Birnbaum, der einsam zwischen zerbrochenen Ofenplatten, roten Backsteinen und verkohlten Balken verharrt, als hätte er dort auf sie gewartet. Wie alt wird er sein, fragt sie sich. Und was könnte er alles erzählen? Dana umarmt ihn und lehnt sich an seinen mächtigen Stamm. Kaum hat sie ihre Augen geschlossen, sieht sie ein helles, weißes Licht und Bilder vom Krieg. Soldaten, die die Wälder mit Pferden durchkämmen, und Menschen, die auf der Flucht sterben oder verbrannt werden.

Da hört sie eine Stimme in ihrem Inneren, die von dem Baum auszugehen scheint: »Lasse das alles hier, wo es hingehört, hier in den weißrussischen Wäldern.« Dana spürt die liebevolle Wärme in der Stimme, während diese in ihrem Inneren zu sprechen fortfährt. »Du hast dich einsam und allein gefühlt und hast die schöne Natur nicht mehr gesehen. Doch du warst nicht allein. Wir waren da, du hast uns nur nicht mehr wahrgenommen. Lasse alle deine Ängste hier, wie die Angst vor Feuer, Dunkelheit, Allein- oder Ausgeliefertsein und auch deine Angst vor Wäldern. Diese Ängste gehören hierher, nicht in dein heutiges Leben.«

Das weiße Licht verschwindet und die Stimme in ihrem Inneren verstummt. Hatte sie das geträumt? Nein, der Baum hatte recht. Ihre Ängste stammen von hier und hier würde sie sich auch endlich davon befreien. Dana dankt dem Baumgeist und kehrt gedankenversunken zu ihren Reisegefährten zurück, die ungeduldig auf sie warten.

»Ich bin mir nun ganz sicher, dass das Lager hier war«, verkündet sie am Auto.

»Und woher weißt du das?« Viktor schaut sie erstaunt an.

Dana zögert mit ihrer Antwort, sie kann seine Überraschung verstehen. Wie soll sie ihm erklären, wodurch sie die Landschaft wiedererkannt hat? Er glaubt ja noch immer, dass sie nach der Cousine ihrer Großmutter sucht.

»Ich spüre es einfach«, antwortet sie ausweichend.

Viktor mustert Dana kurz, dann zeigt er auf sein Herz und sagt: »Bestimmt hast du es dort gespürt. Das kann ich verstehen.« Er gibt sich mit dieser Erklärung zufrieden. »Lasst uns nun wirklich nach Tatarka zurückfahren. Anna wird ungeduldig warten.«

»Wurden diese Gräben von Kriegsgefangenen ausgehoben?« Endlich kann Dana Igor diese Frage stellen, indem Viktor sie übersetzt.

»Sicher«, antwortet Igor. »Die russischen Kriegsgefangenen mussten den Kanal mit Schaufeln ausheben, um das Sumpfgebiet trockenzulegen. Wenn die Spaten nicht ausreichten, gruben sie mit bloßen Händen. Viele Männer sind dabei in den Jahren 1942 bis 1944 an Entkräftung gestorben oder verschüttet worden.« Igor schaut Dana einen Moment schweigend an, bevor er weiterspricht: »Jetzt, wo du danach fragst, fällt mir ein, dass dort etwas war. Ich erinnere mich an Stacheldraht und deutsche Wachposten. Aber ich weiß nicht, was sich dort genau befand.«

»Stacheldraht?« Dana versucht erst gar nicht, ihre Überraschung zu verbergen. »Bei dem Steg?«

»Ja. Es war ein mit Stacheldraht eingezäuntes Gelände.

Da es mitten im Moor lag, war es nicht möglich, in seine Nähe zu kommen, außerdem wurde es bewacht. Ich war damals ein Kind, vielleicht 10 Jahre alt, doch ich kann mich an den Stacheldraht genau erinnern.«

Während Viktor noch einmal ungeduldig darauf drängt, nach Tatarka zurückzukehren, verspricht Igor, auch nach Danas Abreise weiter für sie zu forschen. Er würde versuchen herauszufinden, was sich hinter dem Stacheldraht befand und ob es dort eine deutsche Krankenschwester gab.

Kältespuren

»Wer in die Fußstapfen anderer tritt, hinterlässt keine eigenen Spuren.«

Wilhelm Busch

Sibirien
Juni 1953

Die Bremsen quietschen und mit einem scharfen Ruck bleibt der Zug inmitten eines einsamen Fichtenwaldes stehen. Marie-Luise späht nach draußen und erkennt eine kleine, hölzerne Bahnstation, vor der zwei Männer stehen, die in Pelzmäntel gehüllt sind.

Sie hört Wachposten rufen, Hunde bellen. Die Waggontür wird aufgeschoben und ein bewaffneter Posten steht drohend vor ihr.

»Aussteigen! Dawai!«

Marie-Luise zuckt erschrocken zusammen und versucht aufzustehen. Ihre kalten Beine schmerzen. Es fällt ihr schwer, sich zu bewegen. Der Wachmann richtet sein Gewehr auf sie und bedeutet ihr ungeduldig auszusteigen.

»Dawai, dawai!«

Marie-Luise tritt mühsam auf den Bahnsteig, auf dem ihr ein eisiger Wind entgegenweht. Vor dem Holzhaus haben sich zwischenzeitlich ungefähr zehn Männer versammelt, die von uniformierten Soldaten bewacht werden, die scharfe Hunde an Ketten mit sich führen. Erstmalig sieht sie die Gefangenen, die mit ihr transportiert wurden, und fragt sich, warum sie verhaftet wurden.

Während der Wachposten sie zu dem Holzhaus vorwärtstreibt, weicht sie den neugierigen Blicken der Männer aus.

Ohne ein Wort der Erklärung werden sie zusammen auf die Ladefläche eines neben der Hütte bereitstehenden Lastwagens getrieben, der mit großen Feldplanen überzogen ist. Kaum sind sie aufgestiegen, setzt sich das Fahrzeug bereits in Bewegung.

Während sie auf unbefestigten Wegen durch den dunklen Nadelwald fahren, spürt Marie-Luise kaum noch ihre Hände. Die Plane schützt sie nicht vor der Kälte Sibiriens und lässt nur wenig von der Landschaft erkennen. Marie-Luise weiß, dass ihre Kleidung viel zu dünn für Sibirien ist, und hofft, dass man ihr etwas Wärmeres geben wird, wenn sie erst einmal im Lager angekommen ist. Sie ist sich sicher, dass es in ein Lager gehen wird, auch wenn die Wachposten sich noch immer in Schweigen hüllen.

Ihren Koffer hatte man ihr wie befürchtet nicht mehr ausgehändigt, sodass sie nun auch die Kleidung für das Kind nicht mehr hat, die Aljoscha ihr organisiert hatte. Der Koffer mit der Kleidung wird in Bobruisk geblieben sein, so wie ihre Hoffnungen und Träume.

Der Lastwagen hält vor einer einsamen Blockhütte im Wald. Ein Wachmann öffnet die Plane und gibt Marie-Luise zu verstehen, dass sie als Erste mitkommen solle. Beim Aussteigen schaut sie sich genauer um.

Rauch dringt aus dem Schornstein ins Freie und lässt Marie-Luise hoffen, dass sie sich im Inneren der Hütte etwas aufwärmen kann.

Beim Betreten des Hauses erkennt Marie-Luise, dass es sich um die Kommandantur handeln muss. Hinter einem Tisch sitzt ein Soldat in brauner Uniform, der sie kalt mustert. Er zeigt auf einen Stuhl und gibt ihr wortkarg zu verstehen, dass sie sich hinsetzen solle.

Nachdem er ein paar Worte auf einen Zettel geschrieben hat, beginnt er sein Verhör und will wissen, warum sie während des Krieges nach Russland gekommen sei.

Marie-Luise versucht, ihm ihre Beweggründe zu erklären. Sie erzählt ihm, dass sie Rotkreuzschwester war und nur helfen wollte. Sie hätte niemanden getötet und nichts Schlechtes getan. Der Kommandant gibt sich mit ihren Erklärungen nicht zufrieden. Er glaubt ihr nicht, dass sie nur helfen wollte und aus humanitären Gründen nach Russland gekommen war. Warum sei sie dann verhaftet worden? Warum hätte man sie denn sonst zu fünfzehn Jahren Zwangsarbeit verurteilt?

Er lässt Marie-Luise nicht zu Wort kommen, die ihm entgegnen möchte, dass sie das selbst nie verstanden hätte. Sie kommt gegen seine Stimme, die immer lauter und hasserfüllter wird, nicht an. Er unterstellt ihr Spionage und beschimpft sie als Faschistin.

Trotz der äußeren Wärme breitet sich in Marie-Luises Inneren Eiseskälte aus.

Dann fragt er sie in eisigem Ton, von wem das Kind sei, das sie erwartet.

Marie-Luise stockt der Atem, sie kann sich vor Angst kaum rühren. Bereits während ihrer Erklärungsversuche spürt sie, dass sie auch hier auf kein Verständnis hoffen kann. Sie sieht den zunehmenden Hass und Zorn in den Augen des Uniformierten und begreift nicht, warum. Was hatte sie getan, das diesen Hass rechtfertigt? Warum ist es in den Augen dieser Männer ein solch großes Verbrechen, dass sie einen Russen liebt und ein Kind von ihm erwartet? Warum?

Marie-Luise bleibt stumm. Sie weiß, dass es zwecklos ist, ihr Schicksal liegt längst besiegelt in seinen Händen.

Müde folgt Marie-Luise der Männerkolonne durch den düsteren Wald. Dies muss die Taiga sein, denkt sie. Hier war der kurze sibirische Sommer noch nicht angekommen.

Unaufhörlich dringt die Kälte durch ihre viel zu dünne Kleidung. Nur die Stiefel, die ihr Aljoscha geschenkt hatte, halten dem Frost stand. Die mit Maschinengewehren bewaffneten Begleitsoldaten treiben sie unter dem bedrohlichen Knurren der Wachhunde zur Eile an.

Marie-Luise nimmt von ihrer Umgebung wenig wahr, sie ist mit ihren Gedanken noch immer in der Kommandantur und versucht zu begreifen, was sich dort in den letzten Stunden ereignet hat. Der Kommandant hatte sie zunächst darüber unterrichtet, dass es sich bei den Mitgefangenen aus ihrem Zug um Kriminelle handeln würde und sie mit ihnen gemeinsam in ein entsprechendes Lager gebracht würde. Er bedaure es, dass es unvermeidbar sei, dass sie in ihrem Lager auch politische Häftlinge aufnehmen müssten, und gab ihr zu verstehen, dass sie hier nicht willkommen sei.

Und dann teilte er ihr das Urteil mit, das er über sie gefällt hatte: Zehn Jahre Arbeitslager mit anschließender lebenslänglicher Verbannung in Sibirien.

Sie war fassungslos und konnte kaum seinen Erklärungen folgen. Offensichtlich wollte er mit aller Gewalt verhindern, dass sie zu Aljoscha zurückkehren würde.

Der Kommandant drohte ihr außerdem damit, dass Aljoscha niemals erfahren würde, wohin man sie gebracht hätte, und teilte ihr mit, dass es ihr verboten sei, Briefe zu schreiben und zu erhalten. Er würde dafür sorgen, dass Aljoscha auch in Zukunft vor einer solchen faschistischen Spionin geschützt würde.

Marie-Luise spürt nur noch grenzenlose Verzweiflung und Hoffnungslosigkeit, die sich immer mehr in ihrem Inneren ausbreitet.

In der Ferne taucht ein Barackenlager auf, das von einem dichten Birkenwald umgeben ist. Der erste Blick auf die gespenstische Kulisse, aus der vier hölzerne Wachtürme drohend in die Höhe ragen, ist erschreckend.

Beim Näherkommen bemerkt Marie-Luise meterhohe Stacheldrahtzäune und neun lang gestreckte Holzbaracken. Auf den Holztürmen, die mit Scheinwerfern versehen sind, stehen mit Maschinenpistolen bewaffnete Wachposten. Neben dem mit einem großen Sowjetstern versehenen großen Tor befindet sich ein kleines Postenhaus.

Während sich Marie-Luise auf das Lagertor zu bewegt, denkt sie an Weißrussland und an die Lager ›ihrer Leute‹, die ebensolch ein Grauen ausstrahlten.

Die Wachmänner treiben sie durch das Lagertor direkt in die Banja, die als Wasch- und Entlausungsstelle dient. Während sich Marie-Luise unter dem aufdringlichen Blick der Wachmänner auszieht, wünscht sie sich, sie wäre unsichtbar. Die Männer nehmen Marie-Luises Kleidung an sich und reichen ihr dafür die Häftlingskleidung. Eine Wattehose, Wattejacke und dünne Filzstiefel. Marie-Luise fleht die Männer an, sie mögen ihr doch wenigstens die Stiefel lassen, die sie von Aljoscha geschenkt bekommen hatte. Vergeblich. Die Männer lachen nur, während sie ihr die langen, schwarzen Haare abschneiden und den Kopf rasieren.

Dann treiben sie sie auf den Appellplatz, auf dem sich bereits etwa dreihundert Häftlinge versammelt haben, die auf den abendlichen Zählappell warten.

Nach dem Abendappell wird Marie-Luise in die Frauenbaracke gebracht, die im vorderen Teil des Lagers liegt und durch Stacheldraht von der Männerzone getrennt ist. Beim Betreten der einstöckigen Holzhütte bemerkt sie, dass es keine Fenster gibt und die Tür nicht geschlossen werden kann.

Kaum haben sich Marie-Luises Augen an das düstere Licht im Inneren der Baracke gewöhnt, erstarrt sie vor Schreck.

Die Baracke ist überfüllt und stickig. An den Wänden stehen mehrere schmutzige Doppelstockpritschen, auf denen ausgemergelte Frauen liegen und sie neugierig anstarren.

In der Mitte steht in dem schmalen Gang zwischen den Betten ein Kanonenofen, dessen spärliches Feuer den Raum kaum zu erwärmen vermag.

Marie-Luise setzt sich ängstlich auf eine leere Pritsche und versucht, den Schmutz und die neugierigen Blicke zu ignorieren.

Wenigstens hat sie ihre eigene Liege und muss sich nicht den wenigen Platz mit einer Fremden teilen. Die Ungewissheit und Angst vor der Lagerzeit rauben ihr bis lange nach Mitternacht den Schlaf und verfolgen sie bis in ihre Träume.

Um fünf Uhr morgens erklingt der Ruf zum Morgenappell durchs Lager. Obwohl Marie-Luise in ihrer Häftlingskleidung geschlafen hat, war die Nacht bitterkalt. Sie musste ohne Decke auf den blanken Brettern schlafen und wurde von Läusen und Wanzen gequält. Nur der Gedanke an Aljoscha und das ungeborene Kind mildern etwas ihre innere Kälte.

Während sie zum Appellplatz läuft, schaut sie sich verstohlen im Lager um.

Auf der rechten vorderen Seite stehen die Wohnbaracken der Gefangenen und die Frauenlatrine, die an den Appellplatz angrenzt. Auf der gegenüberliegenden Seite befinden sich die Küchen- und Speisebaracke. Links vom Tor liegen die Banja und Männerlatrine.

Nach dem Frühappell erhält Marie-Luise in der Speisebaracke ein karges Frühstück, das nur aus etwas Brei besteht, und erfährt, dass sie sich nach dem Essen am Lagertor einzufinden habe, da sie einer Arbeitsbrigade zugeteilt wurde.

Es ist eine reine Männerbrigade, in der Marie-Luise arbeiten soll. Der Brigadier überreicht ihr ein kleines Beil und erklärt, dass sie im Wald Bäume fällen müsse.

Marie-Luises Einwände gegen die Arbeit interessieren ihn nicht, auch nicht, dass sie schwanger ist.

In scharfem Ton gibt er ihr zu verstehen, dass sie diese Arbeit verrichten müsse, da es ihr als Politischer nach § 58 untersagt sei, innerhalb des Lagers zu arbeiten, auch nicht als Krankenschwester. Sie solle vielmehr darauf achten, nicht selbst krank zu werden, da er sie als politische Gefangene auch nicht wegen Krankheit von der Arbeit freistellen dürfe.

Das Lagertor öffnet sich und der Brigadier lässt seine Arbeitskolonne in Zweierreihen antreten. Nachdem sie von dem Wachposten durchsucht wurden, verlassen sie gemeinsam das Gelände. Ihr Weg führt kilometerweit durch einen Birkenwald, in dem noch immer etwas Schnee liegt. Marie-Luise bemerkt, dass selbst die Birken hier weißer sind als in ihrer Heimat Masuren. Die Wattejacke und Wattehose schützen nicht gegen den kalten Wind und in die Filzstiefel dringt Tauwasser, das Marie-Luises Zehen schnell gefühllos werden lässt. Ihre Füße versinken häufig im nassen Schnee, obwohl sie versucht, in die Fußstapfen der Männer zu treten. Es fällt ihr schwer, den Anschluss an die Kolonne nicht zu verlieren.

»Dawai, dawai!«, ertönt immer wieder der ungeduldige Ruf des Brigadiers, der sie vorantreibt. Nach einigen Kilometern Fußmarsch erreichen sie ihren Arbeitsplatz am Rande einer Lichtung. Der dort geschmolzene Schnee hat die Umgebung in eine riesige Sumpffläche verwandelt. Marie-Luise ist bereits erschöpft, bevor sie mit dem Baumfällen begonnen hat.

Müde lässt sich Marie-Luise auf einen Baumstumpf sinken und wartet auf die Essensverteilung. Da sie die Tagesnorm von fünf Kubikmetern nicht erfüllen kann, erhält sie nur eine kleine Portion Suppe und Brot. Es wird auch bei der Bemessung der Norm keine Rücksicht darauf genommen, dass die Arbeit zu schwer und ungewohnt für sie ist und sie schwanger ist. Es wird erwartet, dass sie die gleiche Tagesnorm nachweist wie die Männer in ihrer Brigade. Da sie es nicht schafft, wird ihr angedroht, dass man dann auch ihre Abendration kürzen würde.

Marie-Luise muss in der Holzfällerbrigade nicht nur die Bäume fällen, sondern diese auch zum Abtransport vorbereiten. Dafür werden zunächst alle Zweige abgehackt und dann auf der Lichtung aufgestapelt. Anschließend wird noch der Stamm zersägt und ebenso aufgeschichtet.

Bereits vor der Mittagspause konnte sie vor Müdigkeit kaum noch die Axt heben und spürte ihre Beine nicht mehr.

Wenn mir doch nur Aljoscha bei der Arbeit helfen könnte, denkt sie verzweifelt. Aber er ist so weit weg. Wenn er wüsste, wie ich hier hungern muss. Auch das hätte er nicht zugelassen. In Jasen brachte er mir immer heimlich etwas zu essen nach Hause oder zur Arbeit mit, erinnert sie sich schmerzerfüllt, während sie die rostige Blechschüssel mit der kargen Ration Suppe betrachtet. Ich war ihm so dankbar dafür. Auch wenn es wenig war, hatte ich es immer mit Hedwig geteilt. Ich habe solche Angst um das Kind, schluchzt sie in sich hinein. Wie sollen wir beide bei dieser kargen Essensration überleben? Sie nehmen auch hier keine Rücksicht darauf, dass ich schwanger bin. Wenn das Kind schon auf der Welt wäre, dann könnte ich weniger essen und ihm mehr geben. Doch so muss es für uns beide reichen. Wenn die Suppe wenigstens nahrhafter wäre, denkt sie, während sie in dem rostigen Behälter vergeblich nach Kartoffelstücken sucht. Jeden Tag wird meine Angst größer, dass das Kind unter meinem Herzen verhungern wird und ich es nicht verhindern kann.

Marie-Luise versucht, ihre Gedanken wieder auf die dünne Suppe zu lenken. Doch sie kann ihr keine Lebenswärme spenden und ihren Hunger nicht stillen.

Marie-Luises Schwangerschaft schreitet mit dem Sommer voran. Selbst die Amnestiewelle nach Stalins Tod im März 1953 hatte nichts an ihrer Situation geändert, wie sie gehofft hatte. Sie wurde weder als politische Gefangene begnadigt, noch durfte sie wie andere schwangere Frauen aus ihrer Baracke vorzeitig das Lager verlassen.

Doch bleibt dem Brigadier nicht verborgen, dass ihr die Arbeit immer schwerer fällt und sie keine Bäume mehr fällen kann.

Eines Morgens ruft er Marie-Luise nach dem Frühappell zu sich und verkündet ihr, dass sie von der Arbeit freigestellt sei und im Lager bleiben dürfe. Sie solle sich dort bis zur Geburt nützlich machen, auch wenn ihr als Politische die Arbeit im Lager von offizieller Stelle nicht erlaubt sei.

Marie-Luise sieht dankbar der Arbeitskolonne nach, die das Lager verlässt, und schöpft wieder Hoffnung, dass sie diesen Albtraum mit ihrem Kind überstehen wird.

So, wie die stärker werdenden Sonnenstrahlen die Natur in der Taiga erwachen lassen, erwärmt die Freude auf das Kind Marie-Luises Seele in der Einsamkeit des Gulags.

Doch Marie-Luise ahnt nicht, wie kurz der Sommer in Sibirien sein kann.

Der Kreis schließt sich

»Eines der tollsten Abenteuer, die wir auf dieser Welt haben
können: sich selber zu begegnen.«

Wolfgang Borchert

Taunus
8. August 2004

»Ich weiß nicht, was ich dazu sagen soll'', meldet sich Anna am
Telefon.

»Um was geht es überhaupt?«, fragt Dana, die gerade im Begriff
war, das Haus zu verlassen, als Annas Anruf kam.

»Ich verstehe es selbst nicht. Ich habe eine halbe Stunde im
Dunkeln gesessen und wusste nicht, was ich denken soll.«

»Wieso haben Sie im Dunkeln gesessen? Was ist denn passiert?«

»Es gibt große Neuigkeiten. Es ist Post aus Tatarka gekommen.
Sie haben etwas über den Ort bei Swoboda herausgefunden und
bestätigt, dass dort während des Krieges ein Lager war. In diesem
Dorf seien 1944 drei deutsche Frauen in Kriegsgefangenschaft
geraten und mussten bis 1953 im Torfabbau arbeiten.«

»Drei deutsche Frauen? Wissen Sie, ob es Krankenschwestern
waren?«

»Darüber hat Lydia nichts in Erfahrung bringen können. Man
weiß nur, dass die Frauen als politische Gefangene bezeichnet
wurden und nicht wie die deutschen Soldaten hinter Stacheldraht
eingesperrt wurden. Sie mussten auch Zwangsarbeit leisten,
durften sich jedoch freier bewegen als die inhaftierten Soldaten.«

Dana ringt nach Worten, während Anna unbeirrt weiterspricht.

»Lydia hat Menschen gefunden, die sich an die deutschen Frauen erinnern, und es existieren sogar noch Fotos.«

»Was für Fotos?«

»Drei Bilder, auf denen die Frauen abgebildet sind. Viktor meint, dass eine dieser Frauen Ihnen ungewöhnlich ähnlich sehen würde. Es wäre eine Kopie von Ihnen.«

»Eine Kopie von mir?«, stammelt Dana ins Telefon.

»Ja! Wie eine Schwester von Ihnen. Er hat die Fotos mehrerer Menschen gezeigt, denen wir im Juli auf unserer Reise nach Tatarka begegnet sind, und alle sagten, ›das ist Dana‹. Selbst Viktor meint, dass die Ähnlichkeit zu groß wäre und da etwas nicht stimmen würde. Er ist davon überzeugt, dass wir ihm etwas verheimlichen würden.«

»Das stimmt ja auch. Es wird Zeit, dass wir ihm die Wahrheit sagen.«

Tief berührt betrachtet Dana die Fotos, die dem Brief beigelegt sind, den sie heute aus Tatarka erhalten hat. Es gab also in Swoboda tatsächlich deutsche Frauen, denkt sie. Die Frauen auf den Bildern wirken traurig und halten sich ängstlich an den Händen. Ihre Kleidung besteht aus grauen, dicken Leinenkleidern, Strumpfhosen und dünnen Stoffschuhen. Dana fällt auf, dass die junge Frau, mit der sie verglichen wurde, auf einem der Fotos schwarze, hohe Stiefel und Ohrringe trägt. Selbst Anna kann nicht leugnen, dass sie ihr ähnlich sieht, so, wie es der Franzose behauptet hatte. Nur Viktor will nichts mehr von diesen Forschungen wissen, seit Anna ihm auf Danas Wunsch hin am Telefon gesagt hat, warum sie nach Tatarka gekommen waren. Er war schockiert darüber, dass sie nicht nach einer Verwandten von Dana gesucht haben, sondern nach Spuren aus Danas eigenem, früherem Leben. Er ließ sie daraufhin wissen, dass er damit nichts mehr zu tun haben möchte und nicht mehr weiter für sie forschen würde.

Zum Glück waren die Bilder und Briefe schon auf dem Postweg unterwegs, als er davon erfuhr, denkt Dana erleichtert, während sie die Fotos weiter betrachtet. Wer weiß, ob er sie mir noch geschickt hätte.

Gespannt liest sie die Übersetzung der Widmung auf der Rückseite der Fotos:

»Zum Andenken an Hedwig, Claire und Marie-Luise. Bewahre mich im Gedächtnis wie ich dich. Wenn es dir gefällt, kannst du es bewahren, wenn nicht – zerreißen. 21. II. 1953«

Um sich von den bedrückenden Bildern abzulenken, greift Dana nach der Übersetzung des Briefes und taucht ein in die Berichte aus Tatarka, die ihr so unglaublich erscheinen und gleichzeitig doch so vertraut.

Erinnerungen von Lydia B., der Schwester von Aljoscha:

»Nach dem Krieg lebten in Swoboda drei deutsche Frauen. Eine Frau nannte sich Hedwig und eine andere Marie-Luise. Mit Marie-Luise war mein Bruder befreundet. Sie war sogar bei ihm im Haus und hat sich meiner Mutter vorgestellt. Sie hat meiner Mutter gefallen. Diese Fotografie hat Marie-Luise vor der Abfahrt dem Aljoscha geschenkt. Aber nach ihrer Abfahrt in die Heimat war die Verbindung aus und es kamen keine Briefe. Die Mädels waren wie alle. Marie-Luise war eine Dunkelhaarige. Sie konnte besser als alle anderen Russisch sprechen und war die Übersetzerin.«

Erinnerungen von Maria P., geb. 1926, die schon seit 1935 auf der Bahnstation Jasen lebte:

»Vor dem Krieg waren auf der Station Jasen viele jüdische Siedlungen. Die Juden lebten in sehr hübschen, schönen und gepflegten Häusern. Es gab sehr wenige Russen. Die Deutschen kamen an die Station Jasen schon ganz am Anfang des Krieges. Der Übersetzer hat die Juden gewarnt, ihnen empfohlen, sie sollten alle verschwinden.

Er sagte ihnen voraus, dass man sie alle erschießen würde. Und er sagte, es würden schon Löcher gegraben, aber keiner hatte ihm geglaubt.

Die Deutschen haben dann alle Juden zusammengejagt, in zwei der größten Häuser gesperrt und sie dort ein paar Tage festgehalten. Und dann haben sie sie herausgeführt, in Kolonnen aufgeteilt und abgeführt. Sie gingen von selbst und haben sich nicht gewehrt, versuchten auch nicht zu fliehen. Die kleinen Kinder führten sie an der Hand oder hatten sie auf dem Arm. Es war einfach furchtbar, das anzusehen. Nur ein kleines Mädchen, sie war sehr hübsch und ähnelte wenig einer Jüdin, haben sie den Leuten übergeben, die da gestanden haben. Ein Junge ist weggelaufen, er war ungefähr 12 Jahre alt und konnte fliehen. Man sagte, ein Mann wäre zu den Partisanen gegangen. Alle anderen führte man hinter die Siedlung. Dort waren schon große Löcher gegraben worden und man hat sie erschossen. Die Erde, die man darauf warf, bewegte sich. Die Erde hat sich noch sehr lange bewegt. Wahrscheinlich hat man sie zugeschüttet, als sie noch lebendig waren.

Die Station Jasen war von den Deutschen bis 1944 okkupiert, fast bis zur Befreiung. Nach dem Krieg, aber nicht lange Zeit, haben hier drei deutsche Frauen gearbeitet. Sie mussten die Waggons umfüllen. Ich kann mich noch gut an sie erinnern, weil ich mit meinem Mann zusammen mit ihnen gearbeitet habe. Jetzt ist mein Mann schon tot.

Die deutschen Frauen wohnten zur Untermiete bei einer Großmutter. Eine von den Mädels war sehr hübsch. Sie hatte schwarze Haare. Man sagte über sie, dass sie krank wäre. Sie hatte Wassersucht. Sie fühlte sich nicht gesund und hat gebeten, ihr eine andere, leichtere Arbeit zu geben. Sie hatten Lasten auf- und abgeladen. Es könnte aber auch sein, dass sie schwanger war. Sie war befreundet mit dem Russen Aljoscha B.

Sie ging einmal in die Sprechstunde zu einer Ärztin. Aber diese hat sie nicht empfangen.

Sie hat geweint und hat gesagt, dass sie nicht schuld sei, dass sie eine Deutsche sei. Aber die Ärztin hat ihr doch nicht geholfen. An die Namen der Mädels kann ich mich nicht mehr erinnern. Die Fotografien sind Kopien, die ein Fotograf bei uns gemacht hat. Die Mädels sind in der Nähe seines Hauses fotografiert worden. Aber weder er noch seine Frau sind noch am Leben.«

Erinnerungen von Jelena K., geb. 1934:
»1944 kamen in Swoboda gefangene Deutsche an. Sie lebten in Baracken hinter Stacheldraht und wurden unter Bewachung zur Arbeit geführt. Wahrscheinlich sind in dieser Zeit auch die deutschen Frauen als Gefangene angekommen. Man nannte sie politische Gefangene. Sie lebten in irgendeinem Wohnheim und hatten einen ganz großen, grauen Schäferhund.
Ich habe mit ihnen bei der Torfaufladung zusammengearbeitet. Ich ging morgens zu ihnen, um sie zur Arbeit zu wecken. Ich klopfte ans Fenster, weil ich Angst vor dem Hund hatte.
Zu diesen Frauen ging auch Aljoschas Familie. Im Frühling 1953 gingen wir gemeinsam zur Arbeit. Wir haben zusammen Ostern gefeiert, jeder hat die Lebensmittel mitgebracht, die er hatte. Damals sagten diese deutschen Frauen, dass sie das nächste Mal ihr Ostern zu Hause feiern werden. Sie bekommen Papiere und werden bald wegfahren nach Deutschland. Die Ischalon (Militärzüge) werden aus Bobruisk fahren.
Die Dunkle von den Frauen war schwanger. Aber zur Geburt ist sie nach Deutschland gefahren. Alle wurden weggefahren im Sommer 1953. Ich erinnere mich nicht mehr an ihre Namen.«

Geistesabwesend legt Dana den Brief neben die Bilder aus Tatarka. Ihre Gedanken schweifen zurück, zurück in eine Zeit, die sie nicht nur aus diesen Erzählungen kennt. Wie vertraut ihr dies alles aus ihren Träumen und Rückführungsbildern ist. Und doch erscheint ihr alles gleichzeitig so irreal und unfassbar, was in den letzten Wochen geschehen war.

Sie hätte niemals damit gerechnet, einen Beweis für ihr letztes Leben als Krankenschwester in Tatarka zu finden oder gar Menschen, die sich noch an sie erinnern können, doch nun gab es sogar Fotos von ihr. Einen sichtbaren Beweis. Wie unglaublich musste dies erst Anna erscheinen, die weder daran glaubt, dass es ein Leben vor noch nach diesem Leben gäbe. Doch selbst sie war nachdenklich geworden und gab zu, dass Danas Geschichte sie nicht mehr losließ. Das überraschte Dana fast mehr als der unerwartete Fund in Swoboda und ließ in ihr die Überzeugung wachsen, dass es einen tieferen Grund haben müsse, dass sie dies alles erlebt hatte und erfahren durfte.

Schatten im Schnee

»Bedenke, dass du auch auf einsamen Wegen nie allein gehst. Wenn du an Gott denkst und lauschst, so hörst du den nahenden Schritt der Engel.«

Aus Afrika

Sibirien
Januar 1954

Marie-Luise wacht aus ihrem Albtraum auf, der sie Nacht für Nacht quält. Doch das, was sie beim Erwachen erwartet, ist auch nichts anderes als ein endloser Albtraum. Langsam öffnet sie die Augen und versucht, etwas in der eisigen Dunkelheit zu erkennen. Sie sieht jedoch nur die weiße Schneelandschaft, die in einen vermeintlichen Frieden gehüllt zu sein scheint. Sie hatte sich Sibirien anders vorgestellt. Sicher, die Wälder und der Schnee sind genau so, wie sie es in Königsberg gelesen hatte, aber niemand hatte von der Einsamkeit gesprochen und dem, was den Menschen hier angetan wird. Nicht nur die Körper gefrieren hier in der Kälte, sondern auch die Gefühle und Seelen der Menschen. Ein Knacken lässt sie aufschrecken, doch sie kann in der Dunkelheit nichts erkennen. Ich verstehe nicht, wie Menschen zu so etwas imstande sein können, und ich weiß nicht, wie ich dies überstehen soll, denkt sie. Wenn doch nur Aljoscha hier wäre. Er würde mich wärmen, trösten und ... schützen. Genau das würde er tun, denkt sie schluchzend. Er hat mich immer beschützt, vor allem. Auch wenn er dadurch selbst in Gefahr geraten ist.
Schon wieder wird sie durch ein Knacken aus ihren Gedanken gerissen.

Wenn er nur hier wäre! Ich vermisse ihn so sehr. Aber er weiß nicht, wo ich bin.

Voller Verzweiflung drängt sich dieser Gedanke in ihren Kopf.

Sie werden es ihm nicht gesagt haben und ich darf ihm noch immer nicht schreiben, darf keinen Kontakt zu ihm aufnehmen. Auch das haben sie mir verboten wie so vieles andere.

Aljoscha wird vielleicht sogar verärgert sein, da er nicht weiß, dass ich nicht in Deutschland bin. Vielleicht glaubt er, dass ich einfach gefahren bin, ohne mich zu verabschieden.

Auch heute quält sie sich mit diesen Gedanken, wie jeden Tag seit ihrer Abfahrt aus Jasen.

Er wird denken, ich halte mein Wort nicht. Er wird auf mich gewartet haben, die ganzen letzten Monate, auf meine Rückkehr oder zumindest auf einen Brief oder ein anderes Lebenszeichen. Doch er hat vergeblich gewartet.

In der Ferne erklingt das furchterregende Heulen eines Wolfes, doch Marie-Luise schenkt dem keine Beachtung. Sie würde sich so gerne die Tränen aus dem Gesicht wischen, doch hat man ihre Hände an dem Stacheldraht festgebunden, an dem sie hilflos kauert.

Ich konnte und durfte doch nicht. Ich konnte mein Versprechen nicht halten und darf es ihm noch nicht einmal erklären. Es wird ihm das Herz zerreißen ... so wie mir.

Schluchzend versucht sie, ihre Hände zu bewegen, doch sie sind vor Kälte erstarrt.

Wenn ich es ihm doch nur selbst sagen könnte, was passiert ist, und ihn noch einmal wiedersehen dürfte. Natürlich wünschte ich, er wäre hier, doch andererseits würde ich es nicht ertragen, wenn er mich so sehen müsste und erfahren würde, dass das Kind tot ist. Er hat sich so auf das Kind gefreut, aber ich konnte es nicht schützen.

Wenn ich an ihn dachte, habe ich immer seine Wärme und Nähe gespürt, als wären wir unsichtbar miteinander verbunden.

Doch plötzlich spürte ich, dass ich die Verbindung zu ihm verlor, seine Wärme verschwand, es war, als wäre er nun wirklich nicht mehr bei mir. Seine Wärme und Liebe, die mich so lange Zeit hier gegen die klirrende Kälte schützten, verschwanden. Alles ist nun kalt, still, einsam und voller Angst. Kein Wunder, dass meine Zehen immer mehr Erfrierungen aufweisen und ich kaum noch Leben in meinem rechten Unterschenkel spüre.

Wie zur Bekräftigung ihrer Gedanken nimmt ihr Zittern auch äußerlich sichtbar zu. Nur links im Herzen spüre ich noch Wärme, dort ist Aljoscha noch vorhanden. Ich bewahre ihn in meinem Herzen, dort können sie ihn nicht vertreiben. Marie-Luise wird von einem weiteren Knacken abgelenkt und sieht eine schemenhafte Gestalt auf sich zu kommen.

Nein, schreit es in ihrem Inneren, da kommen sie ja schon wieder. Wenn ich doch nur unsichtbar wäre und sie mich nicht finden könnten. Plötzlich spürt sie um sich herum nur noch ein helles, warmes Licht und die Schmerzen erscheinen ihr so weit entfernt. Sie bemerkt nicht, wie sie langsam das Bewusstsein verliert und sich von ihrem Körper entfernt. Doch sie weiß, sie muss wieder dorthin zurück.

Entkräftet setzt sich Marie-Luise in den Schnee und beugt sich über die lauwarme Suppe. Sie ist von ihrer Arbeit völlig erschöpft und weiß, dass die kleine Schüssel Suppe auch heute ihren Hunger nicht stillen kann.

Jeden Tag bekomme ich die gleiche Ration Suppe, die meist aus Wasser und Kartoffelschalen besteht. Und das bei dieser schweren Arbeit im Wald, denkt sie verzweifelt. Wenn es doch nur ein Albtraum wäre, aus dem ich endlich erwachen dürfte.

Wenn Aljoscha wüsste, wie groß meine Angst in der ersten Lagerzeit war, dass das Kind verhungern könnte. Doch was dann geschah, war viel unerträglicher und ich kann es bis heute nicht begreifen. Marie-Luise sucht vergeblich etwas Fleisch oder Kartoffelstücke in dem rostigen Behälter.

Als ich wegen der Schwangerschaft nicht mehr arbeiten konnte, nahm mich ein russischer Wachmann aus Mitleid mit in seine Holzhütte in der Nähe des Lagers, weil er meinte, dass es dort wärmer und angenehmer für mich wäre. Er war so gut zu mir und ich brauchte dafür nur etwas für ihn sauber zu machen und zu kochen. Dennoch machte ich mir immer mehr Sorgen um das Kind, da kein Arzt in diesem Lager war und sie keine Anstalten machten, mich zur Geburt in ein anderes Lager zu bringen.

Ich fragte mich, wie ich das Kind allein auf die Welt bringen sollte, ohne Hedwig. Außerdem musste ich immer daran denken, dass es frieren würde, ich hatte doch für das Kind nicht viel anzuziehen, nur das, was mir eine barmherzige Frau zugesteckt hatte. Marie-Luise wischt sich die Tränen aus den Augen, während ihre Erinnerungen immer weiter an die Oberfläche strömen. Durch das Leben in der Hütte und die Sorge des Wachmannes hungerte ich nicht mehr und hatte dadurch wieder Hoffnung für das Kind, dass es überleben würde.

Ich sprach mit dem Kind und sagte ihm, dass wir es schaffen würden. Ich habe jeden Tag zu Gott gebetet und ihn angefleht, er möge das Kind schützen und mir beistehen.

An einem Nachmittag, als ich gerade Holz gehackt hatte und den Ofen anfeuerte, drangen drei Soldaten in diese einsame Holzhütte ein. Sie wussten, dass ich von einem Russen ein Kind erwartete und waren zornig darüber, dass ich bei dem Wachmann lebte. Sie schlugen mich und sagten, dass ich die Finger von den russischen Männern hätte lassen sollen. Ich war mir sicher, dass das Kind alles mitbekommen und ebensolche Angst haben würde.

Durch die Schläge haben sie die Wehen viel zu früh ausgelöst und halfen mir kaum bei der folgenden unerwarteten Geburt.

Es war in der Hütte so kalt und ich wollte das Kind in meine Arme nehmen und wärmen. Doch ich durfte nicht.

Sie haben es vor meinen Augen getötet und ich konnte nichts dagegen tun. Ich war verletzt und schwach und konnte nicht aufstehen.

Ich konnte nicht zu meinem Kind und es vor diesen Männern schützen. Gott hatte meine Gebete nicht erhört, er hat mich im Stich gelassen. Ich musste zusehen, wie das Kind starb, und konnte nichts dagegen tun.

Marie-Luise stellt den kleinen Blechnapf in den Schnee und versucht auch heute, ihren noch vorhandenen Hunger zu ignorieren. Doch er lässt sich nicht verdrängen, so wie die Bilder, die ihre Seele um ein Vielfaches mehr quälen als der Hunger.

Der russische Wachmann versuchte mir zu helfen, so gut er konnte, als er von der Arbeit zurückkam und mich fand. Doch schon nach einigen Tagen wurde ich abgeholt und ins Lager zurückgebracht, da man meinte, dass ich nun wieder voll arbeitsfähig sei. Dort musste ich sofort wieder Bäume fällen, da ich nun nicht mehr schwanger war. Ich weiß schon nicht mehr, wie viele Monate das nun schon so geht. Das Schlimmste ist die Einsamkeit und das Gefühl, alles verloren zu haben.

»Dawai! Rabotta!« Die Stimme des russischen Wachpostens dringt unaufhörlich an Marie-Luises Ohr und reißt sie aus ihren Gedanken. Mühsam steht sie auf, nimmt ihre kleine Axt und geht zurück zu der Birke, die sie nun seit einer Stunde zu fällen versucht.

Ich kann einfach nicht mehr, denkt sie. Ich habe keine Kraft mehr. Wieso merkt er das nicht und verfolgt mich mit seinen Schreien?

Sie spürt, dass er hinter ihr steht und jede ihrer Bewegungen kontrolliert.

Ich habe seit meiner Ankunft in Sibirien immer nur den einen Wunsch gehabt, zu Aljoscha zurückzukehren.

Erschöpft schlägt sie weiter auf den Baum ein, der so viel kräftiger erscheint als sie selbst. Aber in letzter Zeit überkommt mich immer häufiger das Gefühl, dass ich Aljoscha vielleicht nicht mehr wiedersehen werde.

Sie wischt sich den Schweiß von der Stirn und spürt schon wieder die Gegenwart des Wachmannes, der in einen langen, grauen Mantel gehüllt ist. Selbst diese kurze Pause gönnt er ihr nicht. Ich habe Angst, dass ich hier nicht mehr lebend herauskomme. Davon träume ich selbst nachts, wenn ich für ein paar Minuten in Schlaf falle. Marie-Luise arbeitet erschöpft weiter und versucht vergeblich, die Gedanken an die Nächte beiseitezuschieben.

Das ist das Furchtbarste ... Diese Männer, denen ich ausgeliefert bin. Aljoscha würde wahnsinnig werden, wenn er das wüsste. So wahnsinnig wie diese Blicke der Männer, die mich so quälen. Das ist schlimmer als die Kälte. Warum bin ich diesen kriminellen Häftlingen ausgeliefert? Ich bin hier inzwischen im Lager die einzige Frau und kann mich nicht gegen sie wehren. Warum werde ich nicht wie die anderen entlassen, warum kündigen sie es mir nur immer an, um mich dann zu enttäuschen, dass ich wieder nicht auf der Liste stehe.

Warum quälen diese Männer mich nachts so und warum unternimmt kein Wachmann etwas dagegen? Wie zur Antwort ertönt ein ungeduldiger Schrei des Wachpostens, der Marie-Luise auffordert, schneller zu arbeiten.

Aber wie soll ich denn noch die Kraft dazu finden, denkt sie verzweifelt. Ich habe keine Energie mehr, dafür quälen sie mich zu sehr. Marie-Luise arbeitet mühsam weiter. Sie weiß, dass sie den Aufseher auch heute nicht zufriedenstellen wird.

Ich habe nicht nur meine Kraft verloren. Ich habe alles verloren, was mir wichtig war. Aljoscha, unser Kind und die Hoffnung auf ein freies, gemeinsames Leben. Nur meine Liebe nicht, meine Liebe zu ihm konnten sie mir in dieser Einsamkeit nicht nehmen und zerstören.

Krachend fällt die Birke in den Schnee und übertönt Marie-Luises verzweifeltes Schluchzen, während sie sich erschöpft in den Schnee sinken lässt.

Marie-Luise sitzt zitternd im Schnee und versucht vergeblich, ihre gefühllosen Hände zu bewegen. Einige Nächte hat sie nun schon an diesen Zaun festgebunden verbracht, nicht nur der Kälte und Nässe schutzlos ausgeliefert.

Auch in dieser Nacht quält sie ein starkes Durstgefühl, das sie vergeblich zu ignorieren versucht.

Sie verstecken sich irgendwo da draußen im Dunkeln und werden wiederkommen, denkt sie verzweifelt. Wenn ich doch nur weglaufen könnte oder unsichtbar wäre.

Während Marie-Luises Blick durch die Dunkelheit streift, erblickt sie über dem Appellplatz ein weißes Licht, das so hell wie die Sonne erstrahlt.

Marie-Luise erkennt in dem Licht eine Frauengestalt, die sie liebevoll anschaut. Die junge Frau mit den wunderschönen Gesichtszügen schwebt über dem Boden und hat die Hände wie zum Segen erhoben.

Auch wenn die Gestalt kein Wort spricht, weiß Marie-Luise, dass es Mutter Maria ist, die ihr unerwartet in dieser Einsamkeit erscheint. Doch warum zeigte sie sich ihr und warum spricht sie nicht? Marie-Luise wartet vergebens auf ein Wort, auf eine Botschaft.

»Warum lässt Gott das alles zu?«, wendet sie sich nun selbst voller Verzweiflung an die Lichtgestalt. »Wie konnte Gott diesen grauenvollen Krieg zulassen und warum schützte er die Menschen nicht? Nicht nur das Leid in Sibirien, sondern auch das grauenhafte Morden in den Lagern und an den Gruben im Wald?«

Die hell leuchtende Frauengestalt schaut Marie-Luise weiterhin warmherzig an und schweigt. «Und wie konntet ihr es zulassen, dass ein neugeborenes, unschuldiges Kind grausam umgebracht wird?« Die Tränen der Wut und Verzweiflung laufen über Marie-Luises Gesicht, während sie weiter zu dem Lichtwesen spricht: »Gott hat mein Kind und mich verlassen. Ich will euch nicht mehr hören und sehen, wenn ihr so etwas zulassen könnt!«

Kaum hat Marie-Luise diese Worte ausgesprochen, verschwindet das weiße Licht und das Lager ist wieder in eisige Finsternis getaucht. Sie weint still vor sich hin, während sich ihr lautlos eine düstere, eisige Gestalt nähert.

Wundersame Begegnung

»Einen Engel erkennt man oft erst, wenn er vorübergegangen ist.«

Jüdische Weisheit

Taunus
September 2004

Dana betrachtet die weiße Lichtgestalt, die in ihrem Wohnzimmer steht. Es ist eine Frau mit wunderschönen Gesichtszügen und einer liebevollen Ausstrahlung. Obwohl Dana während der letzten Rückführung, bei der sie wieder nur Herzrasen bekam und keine Bilder gesehen hat, um Hilfe der Engel gebeten hat, kann sie nicht glauben, was sie sieht. Die Gestalt hat sich – wie aus dem Nichts – in ihrer Wohnung sichtbar gemacht und Dana wissen lassen, dass sie Mutter Maria ist.

Wahrscheinlich ist es wieder ein Traum, aus dem ich gleich aufwachen werde, denkt Dana. Sie spürt ein starkes Energiefeld um sich und die Anwesenheit weiterer Engelsenergien, deren Gestalt sie jedoch nicht erkennen kann. Dann beginnt die Lichtgestalt zu sprechen.

»Dies ist kein Traum. Ich bin Mutter Maria und mit Erzengel Michael hier, um dir zu helfen, die Schatten aus deinem letzten Leben loszulassen. Damit du verstehst, was war und sein wird. Erinnerst du dich an deinen Autounfall?«

Wie könnte ich das vergessen, denkt Dana und ahnt, dass Maria ihre unausgesprochenen Worte versteht.

Dana sieht noch heute den schweren Auffahrunfall vor sich, bei dem die weiße Gestalt an ihrem Fenster stand und fragte, wie es ihr ginge.

»Das war kein Arzt, wie du ja inzwischen selbst vermutest. Es war Erzengel Michael, den du beim Erwachen gesehen hast«, spricht Maria weiter. »Es war damals gar nicht einfach, dich in diese Dimension zurückzuholen. Du wolltest nicht, du wolltest im Licht bleiben. Doch wir erinnerten dich daran, dass du noch eine Aufgabe in diesem Leben hast, und haben dich zurückgeschickt.« Dana spürt die Wärme, die von der Gestalt ausgeht und sie an das Licht erinnert, das sie von ihren Nahtoderlebnissen kennt, während sie der ebenso warmen Stimme lauscht.

»Du bist mehrmals ins Licht zurückgekehrt und wolltest nicht in deinen Körper zurück. Du wolltest diese Dimension verlassen. Wir konnten dich nur dazu bringen zurückzukehren, indem wir dir von deiner Aufgabe erzählten und dir erklärten, wie wichtig sie ist.

Erzengel Michael war dein ganzes jetziges Leben an deiner Seite und hat auf dich aufgepasst. Du wirst durch ihn geschützt und es wird dir nichts geschehen. Du brauchst keine Angst zu haben. Es ist vielmehr wichtig, dass du deine Ängste loslässt, die sonst deinem Lebensplan im Wege stehen. Es ist nötig, dass du diese Schatten loslässt, und wir möchten dir dabei helfen. Es wird nicht einfach sein, aber wir werden an deiner Seite bleiben. Dabei musst du dir diese Schatten noch einmal ansehen, sie spüren und dann loslassen. Solange deine Seele diese Phantome noch in sich trägt, wirst du nur diese sehen und damit die Vergangenheit und nicht das, was in diesem Leben für dich vorgesehen ist. Dazu gehört auch, dass du deinem Seelenpartner begegnen wirst, mit dem du eine gemeinsame Aufgabe hast, zu der auch ein eigenes Kind gehören kann.«

Das Lichtwesen schweigt einen kurzen Moment und wie zur Bestätigung sieht Dana die Gestalt einer weiteren jungen Frau mit lockigen Haaren.

»Nur musst du dafür bereit sein und deine Bilder von deinem letzten Leben loslassen, die in deinem Körper und deiner Seele stecken«, fährt Maria fort. »Solange du diese Männerphantome aus Sibirien siehst, siehst du diesen Seelenpartner nicht. Wenn du bereit bist, dir diese Bilder anzusehen und loszulassen, dann habt ihr eine Chance zusammenzukommen. Dann darfst du ihn sehen. Ansonsten wirst du weiterleben wie bisher. «

Ohne darüber nachdenken zu müssen, erklärt Dana, dass sie bereit sei, sich ihren Schatten zu stellen.

»Es wird nicht einfach werden, doch wir werden dich dabei unterstützen. Außer Erzengel Michael und mir werden auch Jesus und Erzengel Gabriel an deiner Seite sein, die mit deinem Seelenpartner verbunden sind und deren Anwesenheit du bereits spürst.«

Dana spürt die Wärme, die sie umgibt und nicht nur von Marias Worten ausgeht. Auch wenn sie Erzengel Michael nicht sehen kann, spürt sie die liebevolle Energie, die von ihm ausgeht.

»Vergiss nicht, dass du in den nächsten Tagen nicht allein auf diesem Heilungsweg sein wirst, auch wenn es dir vielleicht zeitweise so vorkommen wird, da du uns nicht mehr so deutlich sehen und hören wirst wie heute Nacht. Aber auch das hat seinen Grund, denn es ist erforderlich, dass du noch einmal in die Gefühle von damals eintauchst, sie spürst und zulässt, um sie zu erlösen. Und dazu gehört insbesondere die Einsamkeit aus dem damaligen Leben, in dem du uns nicht mehr sehen und hören wolltest. Doch du wolltest nicht nur uns nicht mehr sehen, du wolltest sogar selbst nicht mehr gesehen werden, du hast dich danach gesehnt, unsichtbar zu sein.

Und genau das warst du bei deinem Unfall, bei dem der Unfallverursacher dich nicht gesehen hat.

Kannst du es nun verstehen?

Es ist wichtig, dass du in diese alten Gefühle und Bilder noch einmal eintauchst und sie heilst. Doch du sollst wissen, dass du nicht allein sein wirst, dass wir an deiner Seite sind und dich auf dieser Reise begleiten werden. Bist du wirklich bereit dazu?«

Dana zögert wieder keinen Moment. Sie ist fest entschlossen, sich die Bilder anzusehen und ihre Phantome loszulassen. Sie ahnt nicht, dass die kommenden fünf Wochen die schwersten und gleichzeitig befreiendsten Wochen ihres Lebens werden sollen. Der Beginn einer Reise durch die Zeit, zu ihr selbst und in ihre eigene Seele. Doch sie hat hierbei die besten Reiseführer an ihrer Seite, die man sich dafür nur wünschen kann, ihre Geistführer und Engel.

Und so taucht sie in ihr letztes Leben ein, das so lebendig und real erscheint, als wäre es gerade geschehen, und sie spürt, wie ihre Begleiter auf dieser Reise mit ihr fühlen und weinen.

Einsamkeit

»Die Menschheit muss dem Krieg ein Ende setzen, oder der Krieg setzt der Menschheit ein Ende.«

John F. Kennedy

Sibirien
Januar 1954

Marie-Luise kann die Axt kaum noch heben und setzt sich auf einen verschneiten Baumstamm. Sie hofft, dass ihre Arbeitsschicht bald zu Ende ist. Sie hat einfach keine Kraft mehr, einen weiteren Baum zu fällen.

Nicht nur der Hunger zehrt an ihren Kräften, auch die Geburt, von der sie sich seelisch und körperlich noch immer nicht erholt hat.

»Rabotta! Rabotta!«, reißt sie die schrille Stimme des russischen Wachmannes aus ihren Gedanken, der plötzlich vor ihr steht und sie zur Arbeit antreibt. Er blickt Marie-Luise düster an. In seinen Augen spiegelt sich die Kälte des sibirischen Winters wider.

Sie versucht aufzustehen, doch ihre Beine sind zu schwach und gehorchen ihr nicht.

»Ich kann nicht mehr, ich habe einfach keine Kraft mehr«, sagt sie verzweifelt, obwohl sie weiß, dass der Aufseher sie nicht versteht.

Unerwartet beginnt er, mit dem Gewehrkolben auf sie einzuschlagen. Marie-Luise versucht, sich vor den Schlägen des hochgewachsenen Wachmannes zu schützen, doch er schlägt unbeirrt weiter auf sie ein.

Ich habe nichts getan, denkt sie verzweifelt. Warum hasst er mich so, genauso wie all die anderen Männer, die mich hier Nacht für Nacht quälen? Ich wollte nur helfen, ich bin nur aus diesem Grund nach Russland gefahren, um zu helfen. Aber ich durfte es nicht. Marie-Luise liegt zusammengekauert im Schnee und versucht weiter vergeblich, sich gegen die Hiebe des Mannes zu wehren. Er bringt mich noch um, wenn er so weitermacht, denkt sie verzweifelt. Was habe ich ihm denn getan oder all den anderen Männern, die mich hier Tag für Tag quälen? Warum haben sie mich überhaupt hierhergebracht, schluchzt sie. Das Einzige, was sie mir vorwerfen, ist meine Liebe zu Aljoscha und dass ich schwanger von ihm geworden bin. Ist das solch ein Verbrechen? Wenn ich nicht schwanger geworden wäre, würde ich heute bei Aljoscha sein und man hätte mich nicht nach Sibirien verschleppt. Wir lieben uns und wollten doch nur zusammen glücklich werden. Aber in dieser grausamen Zeit und Welt war uns das wohl nicht vergönnt. Die Aussicht, Aljoscha wiederzusehen, schwindet mit jedem Hieb, den der russische Wachmann mit seinem Gewehr ausübt. Ich habe davon geträumt, ihn noch einmal wiederzusehen. Das Schlimmste ist, dass Aljoscha nie erfahren wird, warum ich mein Wort nicht gehalten habe, warum ich nicht mehr zu ihm zurückgekehrt bin. Halb bewusstlos bemerkt Marie-Luise, dass der Aufseher inzwischen aufgehört hat, auf sie einzuschlagen, und im Wald verschwunden ist. Aber er hat sie so stark verletzt, dass sie nicht aufstehen kann. Er kann mich hier doch nicht einfach so liegen lassen, denkt sie und lauscht ängstlich in die eisige Kälte.

Marie-Luise sieht den stämmigen Wachmann zurückkehren und weiß nicht, ob sie darüber erleichtert sein soll.
Sie beobachtet, wie ihr Peiniger sich mit einer Wodkaflasche auf einen Birkenstamm setzt und sie mit eisigen Augen mustert, die seinen Hass und die Kälte in seinem Inneren nicht zu verbergen vermögen.

Wie ich diese Männer verabscheue, denkt sie. Ihren Geruch, ihre Blicke. Warum müssen sie mich nur unaufhörlich beobachten? Wenn ich doch nur unsichtbar sein könnte, um diesem allen zu entfliehen, denkt sie schmerzerfüllt. Ihr Körper versagt jedoch seinen Dienst. Panik ergreift sie, als sie beobachtet, wie der stämmige Mann in seinem langen, grauen Mantel aufsteht, nach seinem Gewehr greift und auf sie zukommt.

Nach einem besonders harten Schlag gegen ihren Kopf verliert sie jegliches Zeitgefühl und spürt, wie ihre Lebenskraft schwindet. Ihre Gedanken drehen sich noch immer um Aljoscha und sie hadert mit Gott und ihren Engeln, warum sie es zulassen können, dass man sie auf diese Weise trennt. Sie weiß nun, dass sie es nicht schaffen wird, diese Schläge zu überleben und diese Hölle lebend zu verlassen. Bei diesen Gedanken, die von tiefsten seelischen Schmerzen sowie einer grenzenlosen Hilflosigkeit begleitet sind, fühlt sie, wie sich ihre Seele langsam von ihrem Körper löst und die körperlichen Schmerzen weichen. Während Marie-Luises Seele über ihrem Körper schwebt, beobachtet sie den Wachmann, der unverändert brutal auf ihren Körper einschlägt, bis er ihn schließlich leblos im Schnee liegen lässt. Der weiße Schnee um ihren reglosen Körper verfärbt sich rot und Marie-Luise weiß, dass ihn dort, in diesen unendlichen Wäldern, niemals jemand finden wird. Langsam löst sie sich von diesem traurigen, einsamen Anblick und von ihrem Leben.

Marie-Luise erfährt von ihren Geistführern im Zwischenreich, weshalb sie dieses Leben gewählt und auf sich genommen hatte.

Nach einer Zeit der Belehrungen und Erholung wird Marie-Luise die Gelegenheit gegeben, sich wieder freiwillig zu verkörpern, und sie wird auf dieses kommende Leben vorbereitet.

Sie nähert sich ihrem neuen Körper und entfernt sich gleichermaßen von ihrem Wissen der Zwischenwelt, das zu verblassen beginnt.

Ein neues Leben

»Die Vergangenheit ist die Quelle, die den
Fluss nährt, der in die Zukunft fließt.«

Alfons Wachtelaer

Taunus
Herbst 2004

Langsam wird es hell und die Bilder verblassen. Fünf Wochen hat
es gedauert, bis Dana ihre Reise in die Vergangenheit beendet
und alle Bilder angesehen und losgelassen hat.

Nun versteht sie, warum sie so viele Jahre regelmäßig zwischen
zwei und drei Uhr nachts mit Herzrasen aufgewacht war und
dachte, es sei jemand ins Haus eingedrungen. Dies waren
Erinnerungen an ihr letztes Leben als Marie-Luise. Damals war
die weißrussische Miliz um zwei Uhr nachts in ihre Wohnung
eingebrochen und hat sie von dort hochschwanger nach Sibirien
verschleppt.

Dana hat sich nun während ihrer Reise in die Vergangenheit
bewusst gemacht, dass dies nur Erinnerungen an ihr letztes
Leben in Weißrussland waren und diese nicht mehr in ihr
heutiges Leben gehören. Kein Milizionär würde mehr in ihre
Wohnung einbrechen und sie verschleppen.

Nicht nur von diesen Bildern befreite sich Dana, auch von
einigen verletzten Gefühlen, die noch in ihren Zellen saßen und
losgelassen werden wollten. Gefühle der Sprachlosigkeit,
Hilflosigkeit, Hoffnungslosigkeit, des Kummers, Entsetzens und
der Verzweiflung. All das heilte sie in den vergangenen Wochen
und ließ es gehen.

Am meisten rührte es sie zu erkennen, dass sie auch im letzten Leben ein Erlebnis mit Maria hatte, sie bereits 1954 im Gulag in Sibirien sah. Konnte es ein Zufall sein, dass sie sich ihr genau 50 Jahre später wieder zeigte, um nun das zu heilen, was von damals noch zu heilen war?

Dana schaute sich mit Marias Hilfe all das an, was sich während der vorherigen Rückführungen noch vor ihr verbarg und sich nicht zeigen wollte. Dana spürte an jedem Tag dieser Reise, dass ihre Geistführer und Engel sie in die Vergangenheit begleiteten und ihr halfen, die Bilder anzusehen und loszulassen. Sie fühlte sich nicht mehr allein. Sie schaute sich nicht nur an, wie sie aus Weißrussland in den Gulag nach Sibirien verschleppt wurde, sondern sie sah auch, wie sie dort an Gott zweifelte, wie sie ihr Kind verlor und wie Maria ihr im Schnee erschien. Genau 50 Jahre, bevor sie ihr nun wieder erschien. Dennoch verstand Dana es anfangs nicht. Warum Maria? Warum erschien sie ihr? Sie ist zwar christlich aufgewachsen, gehörte jedoch in diesem Leben nicht der katholischen Kirche an. Daher hatte sie ihr Leben lang keinen Bezug zu Maria und hatte sie nie um Hilfe ersucht. Umso mehr wunderte es Dana, dass gerade sie ihr erschien. Inzwischen hat sie verstanden, warum. Denn welcher himmlische Helfer könnte besser diese Wunden heilen als Maria? Mutter Maria, die selbst ein Kind verloren und noch viel größere Schmerzen erlitten hat. Wer könnte es besser verstehen? Maria half Dana zu erkennen, woher ihre Ängste und Phobien stammten. Warum sie in diesem Leben unbewusst selbst kein Kind haben und keine Familie gründen wollte. Da sie diesen Schmerz nie mehr erleben wollte, den sie in Sibirien erleiden musste, als sie ihr Kind verloren hat. Warum sie, statt eine eigene Familie zu gründen, ein Hilfswerk gegründet hat. Einen humanitären Verein, der sich insbesondere um hungernde und verlassene Kinder in Russland und Weißrussland gekümmert hat. Es war schon fast ein Zwang, diesen Kindern zu helfen, verbunden mit dem Gefühl, nie genug zu tun. Nun wurde ihr bewusst, warum.

Dana hatte sich in ihrem früheren Leben geschworen, dass nie mehr ein Kind hungern und frieren soll. Nur dass sie sich selbst dabei vergaß, hatte sie nicht bemerkt.

Taunus
Frühjahr 2005

»Ich sollte einen Film daraus machen«, schreibt Tom in einer E-Mail an Dana. »Du weißt, dass ich nicht an Reinkarnation glauben wollte, doch du hast mich mit deiner Geschichte davon überzeugt. Was liegt da näher, als ein Drehbuch daraus zu machen?«

Dana kann es kaum glauben, was sie liest. Tom hat zwar die Bilder, die sie ihm von ihren Rückführungen regelmäßig beschrieben hat, schon lange als Film bezeichnet, dass er nun einen richtigen Film daraus machen wollte, hat sie nicht erwartet und ist sich nicht sicher, wie ernst Tom es damit meint.

Dana hat festgestellt, dass das Aufschreiben der Geschehnisse ihr nicht nur geholfen hat, das Erlebte loszulassen, sondern auch half, die Zusammenhänge zu verstehen.

So ist sie durch den Mailwechsel mit Tom zu der Erkenntnis gelangt, dass ein traumatisches Erlebnis in diesem Leben ein viel älteres Trauma aus früheren Leben an die Oberfläche holen und aktivieren kann. Das dies der Grund dafür sein könnte, warum manche Menschen bestimmte traumatische Erlebnisse nicht einfach vergessen und ablegen können.

So war Tom davon überzeugt, dass Dana durch ihre traumatische Reise mit Erik nach Kaliningrad 1992 ihre alten Traumata in Weißrussland aktiviert habe. So sei insbesondere das Gefühl, in Russland ausgeliefert und verloren zu sein, dadurch erst an die Oberfläche gelangt.

»Jeder andere wäre nach dieser Reise irgendwann zur Tagesordnung zurückgekehrt«, schrieb er Dana in einer E-Mail.

»Du konntest es jedoch nicht vergessen und wurdest seitdem von Albträumen gequält. Außerdem hast du dich in deine Vereinsarbeit gestürzt, um ein Unrecht in Russland auszugleichen, für das du nicht verantwortlich warst.«

Tom hatte recht. Wenn sie sich die Ladelisten ihrer vielen Hilfstransporte nach Russland anschaute, erinnerten diese sie an die Listen der Güter, die den weißrussischen Menschen im Krieg von den Deutschen abgenommen und als sogenannte »Spende des weißrussischen Volkes« ins Deutsche Reich abtransportiert wurden. Es kommt ihr inzwischen selbst so vor, als wolle sie unbewusst all das wiedergutmachen, was sie damals miterleben musste und nicht verhindern konnte. Ihre Seele hat offensichtlich auch dies nicht vergessen können und über den Tod hinaus bewahrt.

Auch wenn Tom inzwischen durch ihre Forschungen davon überzeugt ist, dass es ein Leben nach dem Tod gibt, fällt es ihm schwer, an Danas Erlebnis mit Maria zu glauben.

Dana kann es ihm nicht verdenken und versucht ihn auch nicht davon zu überzeugen. Zu unglaublich war das, was sie im vergangenen Jahr erlebt hat, und selbst ihr fällt es oftmals noch schwer, es zu verstehen. Dana spürt jedoch, dass sich seit dem Marienerlebnis etwas in ihr verändert hat. Bereits durch die Rückführungen wurde viel geheilt, doch ihre Ängste und Träume von vermeintlichen Einbrechern blieben. Seit ihrer Begegnung mit Maria und der darauffolgenden Reise in die Vergangenheit ist sie nachts nicht mehr mit diesen quälenden Gefühlen und Bildern aufgewacht. Mit dem Gefühl, es sei jemand ins Haus eingebrochen und sie sei nicht allein. Dana kann sich nicht erinnern, wie viele Jahre sie von diesen Albträumen verfolgt worden war, sie weiß nur, dass sie seit der Begegnung mit ihren geistigen Helfern plötzlich nicht mehr aufgetreten sind. Allein das war für sie Beweis genug.

Der Tunnel

»Es ist schwerer, das Eis in den Herzen der
Menschen zu schmelzen als auf den Gletschern.«

Angaangaq, Eskimo-Schamane

Rheinbach
Juni 2007

Dana läuft durch den engen Tunnel auf das helle Licht zu. Der
Tunnel kommt ihr bekannt vor, er sieht aus wie in ihrem
Nahtoderlebnis vor sechzehn Jahren, als sie mit ihrer Ente
verunglückt war. Sie hatte sich dies im vergangenen Jahr während
eines Rückführungsseminars noch einmal angesehen und auch
dieses Erlebnis bewusst geheilt. Heute scheint jedoch etwas
anders zu sein. Dana sieht über sich eine Klappe, die wie ein
Gullydeckel aussieht und nach außen führt. Was hat dies zu
bedeuten? Ist das der Weg, den sie gehen soll? Soll sie aus diesem
Tunnel über die Klappe aussteigen und nicht weiter dem Licht
entgegenlaufen, wie sie es sonst gemacht hat?
Dana öffnet den Deckel und verlässt den Tunnel.
Während sie auf der Oberseite des Tunnels nach Halt sucht,
bemerkt sie, dass dort ein geflügeltes Einhorn auf sie wartet, das
sie einlädt, mit ihm auf Reisen zu gehen. Dana steigt auf den
Rücken des Tieres und fliegt mit ihm über glitzernde Hügel und
ätherische Städte. Dana fühlt sich schwerelos und betrachtet die
wunderschöne Landschaft, über die sie hinweggleiten. Plötzlich
landet das Einhorn vor einem Gebäude, das wie ein
verwunschenes Dornröschenschloss aussieht. Dana bedankt sich
bei dem Einhorn und betritt das Schloss.

Sie geht eine lange Wendeltreppe nach oben und gelangt in ein kleines Turmzimmer. Sie traut ihren Augen nicht, als sie dort Mutter Maria und Erzengel Michael erblickt, die auf sie warten. Verwirrt setzt sich Dana auf einen Stuhl und lauscht Marias Worten.

»Und? Hast du deine spirituellen Berater gefunden?«, fragt Jürgen Baumgarten, in dessen Praxis Dana an einem Workshop teilnimmt, um die schamanische Reise zu erlernen. Sie wusste, dass sie zunächst auf diesen Reisen ihre Krafttiere und Berater in den verschiedenen schamanischen Welten kennenlernen würde. Doch hatte Dana nicht damit gerechnet, dort wieder Mutter Maria zu begegnen.

»Kann es sein, dass Maria und Erzengel Michael meine Berater in der oberen Welt sind?«, fragt Dana verunsichert.

»Aber natürlich«, antwortet Jürgen. »Aufgestiegene Meister und Engel können dir dort begegnen und dich unterstützen. Das ist nicht ungewöhnlich, da es der spirituelle Bereich der Anderswelt ist. Was haben sie dir gesagt?«

»Maria erklärte mir, warum ich in den letzten Jahren einige Menschen wiedertreffen musste, die ich aus meinem früheren Leben kannte. Es war nötig, um diese alten Wunden zu heilen und um mich von den betreffenden Menschen energetisch zu trennen. Man kann Menschen aus früheren Leben wiederbegegnen und sie dabei mit der Seele wiedererkennen, doch das, was man dabei empfindet, kann manches Mal trügerisch sein. So kann das Gefühl der Vertrautheit und des Wiedererkennens dazu verleiten, dass man es für mehr hält, als es wirklich ist. Die Männer, denen ich in diesem Leben wiederbegegnet bin, waren eher karmische Begegnungen, bei denen es etwas zu lösen und zu heilen gab. Und dann führten unsere Wege wieder auseinander. Maria sagte mir, dass es gut sei, dass ich während der Rückführungen die energetischen Bänder zu ihnen durchtrennt hätte.«

Jürgen hört schweigend zu, während Dana weiter von ihren Erlebnissen während der schamanischen Reise erzählt:

»Maria erklärte mir noch, warum ich mich von einem bestimmten Menschen in diesem Leben so oft beobachtet fühle. Er war in früherer Zeit Wächter auf einem der Wachtürme im Gulag. Offensichtlich wirkt der Auftrag, mich zu bewachen, noch bis heute nach. Er wird es sicher selbst nicht verstehen. Ich werde ihm das jedoch kaum sagen und können. Ich glaube nicht, dass er es für möglich hält, dass wir uns aus früheren Zeiten kennen. Ich musste stattdessen selbst erkennen, dass es mich nicht zu stören braucht, da ich ihm in diesem Leben ja nicht ausgeliefert bin und mir nichts geschehen kann. Erst wenn es mir nichts mehr ausmacht, beobachtet zu werden, ist es geheilt.«

Jürgen nickt Dana verständnisvoll zu. »Na, dann bin ich gespannt, was du bei der nächsten schamanischen Reise sehen wirst.«

Während Dana dem monotonen Klang von Jürgens Trommel lauscht und langsam in Trance fällt, sieht sie eine Frau, die mit einer Schamanentrommel um ein Feuer tanzt. Sie trägt Lederkleidung und einen Kopfschmuck mit Adlerfedern. Die Trommelschläge der Schamanin werden mit denen von Jürgen eins, bis Danas Aufmerksamkeit nur noch auf die Tänzerin gelenkt wird. In der Ferne erkennt Dana dichte Birkenwälder und sie weiß intuitiv, sie ist in Sibirien. Das Bild von der tanzenden Schamanin und der Feuerstelle löst sich plötzlich auf und Dana befindet sich in einer einsamen Winterlandschaft. Sie kauert im Schnee und spürt, dass sie an einen Zaun gekettet ist. Ihre Hände schmerzen und ihr Herz rast. Nicht schon wieder dieser Gulag, denkt sie. Warum lassen mich diese Bilder nicht los? Da hört sie eine Stimme in ihrem Inneren, die sanft zu ihr spricht:

»Du hast in früheren Zeiten als Schamanin in Sibirien gelebt und kannst dich nun wieder mit dieser Energie verbinden.

Doch dafür musstest du dich zunächst mit deinem letzten Leben versöhnen, das gewaltsam in Sibirien geendet hat.« Dana spürt bei diesen Worten, wie sich eine liebevolle Wärme in ihrem Inneren ausbreitet. »Du hast dir damals geschworen, nie wieder nach Sibirien zu reisen, und wärst deswegen in diesem Leben auch geistig nicht mehr dorthin gelangt. Doch nun ist es wieder möglich, da du dich damit ausgesöhnt und es losgelassen hast.« Während sich die Wärme in ihrem Inneren immer mehr ausbreitet, sieht Dana, wie der Schnee im Gulag schmilzt und sich in eine grüne Wiese verwandelt. Danas Fesseln lösen sich an ihren Händen, und während sie von dem Zaun aufsteht, hört sie eine weitere Botschaft in ihrem Inneren:

»Es ist Zeit, dass du nun Russland geistig hilfst, sich zu heilen, damit es sich ebenso von den Lasten, Schmerzen und Tränen befreien möge, wie es dir möglich war. Du wirst noch erkennen, dass es dafür nötig war, dass du nicht nur im letzten Leben nach Russland gereist bist, sondern auch in diesem Leben.«

Coming Home

»Mitten im Winter habe ich schließlich gelernt, dass es in mir einen unbesiegbaren Sommer gibt.«

Albert Camus

Big Island/Hawaii
1. August 2008

Dana ist tief berührt, als sie nach über dreiundzwanzig Stunden Reisezeit in Kona aus dem Flugzeug steigt. Ein warmer Lufthauch schlägt ihr entgegen und die Erde scheint von einer sanften Energie erfüllt zu sein. Es ist eine andere Atmosphäre als in Los Angeles, wo sie Stunden zuvor zwischengelandet ist, es ist wie Coming Home, nach Hause kommen nach unendlich langer Zeit.

Hawaii, sie ist tatsächlich mit ihrer Reisegefährtin Mirabai in Hawaii angelangt.

Dana betrachtet den Flughafen, der nicht nur wegen seiner kleinen Hütten und Kokospalmen eine angenehme Ruhe ausstrahlt. Sie kann es noch immer nicht glauben, nun wirklich auf Big Island, der größten hawaiianischen Insel, zu sein und gleichzeitig auf den letzten sichtbaren Spuren des vor langer Zeit im Pazifik versunkenen Kontinents Lemurien. Lange schien es, als wolle sie etwas von dieser Reise abhalten, zuletzt auch äußerlich sichtbar in Form eines unbefristeten Lufthansa-Streiks, der fünf Tage vor ihrem Abflug begann. Täglich wurden durch den Streik mehr Flüge gestrichen, doch Dana und Mirabai hatten Glück, ihr gebuchter Flug war der einzige, der an diesem Tag von Frankfurt am Main nach Los Angeles ging.

Dass neben dem Bodenpersonal auch der Catering-Service streikte und ihr Essen gefroren serviert wurde, störte sie nicht. Hauptsache, sie waren unterwegs nach Hawaii. Sie gelangten auf direktem Weg dorthin und wurden nicht, wie andere Passagiere in diesen Tagen, von Frankfurt am Main über Japan nach Los Angeles umgeleitet. Nun sind sie in Kona angelangt und nur einige Kilometer trennen sie noch von ihrem Hotel am Pazifik, in dem am morgigen Tag das spirituelle Seminar beginnen wird, für das sie hierhergekommen sind. Es handelt sich um eine einwöchige Reise mit Ausflügen, Vorträgen, Konzerten und Workshops an besonderen Orten. Dana hat nicht wirklich eine Vorstellung davon, was sie hier erwarten wird, sie weiß nur, dass sie hierherkommen musste. Während sie das Gepäckband erreicht und nach ihrem Koffer Ausschau hält, sehnt sich nur noch danach, in ein Taxi Richtung Hotel zu steigen.

»Ich weiß, dass es dir guttun würde, mehr in die Natur zu gehen.« Dana schaut Gordon erstaunt an. Sie ist mit ihm während des traditionellen hawaiianischen Luau-Festes, das zur Begrüßung der Gruppe an diesem dritten Tag ihres Aufenthaltes auf Hawaii ausgerichtet wird, ins Gespräch gekommen. Obwohl Dana bewusst ist, dass Gordon sehr intuitiv ist und Dinge sieht, die für andere unsichtbar sind, wundert sie sich über den Verlauf des Gesprächs.

»Ich hatte mein Leben lang Angst vor Wäldern«, antwortet sie ausweichend.

»Möchtest du einen ganz besonderen Baum sehen?«

»Warum nicht? Ich hatte vor ein paar Jahren schon eine besondere Begegnung mit einem Baum in Weißrussland.«

»Ich werde ihn dir zeigen!«

Während die hawaiianischen Tänzer die Geschichte Peles, der hawaiianischen Göttin des Feuers und der Vulkane, präsentieren, führt Gordon Dana durch den mit Fackeln beleuchteten Hotelgarten zu einer steinernen Treppe.

Über diese Treppe, die Dana zuvor nicht aufgefallen war, gelangen sie zu einer mit Palmen bewachsenen Bucht, die vom Mond romantisch beleuchtet wird.

»Das ist der Baum.« Gordon zeigt auf einen knorrigen, alten Olivenbaum, der zwischen Kokospalmen und Lavafelsen am Meer steht. Während sie zu dem Baum gehen, erklärt Gordon, wie Dana den Baum begrüßen und seine Energien durch die Hände erfühlen kann. Dana berührt den Baum und spürt die feine Energie, die von ihm ausgeht.

»Nun kannst du den Baum umarmen und ihm Fragen stellen. Warte. Ich zeige es dir.« Gordon breitet die Arme aus und umschließt damit den Baum. »Wenn du den Baumstamm nun mit deiner Stirn berührst, kannst du dich mit ihm verbinden und mit ihm reden. Versuche es nun selbst.«

Dana legt ihre Arme um den Baum und berührt ihn sanft mit ihrem Kopf. Während sie in Gedanken zu dem Baum spricht, sieht sie vor ihrem geistigen Auge eine mit Moos bewachsene Wendeltreppe im Inneren des Baumes. Die Treppe erscheint wie aus einem Elfenreich und Dana fragt sich, wohin sie führen mag.

»Der Baum mag dich«, hört sie Gordons Stimme hinter sich. »Jetzt sollten wir aber zum Fest zurückgehen.«

Dana kann sich nur schwer von dem Baum und der magischen Bucht trennen und beschließt, am nächsten Tag wiederzukommen.

Das Motorboot schaukelt und Danas Blick verliert sich im Blau des Pazifiks. Sie ist mit einem Teil der Seminarteilnehmer zu einer Delfinschwimmtour aufs offene Meer hinausgefahren. Wie die Organisatoren vermutet haben, haben sie in der Bucht, in die sie intuitiv das Boot gelenkt haben, eine große Gruppe Spinner-Delfine angetroffen, die das Boot begleiten.

»Ihr werdet bemerken, dass nicht ihr mit den Delfinen schwimmt, sondern die Delfine mit euch«, erklärt der Leiter der Delfintour.

»Ich bin mir sicher, dass dies ein unvergessliches Erlebnis für euch sein wird. Die Delfine senden reine Liebe aus und berühren und heilen damit die Herzen der Menschen.«

Dana beobachtet die Delfine, die einzeln oder in Gruppen aus dem Wasser springen und in der Tiefe des Meeres wieder verschwinden. Sie spürt, dass die heilende Energie sie auch auf dem Boot erreicht und es nicht nötig ist, dafür ins Wasser einzutauchen. Während sie die im Wasser tanzenden Delfine beobachtet, schweifen ihre Gedanken ab in ihre Vergangenheit und ihre früheren Leben, in denen sie ihre Kinder verloren hat. Sie wundert sich darüber, dass sie dies hier wieder einzuholen scheint, dachte sie doch, dies in den vergangenen Jahren alles geheilt zu haben. Vielleicht ist noch etwas in ihrem Herzen, das von der Energie der Delfine berührt wird und geheilt werden möchte. Schatten der Vergangenheit, die sie heute noch einmal bewusst dem Meer übergeben sollte. Dana zögert keinen Moment und sendet ihren alten Kummer, ihre Verlustängste und den Schwur, nie mehr ein Kind bekommen zu wollen, in das türkisblaue Wasser. Sie übergibt alles den Wellen und spürt, wie sich augenblicklich tiefer Frieden in ihrem Körper ausbreitet. Sie hat in den letzten Jahren ihre Angst, schwanger zu werden, losgelassen, aber nie ihre Absicht erklärt, wieder ein Kind in ihr Leben zu lassen, wird es Dana plötzlich bewusst. Vielleicht ist es das, was noch fehlt.

Wie von selbst formen sich die Worte in ihrem Kopf: Das Kind darf zu mir kommen, wenn der richtige Partner dafür in mein Leben getreten und die Zeit dafür gekommen ist.

Dana spürt, wie sich bei diesen Gedanken immer mehr Frieden in ihrem Körper ausbreitet, und ein weiterer Satz in ihrem Kopf entsteht: Vielleicht mag sich hier schon einmal ein Babydelfin zeigen.

Kaum hat sie dies gedacht, springt ein kleiner Delfin vor Dana in die Höhe. Er dreht sich dabei einige Male um sich selbst und taucht dann wieder in die Tiefe des Meeres ab.

Dana sitzt an dem Felsufer aus Lavagestein und schaut auf die tiefblaue Bucht, an der ihr Hotel liegt. Sie hat sich noch immer nicht an die Zeitverschiebung von zwölf Stunden gewöhnt und war auch heute wieder bereits vor Sonnenaufgang wach. So ist sie, kaum dass es hell wurde, zu dem Platz mit dem Baum gegangen, den Gordon ihr beim Luau-Fest zwei Tage zuvor gezeigt hatte. Dana genießt die Ruhe und die heilsame Energie, die von diesem Ort ausgehen. Da bemerkt sie, dass eine Delfingruppe sich der Küste nähert. Dana beobachtet, wie die Delfine durch die Luft springen und im Wasser tanzen, bevor sie die Küste entlang weiter nach Süden ziehen. Auch heute kann sie deutlich ein Delfinbaby erkennen und spürt, wie tief sie dieser Anblick berührt. Ihre Gedanken wandern zu dem Baum, den Gordon ihr gezeigt hatte, und sie fragt sich, wohin diese Elfenbrücke führen wird. Sie hatte den Baum mehrmals umarmt, doch nicht noch einmal das gesehen, was sie in der magischen Nacht während des Luau-Festes gesehen hat. Ein Blick auf die Uhr reißt Dana in die Gegenwart zurück. Jetzt muss ich aber los, denkt sie. Mirabai wird warten. Wir wollten doch zum Pier frühstücken gehen.

»Und wie war euer Tag?«, fragt Andreas, ein weiterer deutscher Seminarteilnehmer, Dana und Mirabai abends in der Blue Crystal Bar des Hotels.
»Wir waren in Kailua-Kona bummeln«, antwortet ihm Mirabai. »Es war ein richtig schöner Ausflug.«
»Stell dir vor, zu der Zeit, als ihr zu eurer Delfintour gestartet seid, habe ich mindestens sechs Delfine an der Küste gesehen«, sagt Dana. »Und als ich heute Abend an meinem Kraftplatz war und ein paar letzte Ängste dem Meer übergeben habe, sah ich einen einzelnen Babydelfin, der vor mir aus dem Wasser gesprungen ist.«

»Das wundert mich nicht«, erklärt Andreas. »Wir sind heute Morgen bei unserer Delfintour vom Hafen aus zu der Bucht gefahren, in der ihr gestern wart. Nur war da kein einziger Delfin.« Andreas nimmt einen Schluck von seinem Wein, bevor er weiterspricht. »Endlich, nach einer Stunde Suche, haben wir eine Gruppe Delfine gefunden, und zwar genau hier am Hotel. Dann sahen wir, dass sie drei Babydelfine dabei hatten. Die Bootsführer meinten, dass es nicht normal sei, dass die Delfine ihre Babys an die Oberfläche bringen. Sie sorgten sich um die Neugeborenen, weshalb wir nicht lange mit den Delfinen schwimmen durften.«

»Da bekommt man Gänsehaut«, sagt Dana. »Es kann kein Zufall sein, dass sie gestern an die Oberfläche kamen, als ich darum gebeten habe, und mir heute an der Küste erschienen. Wie ein Gruß aus einer anderen Dimension.«

Big Island/Hawaii
7. August 2008

Dana freut sich auf den Ausflug zum 1.223 Meter hohen Kilauea Vulkan im Hawaii Volcanoes National Park. Sie haben nicht nur an kleinen Erdbeben während der letzten Tage erkennen können, dass der Kilauea einer der aktivsten Vulkane der Erde ist, sondern auch an dem für Big Island ungewöhnlich diesigen Wetter, das von den Einheimischen als Atem Peles bezeichnet wird.

Während sie an der Kona-Küste entlangfahren, verteilt Reiseleiterin Mary Palmblätter, die für eine bevorstehende Zeremonie zu Ehren Peles am Krater vorbereitet werden sollen. Hierzu könnten die Teilnehmer Energien in die Palmblätter hineingeben, die sie dem Vulkan übergeben möchten.

Dana legt das Palmblatt auf ihr Herz und bittet darum, dass es alle dort möglicherweise noch vorhandenen Verletzungen und Ängste aus alten Zeiten aufnehmen möge.

Nach drei Stunden Fahrt erreichen sie den Rand des Kilauea Kraters, an dem sie für die Zeremonie mit zwei Kahuna verabredet sind. Die beiden hawaiianischen Heiler sehen in dem Krater das Heim Peles, von wo aus ihr Feuer der Leidenschaft und Kreativität unablässig fließt und neues Land formt. Der sich ständig ändernde Dampf, der aus dem Krater aufsteigt, zeuge von dem frischen Ausbruch des Vulkans und der Energie Peles.

Während der kraftvollen Zeremonie am Krater verliest die Kahuna Kalei'iliahi mit Tränen in den Augen eine Botschaft der Ali'i Nui Nui, der »höchsten hawaiianischen Geistführer«, die sie am Tage zuvor für die Seminargruppe erhalten hat. Eine Nachricht von den Sternen.

»Lasse die Nachricht beginnen ... Ihr Wesen des Lichts, ihr wurdet erwartet.

Wir haben ein Festmahl für euch an unseren schönsten Tischen vorbereitet, mit Nektar und Blüten voll Duft des Himmels, Nahrung für eure Seele. Oh ja, wir haben euch erwartet. Erinnert euch, von wo ihr kommt.

Ihr habt eine riesige Menge Arbeit für diesen Planeten und das Universum geleistet. Ihr seid schon hier gewesen, ihr wisst es, an genau diesem Flecken.

Einige von euch fühlen es bereits, ist es nicht so?

Lasst eure Erinnerungen erwachen. Ihr seid mit Fackeln gekommen, um diesen dunklen Ort zu erleuchten. Ihr habt Nahrung verteilt, wo keine Nahrung war, und mit eurer Medizin Leben gerettet. Ihr habt eure Fackeln zu den Kriegsregionen gebracht und den Soldaten in ihrer Angst Trost gespendet.

Ihr habt Dinge für diesen Planeten getan und für die Menschheit, die euch erstaunen würden. So geben wir heute hier ein Fest für euch. Lasst uns eure Herzen berühren mit dieser süßen Erinnerung, wer ihr seid.

Verlasst diesen Platz am Kilauea Krater mit dem Wissen, dass nur Liebe wirklich ist und dass ihr Liebe seid. Zusammen werden wir Frieden auf Erden kreieren.«

Die Energie, die diese Worte begleitet, berührt Dana tief in ihrer Seele und sie bemerkt, dass der Rauch aus dem Vulkankrater zugenommen und sich pink verfärbt hat.

Sie kann es kaum glauben, dass die Kahunas von Kriegsschauplätzen gesprochen haben, zu denen sie ihr Licht getragen haben sollen. Doch nun wird es Zeit, sich davon zu befreien! Dana wirft ihr Palmblatt in den Krater und übergibt damit ihre alten Ängste an das Feuer der Göttin Pele.

Dann führen die Kahunas die Gruppe über einen Rundweg durch einen Regenwald, der von hohen Ohia-Bäumen umgeben ist. Sie durchqueren dabei die Thurston Lava Tube, eine künstlich beleuchtete 500 Jahre alte Lavaröhre. In diesem natürlichen Tunnel, durch den einst rotes Magma aus den Tiefen der Erde strömte und sich einen Weg zum Pazifik bahnte, kann man sich von Ängsten und anderen Energien lösen und sie der Erde übergeben, erklären sie der Gruppe. Während Dana durch die Lavaröhre läuft, übergibt sie noch einmal ganz bewusst der Erde ihre Ängste aus alter Zeit und sie spürt, wie sich immer mehr Frieden in ihrem Inneren ausbreitet.

Epilog

»Die großen Dinge im Leben geschehen im Stillen.«

Mutter Maria

Honolulu/Hawaii
12. August 2008

Dana läuft gedankenversunken den Strand von Waikiki Beach entlang, Sie kann sich nicht erinnern, je einen solch energiegeladenen Sonnenuntergang beobachtet zu haben. Welch ein Abschied von Hawaii.

Dana war nach dem Seminar auf Big Island mit Mirabai für weitere vier Tage nach O'ahu geflogen, um dort einen Schamanen zu treffen, bei dem sie im vergangenen Jahr eine Ausbildung gemacht hat. Die Worte ihres Lehrers klingen noch immer in ihr nach, während sie auf dem Strand steht und die riesige dunkelgelbe Sonne betrachtet:

»Verstehe, dass es in deiner Lebensreise darum geht, die Angst vor Liebe und zu lieben loszulassen. Deine Angst zu lieben und das Geliebte zu verlieren war das Dramatischste in all deinen Lebensreisen, nicht nur in deinem letzten Leben in Russland. Diese Ängste halten jedoch das Geliebte unbewusst fern. Sei dir bewusst, dass deine Angst zu lieben sehr schnell nachlassen wird und immer weniger wird, mit jedem neuen Tag deines Lebens.«

Während die Sonne im Meer versinkt und sich Danas Blick in der Weite des Pazifiks verliert, lädt sie bewusst ihre Engel und Geistführer in ihr Leben ein. Sie weiß, dass auch dies nur möglich ist, da sie hier auf Hawaii in den vergangen Tagen ihr Herz geheilt und geöffnet hat.

Ihr Herz, das sich in ihrem vergangenen Leben in Sibirien nicht nur vor Männern und Kindern, sondern auch vor der geistigen Welt verschlossen hat. Sie hat ihre Geistführer und Engelswesen nicht mehr hören und sehen wollen und sich bewusst von ihnen abgewandt. Doch nun hat sie den Kontakt wiedergefunden und sie weiß, dass sie nach ihrer Heimreise nach Deutschland die nächste Reise antreten wird. Als Wanderer zwischen den Welten wird sie in die Dimension reisen, in der ihre Geistführer auf sie warten, um mit ihrer Energie und Liebe vielleicht auch in anderen Herzen das Eis zum Schmelzen zu bringen. So, wie es Maria ihr bereits bei der schamanischen Reise im vergangenen Sommer gesagt hatte.

Die Sonne ist inzwischen im Meer verschwunden und hinterlässt einen goldenen Horizont, während Danas Gedanken noch immer in Kona auf Big Island verweilen. Sie muss an die im Seminar auf Big Island erwähnte Brücke denken. Dass diese Brücke, die Menschen seit langer Zeit zu überwinden versuchen, um die geistige Welt zu erreichen, nicht nötig sei. Dass man dieses Hilfsmittel nicht braucht, um zu den Engeln zu gelangen. Die Engel sind um die Menschen und warten nur darauf, dass diese den Kontakt zulassen. Bei diesen Worten musste Dana an den Tunnel aus ihrem Nahtoderlebnis denken, durch den sie bei ihrer schamanischen Arbeit bisher zur geistigen Welt gelangte und der ihr offensichtlich als solch eine Brücke diente. War dies überhaupt nötig? Ihre Geistführer und Engel sind natürlich immer um sie, nicht nur in den wenigen Augenblicken, in denen sie sie sehen kann. Musste sie erst nach Hawaii reisen, um dies zu erkennen?

Nun wird ihr der Baum mit der Elfentreppe während den schamanischen Reisen vielleicht als Zugang zur geistigen Welt dienen, so lange, bis sie eine solche Brücke nicht mehr braucht.

Danksagung

Ich danke allen, die mir bei der Entstehung dieses Buches zur Seite gestanden und mich auf meiner Reise in die Vergangenheit begleitet haben.

Besonders danke ich:

Meiner Lektorin Angela Steiner.

Meinen Eltern aus diesem Leben, Ursel und Horst Dörr.

Meinen Freunden, die mir auf dieser langen Reise immer wieder Mut gemacht haben, darunter besonders Melanie Herrmann und Uschi Zimmermann.

Lore Katzenstein, Hans J. Schönfeld und Paul Kohl, die mich bei meinen Forschungen über Weißrussland unterstützt haben.

Kahuna Kalei'iliahi und Kahuna Nahokualak'i für die berührenden und heilsamen Begegnungen in Hawaii.

Und schließlich danke ich meinen zahlreichen Helfern und Beratern aus der geistigen Welt für ihren liebevollen Beistand, das Vertrauen und die vielen glücklichen Fügungen auf meiner Lebensreise.

Ohne Euch wäre dies alles nicht möglich gewesen.

Außerdem ist dieses Buch all denen gewidmet, die nicht zurückkehrten und dies alles nicht mehr erzählen konnten.